Emotion

2013

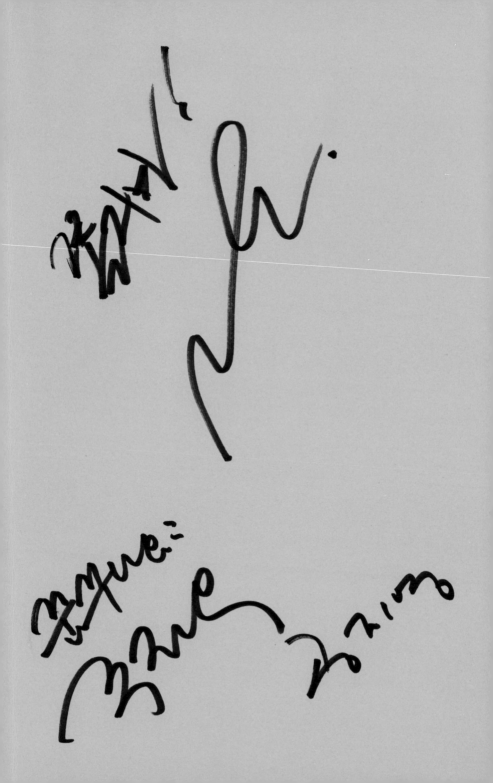

닥치고 정치

닥치고 정치

김어준의 명랑시민 정치교본

푸른숲

이게 다 조국 덕이다. 서울대 법대 교수 조국 말이다.

그의 등장과 부상에 열렬 환호했다. 오! 스펙, 얼굴, 기장, 음색, 사상. 이건 뭐, 토털 패키지. 이만하면 역대 최고 선수. 신난다. 달뜬 채 《진보집권플랜》 집어 들었다. 서문 읽다 덮었다.

재수 없을 수, 있겠다. 재수 없다가 아니라. 그리고 재미, 없다. 재미없을 수, 있겠다가 아니라. 전자는 위험하고 후자는 안타깝다. 이렇게나 훌륭한 선수가. 에이, 씨바.

안 되겠다. 돕자.

아무도 안 시켰는데, 괜히 나 혼자 불끈. 진보집권플랜 B⁻가 필요하다. 어디까지나 조국을 위한, 무허가 해제, 야매 보론, 측면 지원, 셀프 차출. 그렇다. 그렇게 시작됐다, 이 짓.

근데. 잦아들었다. 조국 바람이. 너무 빨리. 우씨. 어떡해, 이거. 난 이미 출발했는데. 에라이. 기왕 나선 거, 내처 달리자. 일이 그리된 게다.

그러니 사전 경고한다. 다음 페이지부터 펼쳐질 내용, 어수선하다. 근본도 없다. 막 간다. 근본 있는 자들은 괜히 읽고 승질내지 말고 여기서 덮으시라.

다만 한 가지는 약속한다.
어떤 이론서에도 없는,
무학의 통찰은 있다.
물론, 내 생각이다.

반론은 받지 않는다.
열 받으면 니들도
이런 거 하나 쓰든가.

서문 긴 건,
딱 질색이니
여기까지.

졸라.

출발

10 재수 없을 수, 있다

21 노무현의 애티튜드

23 강금실, 이회창 그리고 조국

27 이번만은 닥치고 정치

1장
좌, 우. 무서우니까

32 좌, 우. 사바나로 돌아가자

35 우. 겁먹은 동물

40 우, 내가 먼저 배터지게 먹고

43 좌, 정글 자체가 문제

47 욕망과 염치

50 유인원 완전체

56 자기 욕망에 투표하다

60 이명박의 여집합

66 두 사사롭지 않음의 대결

2장
불법은 성실하다

76 BBK

78 도곡동

83 다스

88 대통령의 포트폴리오

91 개미 등쳐 먹기

96 에리카 김의 입국

99 예언자 김경준

103 추정 또는 소설

106 법무적 경호실장

112 미국 판사와 140억

115 청계재단의 정체

120 국가가 수익모델이다

123 신정아와 문재인

129 검찰, 고3 선도부

3장
재벌, 자본주의 아니다

136 재벌, 삼성

139 에버랜드, 종업원의 짝사랑

142 금산분리

145 비즈니스프렌들리, 하시다

150 비자금, 도둑질

159 마사 스튜어트

162 협박과 회유

167 삼성≠이건희

4장
정치는 연애다

174 최초의 비명

178 심상정의 반역

183 콜래트럴 데미지

189 죄의식 마케팅

195 대남용 제스처

198 천안함

202 코리아디스카운트

208 2,072달러와 84달러

211 순정 진보와 월드컵

217 단독자

220 혼잣말, 하다

224 심상정

225 이정희

229 노회찬

232 에드먼드 버크

235 '영삼'과 3당 합당

238 그 외 양반들

5장
공주와 동물원

248 한나라당

253 아수라장

257 박근혜, 과거다

262 효도와 제사

267 밥상머리 세계관

272 사과, 않다

277 진짜 위험하다

284 비련의 개인사

287 불쏘시개들

6장
가능, 하다

294 조또 어려운 문제다

300 나는 꼼수다

307 지금. 당장. 나우

312 유시민과 국민참여당

323 사람, 문재인

재수 없을

재수 없을 **수, 있다.**

지승호(이하 지) _ 일단 책의 성격상 공인에 대한 호칭은 무조건 생략하자고.(웃음) 오연호가 묻고 조국이 답한 《진보집권플랜》이 괜찮은 기획이긴 한데 뭔가 좀 아쉬우니 김어준 버전의 '집권플랜'을 하자 했더니 한참 답이 없다가 갑자기 하자, 했을 때는 하고 싶은 얘기가 있는 거 아닐까? 그 얘기부터 시작합시다.

김어준(이하 김) _ 난 현 시국에 대해선 다른 방식으로 다른 이야기를 하고 싶었거든. 그땐 《진보집권플랜》을 읽지도 않았고. 그런데 책을 읽다가 형식을 차용해 할 이야기가 있겠구나 싶은 부분이 생겼어. 그러니까 그동안 내가 당신한테 인터뷰 많이 당해줬으니 이번엔 당신이 나한테 좀 쓰여, 쓰임 당해.(웃음)

닥치고
정 치

그럼 《진보집권플랜》을 집어 들고 맨 처음에 느낀 게 뭐냐, 거기서부터 시작하자고. 서문 있잖아. '촛불을 기억하는 당신에게', 그 대목 읽자마자 든 첫 생각은 조국은 사람이 너무 올발라, 지나치게 올발라. 하하하.

지 _ 조국의 매력이 뭐라고 봐?

김 _ 이 사람이 가진 전부가 매력이지. 생긴 것부터. 일단 여자들이 좋아하게 생겼잖아. 여자들은 이 정도로 생긴 대통령을 갖고 싶어 해. 여자들은 이명박이 어디다 내놔도 부끄러운 대통령이야.(웃음) 외국 정상들과 나란히 서 있는 장면, 보기 힘들어해. 외국에 안 나갔으면 좋겠다고.(웃음) 하지만 조국은 아니잖아. 이게 얼마나 큰 자산이야. 오세훈도 바로 그 지점에서부터 먹히기 시작한 건데.

조국, 이 남자는 키도 크고 잘생기고 목소리도 좋고 학벌도 좋고 생각도 올바르고 내용도 있고 품위도 있고. 이만한 자산을 패키지로 갖춘 진보 인사는 없었다고. 이런 스펙에 이런 외모에 이런 마인드의 사람이, 이 시국에 존재한다는 것 자체가 진보 진영에 엄청난 자산이지. 현 시국에서 조국이 있는 것과 없는 것의 차이가 있다고. 조국만 할 수 있는 역할이 있어.

지 _ 이런 캐릭터들은 조금만 실수하면 훅 가잖아. 흰옷에 때가 조금만 묻어도 금방 더러워 보이는 것처럼.(웃음)

김 _ 그렇지. 그런데 지금 조심해야 할 건 그런 차후의 실수가 아니라 현재의 애티튜드라고 난 생각해. 예를 들어 서문 중에 "오 대표는 나에게 대담 도중 여러 번 정치인으로서의 변신을 권유했다. 아마도 내가 정치인으로서 상품성이 있다는 판단 때문이었을 것이다. 국회의원 선거나 지방선거에서 내 이름이 거론된 것도 비슷한 이유에서였을 것이다. 한편으로는 감사하지만 다른 한편으로는 부담이 크다. 정치인이 되고자 한다면, 그 이전에 자신이 가진 모든 것을 다 버리고 대중 속으로 뛰어들어야 한다. 강력한 권력의지를 가지고 권력을 향해서 나아가야 한다. 후방에서 벌이는 작전 수립이나 평가에 그치지 않고 최전방에서 육박전을 마다하지 않아야 한다. 사색하고 책을 읽고 글을 쓰는 것보다는 사람을 만나고 소통하고 설득하고 묶는 일을 더 좋아하고 또 이에 몰두해야 한다."라고 쓰고 나서 이렇게 말해. "아직 나는 이러한 모습의 나를 상상하고 있지 않다." '아직' 이래, 아직.(웃음)

지 _ '아직'이라는 말이 의미심장한 거 같은데, 뭔가 가능성을 남겨 둔다는 거 아닌가?

김 _ 물론 그렇지. 그런데 그 이전에 난 "아직 나는 이러한 모습의 나를 상상하고 있지 않다."는 이 문장 자체가 그의 캐릭터를 여실히 드러내는 상징적인 문구라고 봐. '난 하기 싫다, 씨바.' 아니면 '하고 싶다. 그러나 아직 부족하다.'가 아니라, "아직 나는 이러한 모습의 나를 상상하고 있지 않다." 문장이 지나치게 우아하고 거룩해, 씨바.(웃음)

닥치고
정 치

거절도 아니고 승낙도 아니고 품위 있게 유예하면서 격조를 갖춘. 자신의 마음을 마치 3인칭 관찰자처럼 묘사하는, 우아한 객관적 기술의 정점에 있는 표현이지.(웃음) 이런 건 아무나 생각해낼 수 없는 문장이야. 그런데 이런 문장이 갖는 위험성에 대한 감각이 보이지 않아. 그 감각이 없거나 부족하다는 건 대중정치인으로선 매우 위태로운 지점이야. 이 상태는, 기본적으로 본인이 거론되는 게 싫지는 않지만, 두려운 거야. 하지만 나는 '좋으면 해라, 망가지면 좀 어떤가.'라는 말을 하고 싶어. 스스로 생각이 없거나 자격이 없다고 말하는 거면 모르겠어. 하지만 그렇게 말하는 건 아니잖아. 좀 망가져도 될 만큼 가진 게 많잖아. 좀 망가지면 어떠냐고. 그래도 여전히 한참 남는 장산데. 사실 개인적으론 이런 태도, 안 좋아해.(웃음) 나는 마초가 좋으니까.(웃음)

지 _ 그런데도 총수가 조국을 아끼자고 하는 건 무엇 때문이야?

김 _ 우리가 급해.(웃음) 이 정도 자산이면 이게 웬 떡이냐 싶어.(웃음) 정치적 쾌남아이길 기대하는 건 극히 사적인 바람이고. 이 정도면 대중정치를 해도 자기 성찰 제대로 하면서 계속 정치적 성장을 거듭할 거 같거든. 정치에 관심이 아예 없다면 이런 소리 절대 안 하지. 그 무슨 무례한 오지랖이야. 그런데 아직은, 그런 모습을 스스로 그리지 않고 있으시다잖아.(웃음)

그렇다면 이 훌륭한 우리의 자산이 약점을 노출하기 전에 하루 빨리 보완하자. 이렇게 주저하고 지나치게 올바르기만 하고 심지어는 심심하기까지 한 정도로는 급속도로 맥이 빠진다. 그게 안타까워서 이 양반을 위한 무단 보론도 해주고, 무허가 해제도 달아주자. 아무도 안 시켰는데.(웃음) 난 망가져도 상관없거든. 나는 망가져도 멋있어.(웃음) 내가 망가져 활로를 열어주자. 그런 생각을 서문 읽다가 한 거지. 그렇다면 원본의 패러디 형식으로 가는 게 효과적이겠다.

　　이 문제의식의 출발점이 바로 서문이야. 난 사실 서문을 읽자마자 '이거 재수 없을 수, 있겠다.' 했거든. 더 근본적인 문제는 본인은 그런 걸 감지하지 못한다는 거. 서문을 아주 예의 바르게 썼는데, 이건 물론 타고난 품성도 있지만 자기가 예의 바르지 않을 이유가 없어 예의 바른, 그런 종류의 예의로 비치거든. 실제 본인의 마인드가 어떠하든 그렇게 보이게 된다고.

　　그 예의에는 '제가 그런 칭찬을 받을 만은 하죠.'란 태도가 이미 깔려 있는 거라고, 대중은 감각한다고. 느낀다고. 직관적으로 그런 걸 캐치해낸다고. 이런 건 축적되면 고착된 이미지가 되고, 나중에는 어떤 노력으로도 바꿀 수가 없어. 그런데 그 위험성을 스스로는 감지하지 못하고 있는 거 같다, 자신은. 정치를 한다면 이건 문제다. 자신은 전혀 의식하지 못하는 사이에 그렇게 느껴질 수 있는 애티튜드가 지속적으로 유포된다. 서문이 바로 그렇다. 이런 건 재수 없을 수, 있다.(웃음)

　　지 _ 겸손하고 올바른 이미지의 조국이 오히려 비호감이 된다고?

**닥치고
정 치**

김 _ 이건 그냥 나의 열등감으로 처리해줘.(웃음) 이런 태도가 재수 없을 수, 있다고 말하는 이유가 뭐냐. 이런 태도 뒤의, 자신이 가진 걸 당연히 여기는 종류의, 진보적 엘리트 특유의, 의도하지는 않았지만, 공기처럼 흐르는, 우아하고 거룩한 오만. 그런데 사람들은 신기하게도 그런 작은 문장을 통해 그런 분위기를 아주 섬세하게 느껴. 조국은 진짜 오만한 사람이라고 이야기하는 게 아냐. 그렇게 읽힌다는 거야. 진짜 오만한 사람이면 이런 글을 쓰고 있지도 않지. 조까,(웃음) 하고 말지.

공부 잘하고 잘생긴 아이로 칭찬받으며 성장했을 것이고, 그 경쟁에서 항상 선두에 있었을 것이고, 그럼에도 불구하고 정의를 위해 직접 나서기까지 했고 또 하고 있으니까. 그런 삶을 통해 자신의 몸에 스며든 애티튜드가 있을 텐데, 그게 그런 문장 뒤에 자리하고 있다고 느껴버리는 거지. 사실 조국 정도면 스스로 대견해하고도 남지. 그 정도 남자가 어디 흔한가.

그런데 대중이 정치인 조국에게서 그런 걸 느껴버리면 조국은 조국만의 가치를 급속히 상실하게 된다고. 진보는 자기가 가진 게 당연해선 안 되는 거거든. 누구도 가진 게 당연한 사람은 없는 법이고. 그러니까 조국이 전혀 의도하지는 않았지만, 자신이 가진 자산 때문에 대중 일반에게 야기할 수밖에 없는 모종의 박탈감, 그것까지 감지하고 배려할 정도의 섬세한 대중 감수성, 그게 부족하다. 물론 조국은 억울하겠지. 하지만 어떡해. 가진 게 죄지.(웃음)

동시에 그렇다면 지금 본격 정치를 주저하는 것은, 누릴 것은 누리

> 진보는 자기가 가진 게 당연해선 안 되는 거다.

되 이미 가진 우아한 포지션을 잃을까 봐, 위험한 곳엔 아직 가지 않겠다는 거구나, 하는 '느낌'이 어렴풋이 든다고. 그리고 바로 그 순간부터, 조국에겐 억울하게도, 시시해 보이게 된다는 거야. 이건 논리적 추론이 아니라 정서적 직관의 영역이지. 내가 자꾸 '느낌'을 이야기하는 이유야. 대중정치는 사실 이 영역에서 결정되거든. 진보 진영에선 정치가 논리의 영역에서 결정될 거라고 생각하지만.

그래서 하루빨리 이 사람에게 재수 없을 수, 있는 지점을 알려줘야겠다. 나처럼 말을 하지 않을 뿐, 적확한 표현을 찾지 못하거나 굳이 표현하지 않거나 할 뿐, 그걸 캐치하는 사람들 분명 있거든. 그런데 노출 빈도가 높아져서 더 많은 사람이 그런 걸 느껴버리면 정말 아까운 우리의 자산이 망가지잖아. 이거 하루라도 빨리 짚자. 그런데 이런 종류의 이야기는 아무도 안 해줄 거거든. 누가 하겠어. 그런 자산을 가지고 그 자리에 갔으면서도 어떤 피해도 끼치지 않고 오히려 공공의 이익을 위해 뛰는데.

하지만 난 할 수 있거든. 난 내 의도를 오해받거나 내 주장으로 욕먹거나 하는 거 억울하지도 않고 상처 되지도 않거든.(웃음) 그러므로, 내가 하자. 그리고 기왕 할 거면 공개적으로 빨리 하자. 이런 건 둘이 앉아서 이야기해 봐야 소용없거든. 오히려 더 기분 나빠. 다 큰 놈들끼리 그런 말이 먹힐 리도 없고. 하지만 정치를 하겠다면 이야기가 달라지지. 그렇다면 빨리 들을수록 좋아. 그것도 나 같은 근본 없는 놈한테.(웃음)

닥치고
정 치

지 _ 인지도도 높은 편이고 인기도 많고, 유권자들에게 매력 있는 상품으로 보이지만, 한계가 있다는 거네?

김 _ 한계는 누구나한테 있지. 자연인이면 그걸 받아들이고 그냥 살면 되는데, 정치인이면 그 한계를 잘 숨기거나, 극복하거나, 아니면 거꾸로 그걸 강점으로 바꿀 수 있으면 되는 거지.

지 _ 조국뿐만 아니라 대중을 상대하는 일을 하거나, 대중정치인이 되고 싶은 사람은 한 번쯤 생각해봐야 할 대목이네.

김 _ 그렇지. 조국에 국한된 이야기였다면 이렇게 집요하게 이야기 하지 않지. 물론 조국이라는 보기 드문 진보 인사가 대단한 정치인으로 성장하는 걸 보고 싶은 마음도 있지만, 동시에 그를 통해 정치인의 바람직한 애티튜드에 대해 말하고 싶었던 거야. 자연인 조국은 그럴 필요가 없지. 자연인이 왜 모두의 오해에 답해야 해. 설혹 문제가 있다 해도 내가 상관할 바도 아니고. 내가 뭐라고. 하지만 정치인

> 노무현의 애티튜드가 빛을 발한 순간은, 상황의 유불리를 따지지 않을 때였거든.

이라면 이건 메이저 하자거든. 예를 들어 노무현의 애티튜드가 빛을 발한 순간은, 상황의 유불리를 따지지 않을 때였거든. 그런 순간, 사람들은 매료되지. 평소의 올바른 발언이야 누구나 할 수 있잖아.

지 _ 소위 진정성의 문제라는 거지? 진정성이라는 단어가 좀 지겹긴 하지만.(웃음)

김 _ 진정성이야 조국도 넘치지. 진심이 느껴지는 태도나 먹혀드는 말발의 차원이 아니라, '어, 이 사람 유불리를 안 따지네, 앗쌀한데.' 그렇게 정치인이 자신의 타고난 생김새를 드러내는 순간이 있어요. 결정적인 순간이. 그런 결정적 순간들은 말로는 뭐라 표현 못해도 사람들이 알아봐. 알아보기 때문에 그 사람에게 꽂히는 거지.

그런데 지금 조국의 애티튜드로는 그런 순간을 못 만든다는 거지. 난 이 양반이 중요한 정치적 포지션까지 가기 위해서 요구되는, 주요 자산을 거의 모두 가졌지만 바로 그러한 애티튜드 때문에 매력 대부분이 일순간 평가절하될 수도 있다고 본 거라고. 신기하게도 사람들은 그걸 알아보거든.

지 _ 본인은 정치적 근육이 없다고 하던데?

김 _ 찬스가 주어지면 정치를 할 수 있는 자격과 자질이 있다고 생각해. 이런 구절도 있잖아. "현 상황에서 내가 정치인으로 변신하기보다는 현재와 같은 모습으로 나의 길을 가는 것이 진보·개혁 진영 전체의 발전을 위해 옳은 선택이라고 믿는다." 현 상황, 이라는 전제가 있잖아. 다른 상황이면 다를 수 있는 거지. 그런데 이 문장에도 위험한 요소가 있어.

닥치고
정치

자기가 현재와 같은 모습으로 그 길을 가면 진보·개혁 진영 전체가 발전하긴 한다는 얘기잖아.(웃음) 나 같으면 닭살 돋아 이런 문장 못 써. 내가 이 길을 가면 진보·개혁 진영 전체가 발전한다는 전제가 깔린 건데. 전체가 발전을 할지 안 할지 내가 어떻게 알아.(웃음)

지 _ 이번 4·27 재보선 끝나고 트위터에 '이번 선거에서 내가 어느 정도의 역할을 한 것 같아 약간의 자부심을 느낀다.' 이런 취지의 글을 올렸더라고. 맞는 말이라도 대중들이 재수 없다고 느낄 요소가 있다는 거지?

김 _ 거기서 위험한 건 '약간'이야. 차라리 그냥 자부심을 느낀다고 해버리면 상관없어. 자기가 스스로 한 일에 자부심을 느낀다는데 누가 뭐래. 그런데 여기에 '약간'을 넣어버리면, 아까 이야기한, 예의 바르지 않을 이유가 없어 예의 바른, 그런 예의가 느껴진다고. 그럼 '약간'이란 단어 정도로는 커버되지 않는 미묘하고 미세한 불편함이 동시에 감지된다고.

또는 "그러나 진보·개혁 진영이 가야 할 길을 가리키는 나침반의 역할, 그리고 갈라진 진보·개혁 진영을 다시 붙이는 접착제의 역할을 기꺼이 하고자 한다."라고 했는데, 여기서 위험한 건 '기꺼이'지.(웃음) 이런 부사. 어렵지만 주어진다면 마다 않고 소명을 다할 자세가 되어 있는, 훌륭한 사람이란 자의식. 그런 걸 느껴버린다고. 사람들이.

이거 재수 없을 수, 있다. 튜닝이 필요하다. 물론 내가 "이러한 모습의 나를 상상하고 있지 않고 있다."는 첫 문장에 나 혼자 꽂혀 지나치게 민감하게 구는 것일 수 있어. 아무 문제 없이 읽을 수 있는 걸. 혹은 작은 부사 하나에 지나치게 큰 의미를 둔 것일 수도 있어. 그러니 내 주장을 걸러 들을 필요도 있다는 걸, 굳이 부연하고자 한다.(웃음) 하지만 적어도 난, 그 한 페이지 읽고서, 그런 판단을 했다는 거지.

지 _ 나는 충분히 할 수 있어, 할 자격도 있어, 마음만 먹으면 돼, 이런 태도인가?

김 _ 그건 아니고. 나한테 그런 과제가 주어진다면, 거절하지 않고 받아들이겠다, 왜냐면 그게 올바르니까, 그로 인해 진보·개혁 진영에 도움이 되고 싶기 때문에, 하여 그 짐을 마다하지 않고 그 역할에 기꺼이 나서겠다, 그런 거지. 진심이지. 잘난 자연인으로선 아무 문제 없지. 그걸 받아들이는 사람들과만 잘 살면 되는 거니까.
그런데 대중정치인이 되고자 한다면 문제가 생기지. '기꺼이', 이런 부사 넣으면 안 되거든.(웃음) 근본적으로 내가 자격이 있는 것인가, 그 회의부터 시작해야 해. 물론 개인적으로 그런 고민을 충분히 하고서 책에는 넣지 않았을 거야. 하지만 그런 고민을 하고도 넣지 않았다면 그 감각 역시 문제지. 오히려 그런 고민을 하지 않았다 해도 일부러라도 넣었어야 할 대목인데.
가장 먼저 자격을 언급했어야 해. 그걸 건너뛰면 안 돼. 자격을 기본 전제하면 안 돼.

**닥치고
정 치**

노무현의 애티튜드.

지 _ 정치하는 사람한테는 좋은 의미든 나쁜 의미든 굉장한 권력의지가 필요한데, 그럼 조국에게 권력의지는 있다는 건가?

김 _ 이건 나의 일방적 추론이긴 한데, 난 조국에게 기본적인 권력의지는 있다고 생각해. '감사하다'는 태도에 이미 권력의지가 들어 있는 거거든. 예를 들어 나한테 그런 제안이 온다면 난 전혀 감사하지 않아. 대신 난 그냥 시켜주면 하겠어. 중간 과정 다 떼고 대통령 하라고 하면 하겠다고. 그리고 다 죽여버리겠어.(웃음) 나쁜 놈들을. 그리고 탄핵되는 거지.(웃음) 그리고 자격 문제를 건너뛰었다는 사실에서도 그런 걸 유추할 수 있고. 사실 조국 정도의 사람이 자격이 없으면 누가 있겠어.

그런데 노무현과 다른 점은 노무현은 자신에게 그런 자격이 있다고 기본 전제한 게 아니라, 그런 자격 유무 자체는 아예 먼저 생각하지도 않았다는 거야. 남들이 못하면 나라도 해내야겠다고 생각했지. 아무도 못하고 있으니까 내가 해내야 되겠다, 씨바. 여기엔 반드시 씨바가 붙어야 해.(웃음) 노무현은 그 권력의지의 출발점이 일반적인 정치인들과 달라. 거기서 그의 힘이 나오는 거고.

> 나는 대통령에 전혀 하자 없는 인물이라며 출발하지 않았다.

나는 대통령이 되기에 전혀 하자가 없는 인물이야, 이렇게 출발하지 않았다는 거야. 보통의 정치인들은 그렇게 출발하거든. '내가 대통령의 자격으로 뭐가 부족해.'라고 출발하는데, 노무현은 안 되겠다, 나라도 해내야겠다, 에서 출발했다는 거. 그래서 대통령이 되고서도 그냥 자연인으로 산 거지. '나는 대통령이 될 게 당연한 정도의 사람인데, 결국 대통령이 되었구나. 나는 너무 대견해.' 노무현은 그런 유의 자의식이 없었어. 알아볼 사람들은 그걸 귀신같이 다 알아봐. 그리고 바로 그 지점에서 노무현에게 빠지는 거지. 그걸 못 보는 사람들에게 노무현은 음모에 수작을 부리는 걸로만 보이고. 이건 진보고 보수고 아무 상관 없어. 감수성의 문제지.

하지만 지금 조국의 애티튜드에선 사람들이 그런 종류의 자의식을 느껴버린다는 거야. 실제 조국이 그렇지 않더라도. 그런 자의식은 기본적으로 연예인 자의식이거든. 나약한 종류의 자의식이거든. 정치인으로 나서게 되면 그런 자의식은 나 같은 사람에게 금방 탄로 날 뿐 아니라,(웃음) 그런 자의식이 없다고 해도 지금과 같은 애티튜드로는 그런 게 있다고 느껴지게 만든다는 거야. 내 말의 핵심은.

사실 일반적인 정치인에게는 그런 종류의 자의식이 필요하긴 해. 연예인에게 그런 게 필요하듯. 하지만 난 조국이 그 정도는 가뿐하게 뛰어넘어버리는 정치인이었으면 하거든. 조국 정도의 진보 인사는 정말 아까운 자원이라고. 그런데 정치인의 바람직한 애티튜드를 이야기하느라 조국을 너무 물고 늘어졌나.(웃음)

**닥치고
정 치**

강금실, 이회창 그리고 조국.

지 _ 그런 부분에서 강금실 같은 사람하고 결이 다르다는 거잖아. 강금실의 경우에는 의무감 내지는 떠밀려서 나갔는데, 의지가 별로 없었기 때문에 파괴력이 없었던 거 아닌가?

김 _ 강금실을 만나본 적은 없는데, 정치인 강금실을 보면서 느낀 안타까움은, 참 똑똑한 사람인데 정치인으로서의 역할보다 자기가 더 커. 자기의 자의식이 더 커. 물론 바로 그 점이 자연인으로서는 매력으로 작용했지만.

지 _ 그런 사람이 정치하려고 나섰다가 실패하면 그 진영의 데미지가 클 수 있잖아?

김 _ 난 좀 희한한 의미로, 강금실한테서 이회창을 봤어. 이회창이 정치 데뷔 초기, 98년 대선 때 차가워 보이는 이미지를 개선하기 위해 보좌진들이 안경을 바꾸라고 했어. 그런데 이회창이 싫다고 했다고. 자기는 자기 모습이 좋다고. 난 이미 스스로 만족스럽고 대견하고 품위 있는데, 내가 왜 사람들에게 잘 보이려고 안경을 바꿔야 되느냐, 그런 정도의 생각이거든. 자신이 누군가의 마음에 들기 위해 뭔가를 억지로 해야 한다는 사실을 받아들일 수 없는 거지. 워낙 높은 곳에 있으시다 보니까.(웃음)

난 그 기사 보고 이 사람 대통령 못 되겠다고 결론 냈어. 사람들이 자신을 어떻게 보는가에 대한 감, 대중정치인이라면 당연히 있어야 하는 촉인데, 그게 없는 거지. 난 내가 마음에 든다만 있고, 사람들이 날 어떻게 받아들일 것이며 그것이 내가 생각하는 나와 어떻게 다른가에 대한 감각도 없고 관심도 없는 거야. 그런 건 지조도 아니고 스타일도 아니야. 그냥 보좌진 말을 듣고서 자기 외모를 바꾸는 게 자기가 생각하는 자기 품격에 안 맞다 생각하는 거지.

물론 그걸 다 좇아서 자기를 바꿔야 한다는 게 아냐. 그것만 좇는 사람들은 또 금방 탄로 나. 하지만 자기 스타일을 유지해도, 그 촉은 있어야 한다고. 사람들이 자길 어떻게 보는지에 대한 감각은 분명히 있지만, 자기 스타일로 인해 지불해야 하는 대가 역시 분명히 알지만, 그 비용을 기꺼이 지불할 만큼 나만의 확고한 스타일이 있다, 그리고 그걸 포기하고 싶지 않다. 만약 그 정도 되면, 오히려 자기 스타일로 사람들을 포섭할 수 있지. 그걸 알지만 개의치 않으면. 하지만 그걸 알지도 못하면서 무시하는 건, 대중정치인으로선 매우 멍청한 거지. 대중의 감각으로 자기 자신을 객관적으로 다시 들여다보는 능력, 그거 정치인으로선 가장 중요한 자기객관화야.

다시 강금실로 돌아오면, 강금실은 확고한 자기 스타일이 있었는데, 정치인들이 하는 짓은 너무 유치하고 같잖았거든.(웃음) 자연인으로서는 이미 자기객관화된 지성을 갖춘지라 그런 지위 따위에 으쓱해하는 수컷 정치인들이 정말 가소로웠던 거지. 그래서 그 사람들처럼 보이

**닥치고
정 치**

는 게 싫었던 거야. 그러기엔 자기 스스로 너무 남세스러운 거라. 더구나 상황이 요구하니까 나서게 된 거라서 스스로 정치인이란 역할에 백퍼센트 감정이입하지 못한 채 정치인 도전을 했다고. 자연인으로서의 자기객관화가 정치인으로서의 자기객관화를 방해한 셈이야. 참 아이러니하지.

지 _ 공식적인 자리에서 "호호호." 웃기도 하고, "코미디야 코미디." 이런 말도 했잖아.(웃음)

김 _ 자기 지성의 기준으로 볼 때 기존 수컷 정치인들이 정말이지 유치하기 짝이 없었으니까. 그런 유치한 짓을 스스로는 못하는 거야. 그래서 자기가 원하지 않는 자기가 노출되는 게 싫은 거지. 방송에서도 대중이 어떻게 보느냐보다 내가 방송에서 날 봤을 때 내 마음에 드느냐 아니냐가 먼저 신경 쓰였던 거지. 그게 정치인으로서의 강금실이 가진 한계였고, 그 지점에서 이회창과 만나는 지점이 있다는 거고. 물론 질과 격은 다르지만.

어느 TV 토론회에서인가 느꼈는데, 자부심 강하고 똑똑하고 지적이며 사랑받고 싶고 멋있고 싶은 자연인 여자, 그 상태 그대로 정치를 한다 싶었어. 그때, 매력적인 자연인이지만 대중정치인으로서 성장하기는 어렵겠다고 생각했어. 그리고 조국도, 이회창과 강금실이 다른 것만큼, 그 정도 거리만큼 강금실과 다르긴 하지만, 이회창과 강금실이 만나는 지점만큼, 그 정도 거리만큼, 강금실과 유사한 위험이 있다고.

그래서 이런 이야기를 시작한 거고.

지 _ 그런 얘기하고 비슷한 거잖아. 연애할 때 유치한 짓 절대 안 하겠다고 생각하면 연애 못하는 거다. 연애하다 보면 찌질한 짓도 하고 유치한 짓도 하게 마련인데. 때론 오바해서 자기감정을 표현해야 하기도 하고, 때론 상대방의 억지스러운 요구에 응하기도 해야 하잖아. 정치는 대중과 연애하는 측면이 있기 때문에 그런 감각을 가져야 한다는 거잖아?

김 _ 그렇지. 연애에 비유하면, 상대가 날 어떤 사람으로 이해하고 있느냐, 이게 되게 중요한 거거든. 상대가 날 어떻게 보든, 그로 인한 피해가 뭐든, 오로지 자기 스타일과 존재감만으로 승부하겠다고 결심한 거라면 모르겠어. 그게 노무현 방식이지. 누가 뭐라고 하든, 그로 인한 피해가 뭐든, 스스로 감당하면서, 그냥 끝까지 자기로만 살아버리는 거지. 그건 자기가 더 중요해서가 아냐. 다른 방식으로는 못 살아서인 거지.

그런데 이회창 같은 정치인들은 그냥 자기가 더 중요해서 그랬던 거거든. 연애와 비교하면 '저 사람이 날 어떤 사람으로 인식하느냐' 하는 과정은 생략하고 그냥 내가 하고 싶은 대로 하겠다는 거지. 그건 연애가 아니지. 나는 사랑받아 마땅하니까 너도 날 사랑하는 게 당연한데 내가 일일이 너의 생각을 알 필요가 뭐 있어, 그런 거지. 무례한 종류의 자의식 과잉이야.

**닥치고
정 치**

지 _ 연애를 하려면 기본적으로 상대방에게 맞춰야 하는 부분도 있을 거고, 계속 사랑한다고 말해줘야 하는 부분도 있잖아?

김 _ 자기를 싫어해도 신경 안 쓸 거면 모르겠는데, 그건 또 아니거든.(웃음) 그렇게 살 거면 개의치 말든가. 개의치 않을 게 아니면 잘 살펴 주의하든가.

지 _ 급변하는 상황이 아니면 조국은 잘할 수도 있을 것 같은데. 공부도 열심히 할 것 같고, 얘기도 잘 들을 것 같고, 학습 능력도 뛰어날 것 같고.

김 _ 지금은 선생님 같아. "독자들에게 다음과 같이 제안한다. 어느 영역에서 무슨 일을 하고 있든 간에 다시 한 번 마음속에 불꽃을 피우자. 한국 사회의 진보와 개혁을 위한 분명한 비전과 정책, 그것을 실현할 수 있는 인물의 '라인업'을 다 같이 고민하고 만들어보자. 그러면서 우리 모두 지금 서 있는 자리에서 한 걸음씩 더 나아가보자."라고 썼던데, 아니 이게 무슨 선각자적 제안이셔.(웃음)

이번만은 닥치고 정치.

지 _ 그럼 조국은 이제 어떻게 해야 하는 거야?

김 _ 사람들이 조국에게 바라는 건 유시민 언변에 진중권 독설을 가진 손석희거든. 지금 시대가, 시국이 그걸 원해. 그리고 조국에게 먼저 관심을 가질 만한 사람들은 조국이 바로 그런 사람일 수도 있다고 잔뜩 기대하며 지켜볼 거라고. 그런데 방금 설명한 종류의 자의식 낌새가 느껴지거나 지금과 같은 애티튜드로는, 올바르고 말랑한 그러나 자칫 재수 없을 수, 있는 연예인처럼 보이고 만다고.

게다가 《진보집권플랜》을 보면 아직 자기 언어가 없거든. 자기만의 대중언어가 없다고. 그럼 밍밍해. 연예인인데 밍밍하기까지 하면, 그런 식으로 오래 노출되면, 대중정치인으로는 치명적이란 거. 사람들이 그런 판단을 내리는 데는 오래 걸리지 않는다는 거. 그래서 내가 아무도 안 시켰는데, 주제넘게도, 재수 없게도, 이런 헛소리를 하고 있는 거 아냐.(웃음)

> 바라는 건
> 유시민 언변에
> 진중권 독설을
> 가진 손석희.

그래서 난 조국이 대중정치인으로서 출발을 혼자서 하려고 하면 안 된다고 생각해. 학습 능력은 대단히 뛰어난 사람이라고 생각되니까 초반의 혼란과 실수는 어쩔 수 없지만 하루 빨리 팀으로 움직여야 한다고 생각해. 그게 시민사회가 되었든 정치조직이 되었든 상관없어. 조국의 장점과 약점을 정확히 이해하는 팀이 조국을 관리하고 조국 역시 그 팀과 보조를 맞추며 학습하고 경험을 쌓으면 오래지 않아 자신만의 영역을 만들 수 있을 거라고 봐.

그리고 만약 조국이 그렇게 자신만의 언어와 자신만의 포지션을

**닥치고
정 치**

확보하고 자신의 자산을 최대한 활용할 줄 아는 정치인이 된다면, 무서운 파괴력을 가질 수 있다고 봐. 그 이전 어떤 진보정치인도 갖지 못했던. 오늘의 이야기는 바로 그 출발을 도와주고 싶다는, 나의 사해동포적 진심에서 비롯된 거야.(웃음)

지 _ 그런데 이 책을 통해 김어준이 가진 정치, 사회에 대한 판단, 지식, 시각, 경험을 가지고 조국 교수한테 조언을 해주는 게 전부인 거야? 그것만 하고 말기엔 좀 아깝잖아. 나는 좀 더 직설적이고, 대중적인 언어로 소위 진보 세력 내지는 반MB 세력이 왜 집권해야 하는지, 어떤 전략으로 집권할 수 있는지 총수한테 듣고 싶었거든. 〈딴지일보〉, '김어준의 뉴욕타임즈', '김어준이 만난 여자들'을 비롯한 각종 인터뷰 활동, 《건투를 빈다》를 비롯한 상담 활동 등을 통해 보여준 통찰력과 내공이 있잖아.

김 _ 일상의 언어로 조국을 보론하거나 해제하거나, 그래서 조국이 얼마나 매력적인 사람인지 돋보이게 하겠다는 게 처음 의도였는데, 약장수지, 조국 약장수.(웃음) 그러면서 내가 하고픈 이야기를 그 형식 속에 녹여 스끼다시 하고 싶었던 건데,(웃음) 기왕 일이 이렇게 된 거 조국 이야기는 여기까지만 하고.

그냥 다이렉트하게, 폼 잡는 이론이나 용어 빌리지 않고, 일상의 언어로 정치를 이야기해보자고. 평소 정치에 관심 없는 게 쿨한 건 줄 아는 사람들에게, 그 놈이 그 놈이라는 사람들에게, 좌우 개념 안 잡히는 사람들에게, 생활 스트레스의 근원을 모르는 사람들에게, 정당들 행태가 이해 안 가는 사람들에게, 이번 대선이 아주 막막한 사람들에게, 그래서 정치를 멀리하는 모두에게 이번만은 닥치고 정치, 를 외치고 싶거든.(웃음) 시국이 아주 엄중하거든, 아주.(웃음) 하지만 오늘은 여기까지. 배고프다.(웃음)

2011. 5. 6. 녹취

닥치고
정 치

1장

2011. 5. 13. 녹취

좌, 우. 무서우니까.

좌, 우.

좌, 우. 사바나로 돌아가자.

지 _ 왜 진보가 집권해야 하는지 말하기 전에 진보, 보수를 먼저 규정해야 하는 거 아냐?

김 _ 좋아. 좌, 우가 뭔지부터 얘기를 하자고. 굉장히 흔하게 쓰이지만, 사회과학에 익숙한 사람이 아니면 어려워하는 개념이니까. 그나마 전 국민이 공통으로 가진 좌, 우에 관한 기준이 북한을 바라보는 태도 정도인데, 북한에 대한 태도를 가지고 좌우나 진보, 보수를 나누는 건 사실 굉장히 한국적이고 예외적이며, 애초 유럽에서 기획된 좌, 우의 개념에도 들어맞지 않거든. 그러니까 더욱 헷갈리지.

나도 80년대에 20대가 걸쳐 있었기 때문에 그 시절의 평균적인 학습 세례를, 그 시절 유행했던 《자본론》, 《경제학-철학 수고》, 《공산당

선언》 같은 책들을 통해 받았어. 그런데 나이가 들수록 그런 이론들이, 그 당대에선 대단히 적확하고 정교한 통찰이었지만 그 역시 시공을 초월하는 신의 예언일 수는 없는 것이며, 탁월하지만 여전히 시대의 한계 내에 있는 한 불완전한 인간의 이론, 담론, 관념이기에 그 관점만으로 인간 일반을 전면 해석하려는 시도 또한 당연히 불완전할 수밖에 없다는 생각이 들었어. 지금부터 할 이야기는 그런 정교한 이론을 기반으로 얼마든지 반박할 수 있어. 나도 그런 이론들 대부분은 알아. 하지만 그런 건 제쳐두자고. 중요한 건 그런 정교한 이론이 아니니까. 큰 덩어리의 본질을 이해하는 게 중요한 거니까. 자, 그럼 내 방식대로 좌와 우를 설명해볼게. 무학의 통찰로.(웃음)

지 _ 진보, 보수를 나누고, 세계를 이해하는 것, 내 스탠스를 찾는 것이 학습의 결과가 아니란 말이지?

김 _ 내가 살아가면서, 사람들을 만나고 부대끼면서 순간순간 경험으로 터득한 건데, 그러니까 근본은 없어.(웃음) 어쨌든 그런 순간들을 경험하면서 나름대로 내재적 속성을 직관과 통찰로 발견한 거라고 난 주장하는 거지, 일방적으로.(웃음) 자, 이제 사바나로 돌아가보자, 사바나 시절로. 현재의 우리 사고 회로가 설계된 건 바로 그 시절이거든. 그 시절, 사회적 규범도 대단히 미약하고, 학습의 기회나 장도 달리 없고, 대단히 동물적인 자연인 상태였던 그때는 과연 좌, 우가 없었는가. 좌, 우의 원형질에 해당하는 사고방식은 과연 없었는가. 좌, 우의 어떤 기원에 해당하는 인식 체계, 세계관이 그때는 존재하지 않았는가. 난 당연히 있었다고 생각해. 아예 존재하지 않았던 사고의 회로를 어느 날 갑자기 인간들이 발명해냈을 리 없거든. 그런 사고의 경향성이 없었던 게 아니라 그런 생각을 설명할 정교한 언어를 갖지 못했을 뿐이지.

그렇다면 그 시절의 좌, 우는 어떤 것이었을까. 어느 날 문득, 그 원형질에 해당하는 감정이나 태도가 무엇이었을까 생각해보게 된 거지. 어떤 동물이건, 물론 사람도 포함해서, 그 태도를 결정하게 만드는 건 결국 크게 두 가지라고 생각해. 하나는 욕망이고, 나머지 하나는 공포야. 그게 모든 동물의 생존 방식을 결정하는 두 축이라고 봐. 간단히 말해, 살고 싶은 건 욕망이고, 자기 존재를 위협하는 건 공포지. 그 시절의 기본적인 욕망을 유추해보는 건 어렵지 않아. 먹고 자고 섹스하고. 모든 동물이 가진 본능적 욕구를 안정적으로 해결하기에도 만만치 않은 시절이었을 테니까. 그걸 해결하기에도 바빴겠지.

가장 큰 공포는
불확실성이었다,
불확실성.

그럼 공포는 어떤 모양이었을까. 사자일까. 천둥과 벼락을 내리치는 하늘. 가장 큰 공포는 불확실성이었다고 생각해, 불확실성. 물론 사자도 두려워. 그렇지만 사자보다 더 두려운 것은 저 풀숲에서 튀어나올 게 뭔지 아예 짐작조차 할 수 없는 상황이라고. 저 밀림 속에 오로지 사자밖에 살지 않는다면, 그럼 사자의 습성을 알고 조심하는 걸로 대처하면 되거든. 그런다고 공포가 완전히 사라지지는 않겠지만 적어도 예측하고 준비할 근거는 있는 거니까.

**닥치고
정 치**

그런데 거기서 뭐가 튀어나올지 모른다고 생각해봐. 미지의 포식자와 자연재해를 예상할 수 있나. 없다고. 언제, 뭐가 튀어나올지 모른다는 것, 그런 불확실성, 나는 이게 바로 공포의 원형질에 해당한다고 봐. 인간의 현대적 욕망을 가장 충실히 반영하는 자본 게임인 주식시장을 봐. 주식시장이 가장 싫어하는 건 불확실성이야. 불확실성에는 논리적으로 대처하는 방법이 따로 없으니까. 인간이 그런 불확실성이라는 공포에 따로 대처할 방도를 찾지 못하니까 굿도 하고, 별자리도 보고 그러는 거지. 토템이 어느 지역에나 있는 것도 마찬가지 이유일 테고. 그러다 그게 세련되어지면 종교가 되는 거고.

이 모든 노력은 결국 인간의 논리로는 도저히 대처할 수도 없고 해결할 수도 없는 불확실성을 어떻게든 축소하고 제거하기 위한 거지. 초월적 존재에 의탁해서. 악어가 인간을 잡아먹는 동네에서는 그 대상이 악어가 되기도 하는 거고. 염주 차고, 십자가 걸고 기도하는 거나, 동물 뼈 목에 걸고 굿하는 거나, 본질적인 동력은 같은 거라고. 우리는 신이 아니기 때문에 저 앞의 밀림에서, 자신 앞의 삶에서, 뭐가 튀어나와 날 해칠지도 모른다는 공포를, 불확실한 삶의 조건 속에서 견뎌내야 했던 거지.

우, 겁먹은 동물.

지_그 공포의 핵심이 바로 불확실성이라는 것이 되겠네?

김 _ 그렇지, 그런데 이 불확실성에 대처하는 방식이 크게 두 가지가 있을 수 있다고 생각해. 사람에 따라서. 생각해보면 그 시절엔 내가 오늘 먹을 것이 있다고 해서 내일 먹을 것이 보장되는 게 아니었잖아. 요즘 우리는 내일 먹을 것에 대한 불안을 돈으로 환치시켜 생각하는데, 돈만 있으면 다 해결되니까, 그 시절은 그게 아니었잖아. 내가 오늘 사슴을 잡았다고 해서 내일도 그 자리에서 다시 사슴을 잡을 수 있으리란 보장은 어디에도 없다고. 자신의 생존이 그러한 불확실성에 좌우되는 상황이지.

그 공포에 대처하는 두 가지 서로 다른 방식이 바로 좌, 우다. 난 그렇게 생각해. 우는 기본적으로 세계를 약육강식의 전쟁터로 이해한다고. 그렇게 생존이 상시로 위협받는 약육강식의 환경에선 내가 더 강한 포식자가 되어, 더 많은 자원을 확보하고, 더 악착같이 그걸 독점해, 우선 내가 살아남아야겠다. 그게 난 굉장히 동물적이고, 본능적인 반응이라고 생각해. 당연히 일단 내가 살아남아야지. 나는 죽고, 옆 사람이 살면 뭐해.

그래서 그들이 인지하는 세계에선 자신이 더 많은 것을 가지려고 하는 게 도저히 죄가 될 수 없는 거야. 당연한 생존의 권리지. 그래서 더 강한 자가 더 약한 자를 지배하는 것도 죄일 수가 없어. 마땅한 권리 행사일 뿐이지. 그리고 그렇게 고생해서 자기 것을 챙겼는데, 만약 그걸 누군가 가져가거나 남들과 나눠야 한다고 생각해봐. 억울하잖아. 그러니까 그들에게 사유재산은 대단히 중요한 거야.

자기가 강해서 획득한 자산, 그걸 남에게 뺏기지 않을 권리, 그렇

**닥치고
정 치**

게 확보한 자산의 차이로 만들어지는 위계, 그렇게 형성된 계급의 유지, 그 유지를 위해 필요한 질서, 그 질서의 지속적 보장, 그들이 인지하는 세계에선 그런 것들이 무척 중요해지는 거지. 그렇기 때문에 그 격차로 인한 불평등은 너무나 당연한 자연의 이치가 되는 거야. 뒤처지거나 약한 건 전부 자기 탓이니까.

이명박이 항상 나태해지지 말라고 하잖아. 그 말뜻은 그런 거지. 내가 강한 건 내가 열심히 노력해서, 내가 잘나서고, 내 덕에 내가 여기까지 온 거다. 난 그렇게 대통령까지 된 사람이다. 열심히 살지 않고, 불평불만 늘어놓는 자들, 남 탓만 하는 자들, 그 모든 건 자기 탓이다. 그러니 뒤처진 자들은 남 탓할 거 없다. 여기서 '남'은 바로 대통령까지 된 이명박 자신이지. 그러니 날 탓하지 말고, 정권을 탓하지 말고, 네 일이나 열심히 해라. 그런 소리지.

노력만으론 개인이 극복할 수 없는 사회구조 같은 건 보이지도 않아. 청소부가 열심히 일하지 않아서 가난한 게 아닌데, 그런 건 관심 없어. 이명박이 항상 자기는 뭐든 해봤다고 주장하잖아. 내가 해봐서 안다고. 그건 자기는 여기까지 왔다고, 스스로를 대견해하며, 니들도 그렇게 해보라는 소리거든. 그러니까 니들은 니들이 못나서 그런 거라는 말이지. 성공한 우의 전형적인 사고 패턴이야. 모든 문제를 개인의 무능으로 환원시켜, 자신들에게 유리하도록 장악한 시스템 자체에 대해선 시비를 못 걸게 만드는 거지. 씨바.

그렇게 생각해보면 결국 우는 공포에 지배당하는 자들이 보여주는 본능적 대응이야. 두려우니까, 무서우니까, 자신만이라도 살아남겠다며 발버둥 치는 것들의 리액션. 그래서 난 우는 세계관이 아니라 반응이라고 생각해. 공포와 마주한 동물의 반응. 그런 수준의 반응은 인간이 아니라 동물도 다들 하는 거거든. 식량이 없는 두려운 겨울을 견디고 봄까지 살아남기 위해 가을에 졸라 많이 처먹는(웃음) 곰의 적응과 하등 차이가 없는 거라고.

그래서 우의 엔진은 공포라고. 그 공포를 경쟁 대상에게 들키지 않으려고 표정은 엄숙, 비장한 것이고. 그 경쟁에서 이길 경우 자신이 너무 대견해서 안하무인이 되고. 졸라 촌스럽지. 조갑제가 칭송하는 우의 비장미가 바로 그런 속성을 가진 거지. 그렇게 불확실성이란 공포를 상대하는 동물적 반응, 그 관점으로 우를 충분히 설명할 수 있다고.

이런 건 기질적인 것이고 타고나는 거라고 봐. 게다가 치열한 경쟁은 어쩔 수 없는 거라고 가르치고, 넓게 머리 써서 지혜롭게 협동하기보다 잔머리 써서 다른 사람을 이기는 놈이 잘난 놈이라고 세뇌시키는 우리나라 시스템에서 우가 대다수인 건 더더욱 당연한 거지. 우가 본능적이고 일차원적이잖아. 일단 나부터 살고 보자는 것이 나를 둘러싼 시스템에 대해 생각해보는 것보다 쉽고 자연스럽거든. 유아적이라고 할 순 있어도 말이지. 현상 뒤의 구조를 읽어내는 건 막대한 정신 에너지가 필요하니까.

그리고 여기서 한국의 우가, 한국적 보수가 북한을 대하는 태도를 설명할 수 있는 단서 또한 얻을 수 있어. 그 정서적 단서를. 북한은 한마디로 불확실성 그 자체거든. 마치 언제 어디서 튀어나올지 모르는 밀림의 포식자처럼. 그럴 경우 그 두려움을 가장 손쉽게 처리하는 방식 중 하나는 상대를 악으로 규정해버리는 거야. 공포스러운 대상을 윤리적 단죄의 대상으로 바꾸는 거지. 그쪽이 훨씬 처리하기 간편한 감정이거든. 무섭다고 하기보단 나쁘다고 하는 거지. 무서워서 싫은 게 아니라 악해서 싫다고 말하는 거지. 그러니까 북한에 대한 우리나라 우의 반응은 한마디로 원시인 수준이야. (웃음)

지 _ 우리 우파 정당에 친일파나 그 후손이 많이 모여 있는데, 그게, 더 강한 놈이 있으면 '어쩔 수 없다. 쎈 놈이니 복종해야 한다!' 는 멘탈리티를 가진 사람들이라서 그런 건가?

김 _ 그렇지. 물론 자기 걸 뺏으려는 자에게 누구나 일단 반항하지. 하지만 그 힘의 차이가 압도적일 경우, 그래서 모두 잃더라도 맞서느냐 아니면 그 힘에 복종하느냐를 선택해야 하는, 그런 결정적 선택의 순간이 오게 되면, 결국 본질적 기질이 드러나게 된다고. 그때 우의 사고 회로는 자기를 압도하는 힘에게 복종하고 바짝 엎드리는 게, 자기가 더 힘이 세면 남을 지배하는 게 당연하듯, 받아들여야 하는 이치라고 여기기 십상이라고. 자기가 약하면 복종하는 수밖에 도리 없다고 받아들이는 게 우의 인식체계라는 거지. 동물하고 똑같아. 붙어봐서 안 되면 바로 꼬리 내리고 슬슬 기는 거지. 아예 도망치거나.

> 동물하고 똑같아. 붙어봐서 안 되면 바로 꼬리 내리고 슬슬 기는 거지.

지금도 일제 강점기의 장점을 어떻게든 찾아내려는 우파 학자들 있잖아. 그러면서 자기는 객관적이라고 착각을 하지. 객관적인 게 아니라 지가 그렇게 생겨먹었을 뿐인데. 정보는 그 자체로는 데이터에 불과하고 결국 어떻게 프로세스 하느냐가 중요한데, 그 처리 과정을 지배하는 게 바로 자신의 생겨먹은 기질이란 걸 스스로는 자각하지 못하는 거지. 그렇게 압도적 힘을 거스르기보다 따르려고 하는 건, 우의 멘탈리티로는 쪽팔린 게 아니라 당연한 거지.

우선 지가 다 처먹고 나서, 남은 찌꺼기를 나누어주는 것이 경제라고.

항상 경쟁을 이야기하고, 경쟁에서 탈락하면 지 탓이라 하고, 그 경쟁에서 승리한 엘리트 중심으로 생각하는 것과, 일본 같은 식민본국, 미국 같은 슈퍼 파워, 그 이전의 중국 같은 대국에 우가 머리를 조아리는 건 같은 맥락인 거지. 그리고 우의 기질과 원형질이 그렇다 보니까 우의 경제라는 건, 우선 지가 다 처먹고 남은 찌꺼기를 나누어주는 걸 경제라고 하는 거고. 일단 지가 다 먹고 나서. 이게 핵심이야.(웃음)

우, 내가 먼저 배터지게 먹고.

지 _ 배불리 먹고. 욕심껏. 그런데 그 자투리조차 나눠주지 않잖아. 트리클다운 효과, 대기업과 부유층이 잘 먹으면 그 혜택이 중소기업과

소비자에게 돌아간다는 건데, 별로 그런 적이 없거든. 지금 대기업에 돈이 쌓여 있지만, 안 풀잖아. 미래가 불확실하고 두려우니 자기 주머니에 돈을 쌓아두는 건 욕심이 아니라 당연한 거라는 거지?

김 _ 그렇지. 우는 지가 다 먹고 남은 것들, 그 찌꺼기, 자투리를 어떻게 처리할 것이냐를 놓고, 거기서부터 경제라고 얘기하지. 지가 처먹는 것까지는 경제가 아냐. 그건 분배의 대상이 될 수 없어. 그건 경제에 포함되지 않아. 그건 그냥 당연한 내 권리일 뿐이지.

지 _ 내 걸 달라니, 어떻게 그런 요구를 하지, 그런 거잖아.(웃음)

김 _ 일단 내가 충분히 먹어야 한다, 내가 배 터지게 먹고 남는 게 생기기 전에는 나누자는 말은 꺼내지도 말라는 말을, '파이를 키우자'로 바꿔 이야기하지. 그래서 우가 대한민국 경제 규모가 세계 10위권인데도 분배 이야기만 나오면 파이를 먼저 키우자는 똑같은 소리만 몇십 년째 반복하는 거지. 하지만 그들은 우리가 세계 1위의 경제 대국이 돼도, 파이를 키우자고 할 거야. 공포라는 게 많이 가진다고 사라지는 게 아니거든. 그래서 만족할 줄 모른다고. 자기가 먹는 것만 생각하니 항상 부족하고 그걸 나누는 건 아깝기만 하다고. 그런데 나누자는 말을 반박하자니 욕먹을 것 같아서, 파이를 키우자고 돌려 말하는 거지.
좌에 대한 이야기는 조금 있다 다시 하겠지만, 좌의 경제는 그럼 뭐냐. 아직 만들지도 않았는데, 생산하기도 전에 나눌 걸 계획하는 것부터 이미 경제라고 하지.(웃음) 어떻게 나눌 건지 미리 정해놓고 그다음에 생산하자는 거거든. 어떻게 나눌지 정해놓지 않고 아무리 생산해봐야 결국 힘센 놈이 다 가져간다, 그런 소리지. 좌와 우는 그렇게 기본적으로 경제를 보는 출발점 자체가 완전히 다르다고. 그런 기질적 좌가 정교한 이론으로 정리된 건 겨우 근대에 들어서야. 하지만 우는 정교해질 것도 없어. 우는 이념이 아니라 공포에 대한 반응이니까.

그런 우를 유일하게 인간답게 만드는 요소가 바로 자존심이라고. 그게 없으면 그냥 동물이야. 그리고 기질적 우가 그런 자존심을 가져야 비로소 하나의 정치 세력, 우파라고 불러줄 수 있다고 봐. 그런데 우리나라 우파는 그게 없어. 우파가 자존심이 없으면 우파라고 하면 안 돼. 겁먹은 동물이라고 해야지.(웃음) 자존심이 없으니까 미국에 빌붙는 걸 그저 이익의 문제로 치환해버리잖아. 부끄러운 줄도 모르고. 전시작전권 반환이나 한미동맹 이야기하면 우리 우파는 항상 돈 이야기를 한다고. 미국에 분담시키는 게 국방비가 더 저렴하다고. 그게 무슨 우파야. 장사꾼이지. 우리나라 우파는, 기질적 우, 그 동물적 반응에서 한 걸음도 나아가지 못한 거야.

스스로를 하나의 정치 세력으로, 우파라고 하려면 그따위 논리를 내세우면 안 되지. 아니 군사작전권을 남에게 넘겨준다는 건, 전장에 나가 죽으라고 말하는 권리를 남에게 넘겨준다는 건데. 자기 자식더러

> 우파가 자존심이 없으면 우파라고 하면 안 돼. 겁먹은 동물이라고 해야지.

죽으러 가라고 명령할 권리를 남에게 넘겨주면서, 그게 더 싸게 먹히니까 넘긴다는 논리를 내세운다는 게 말이 되냐고. 그게 어떻게 우파냐고. 자기 재산을 지켜주기만 하면 그게 누구든 상관없다는 거잖아. 어쨌든 나만 살고 나만 배부를 수 있다면 좀 비굴해도 된다는 거잖아. 공포에 대한 동물적 반응이 결국 거기까지 가버린 거지.

그래서 개네들은 그렇게들 군대를 안 가려고 하는 거야.(웃음) 그러니까 우리나라 우파는 정치적으로 우파라고 불릴 자격조차 없어. 그냥 자기만 살아남겠다고 두리번거리는 겁에 질린 동물들이지. 친일도 친미도, 결국 자존심 없는 우가, 동물 주제에, 인간 우파인 척하는 거라고.(웃음) 그러니까 우리 정치는 우파가 많아서가 아니라 우파가 없어서 문제라고. 겨우 그런 겁먹은 동물들이 지난 몇십 년이나 뭐나 되는 것처럼 우리 사회를 지배해왔던 거야. 아, 쪽팔려, 씨바.(웃음)

좌, 정글 자체가 문제.

지 _ 그럼 좌파의 원형질은 뭘까?

김 _ 우가 세계를 약육강식의 정글로 보고 내가 먼저 포식자가 되어 살아남아야겠다는, 공포에 대한 동물적 반응이라면, 좌는 정글 그 자체가 문제라고 접근하는 이들이야. 개개인이 문제가 아니라 자원이 제한되어 있다는 것 자체가 문제다. 어차피 제한된 자원이니 이걸 두고 경쟁만 해선 문제가 해결되지 않는다. 좌도 정글의 불확실성이 두려운 건 마찬가지지만, 우가 그 공포에 압도되어 자기만이라도 살려고 반응하는 거라면, 좌는 그 공포를 잘게 나눠 각자가 담당해야 하는 공포의 몫을 줄여서 해결하려 하는 거라고. 문제는 밀림 그 자체에 있는 거니까. 우가 본능적 반응이라면, 좌는 논리적 대처야.

그래서 각자가 처리해야 하는 공포의 크기를 균등하게 만드는 게 중요하다고 생각하지. 이 대목에서 평등이 아주 중요한 가치로 등장하게 되는 거지. 평등이 깨지면 기본적인 결속 자체가 안 되는 거니까. 이 체계는 나도 남도 같은 정도로 위험부담을 안고 있다는 전제가 결정적으로 중요하니까. 그게 무너지면 갑자기 나만 뒤처질지 모른다는, 나만 손해 볼지 모른다는 공포가 힘들게 정해둔 규칙을 무너뜨리게 되니까. 내가 가져가는 게 덜하지 않고, 저놈이 가져가는 게 더하지 않도록 조심해야 하지. 우리 사회야말로 바로 이 공포가 너무도 극심한 사회지. 나만 뒤처질지 모른다, 나만 손해 볼지 모른다. 그래서 다들 남들이 어떻게 하는지 열심히 두리번거리지. 낙오하지 않으려고. 동물적 우편향 사회의 전형적인 특징이지.

그래서 우가, 쎈 놈은 더 가져가도 된다는, 질서와 위계를 당연시하는 수직적 관계를 자연스럽게 받아들인다면, 좌는 누구나 같은 조건에선 같은 정도의 권리를 가져야 한다고 믿는 수평적 관계를 지향하지. 그러니 연대가 키워드가 되는 거고, 그 연대를 작동시키는 엔진은 염치가 되는 거지. 인간이 가진 염치. 우의 엔진이 욕망과 공포인 데 반해서. 그렇게 우는 동물의 반응이고, 좌는 이성의 작용이라고 할 수 있지.

**닥치고
정 치**

그런데 그렇게 좌가 논리적 추론을 하려면 먼저 우처럼 정서적 공포에 압도되지 않아야 하거든. 그건 그렇게 하려고 해서 되는 게 아니라, 그냥 그게 되는 사람이 있고 안 되는 사람이 있는 거라고 봐. 그러니까 난 좌 역시 타고나는 거라고 보는 거지. 좌는 공포를 이성으로 제어하면서 논리적 추론을 통해 시스템을 문제 삼는 거니까, 기질을 넘어 하나의 세계관이라고 봐줄 수가 있지. 하지만 그런 세계관은 근대에 들어서 서양의 기획에 의해 이념으로 정리된 거지, 좌, 우가 그제야 탄생한 건 아니라는 거야.

근대의 철학과 이성이 그러한 사고 회로, 인식 체계, 태도의 경향성에 논리적 주석을 단 거지. 그 시절, 원시공동체를 계급이 발생하기 전 좌파적 인간 본성이 구현한 구성체라 보는 마르크스적 해석이 탄생해 지금도 그 원시공동체를 우리가 회복해야 할 세계의 원형질로 바라보는 시각이 존재하는데, 그 관점으론 그 소규모 원시공동체들이 다른 소규모 공동체와 충돌할 때 드러낸 폭력적 욕망과 절절한 공포를 해석할 수가 없어. 원시공동체는 좌파적 본성이 지배했던, 그래서 우리 모두 되돌아가야 할 아득한 원형질이자 회귀점이 아니라 유약한 인간이 자연의 불확실성에 대처해가는 와중에 도달한 하나의 생존 적응일 뿐이라고 봐. 그 구성엔 당연히 인간의 좌, 우 본성 모두가 기여했고. 식인 관습 가진 원시공동체, 어쩔 거야.(웃음)

난 그 관점을, 인간도 동물의 한 종에 불과하다는 진화적 진실을 최초로 접한 각박한 산업혁명 시대에, 여전히 동물과 구분되는 인간

성의 고귀한 원형이란 게 존재하길 기원하는 19세기적 소망이 만들어
낸, 마르크스적 낭만이라고 불러.(웃음) 인간이라면 마땅히 그래야만 하
는 거란 인문주의적 낭만이 근대적 이성의 힘을 빌려 상상하고 구축해
낸 이론이란 거지. 자유주의자들의 낭만을
비판하는 21세기의 마르크스주의자들이 휴
머니스트였던 마르크스의 낭만은 생각해봤
을까 몰라.(웃음) 어쨌든 당시의 주석은 지나
치게 경제적 관점에서 접근한 한계가 있다고
봐. 경제적 계급은 공포가 만든 결과일 뿐이
거든. 원인이 아니라. 그 공포를 통제하지 않
고서는 계급 문제를 풀 수 없다고 생각해. 하지만 공포는 본능의 영역
이라고. 이걸 과학이나 신념으로 해결할 순 없다고. 다만 관리할 수 있
을 뿐이지. 그래서 계급의 문제를 풀려면 사회주의혁명이 아니라 공포
를 줄이고 관리할 수 있는 정서적 안전장치가 사회적으로 더 절실하다
고 봐, 난. 그게 사회구조적 장치여야 하는 건 맞지만, 혁명으로도 공포
자체를 삭제할 순 없다는 거지.

> 사회주의 혁명이
> 아니라 공포를
> 줄이고 관리할 수 있는
> 정서적 안전장치가
> 더 절실하다.

지 _ 그런데 김구 같은 사람도 우파잖아. 민족주의 이런 건데, 지금
얘기한 동물적 우파와는 대처 방식이 다르잖아. 그냥 굴복하지 않고.
이런 차이는 어디서 온다고 보는 거야?

김 _ 그게 아까 이야기한 자존심의 유무가 만들어내는 차이지. 나

보다 더 강한 놈이라 해도, 그게 두렵기는 하지만, 그 이유만으로 굴복하기엔 자존심이 상한다. 자기 존재에 대한 자부심이 그 본능적 공포를 이겨내는 거지. 그래서 자존심이 없는 우는 우파로 불러주면 안 된다니까. 그냥 혼자만 살겠다는, 겁먹은 동물이지.(웃음)

그렇다면 좌의 취약점이 뭐냐. 좌는 스스로 지적으로 우월하고 도덕적으로 정당하다고 생각한다는 거. 그게 왜 문제냐면, 좌가 지적으로나 도덕적으로 문제가 있다는 게 아니라, 그렇게 스스로 생각하다 보니 부지불식간 드러나는 지적 오만이 대중들로부터 좌를 유리시키는 결정적 역할을 한다는 거. 자기들만의 언어로, 자기들끼리만 대단하고 자기들끼리만 정당하지. 그러고는 자신들의 언어로 거대한 담론을 설법하려 들지. 예를 들어 우리 좌파가 입에 달고 사는 '신자유주의'란 용어만 해도 그래. 그 언어로 대중을 설득하려는 시도 자체가 어리석은 거라는 걸 인정하지 않고선, 자기들끼리의 리그에서 자기들끼리의 언어로 자기들끼리만 잔치를 하고 만다고. 자기들끼리 거룩한 순교자가 되는 거지.

욕망과 염치.

지 _ 결론을 내려보자면 좌, 우는 가치관이 아니라 타고난 것이라는 거네?

김 _ 몇 년 전부터 그렇게 주장해왔지. 무학의 통찰로.(웃음) 내 결론은 그래. 좌, 우는 기본적으로 타고난 기질이다. 이념이 아니라. 내가 뇌 과학을 연구해보지 않아 모르겠지만 좌, 우의 기질을 가진 사람들은 뇌 자체가 다를 거다. 반응하는 게 다른 걸 보면. 일부러 그렇게 반응하려고 하는 게 아니라 그렇게 생겨먹어서 그렇게 반응이 나오는 거다. 게다가 현재 우리나라 같은 무한 경쟁 시스템에서는 우의 논리가 더 자연스럽고 마땅하게 느껴진다.

정리하자면, 좌와 우는 삶의 불확실성이란 공포에 어떻게 대처할 것인가, 그 해법을 내는 기질이 작동하는 방식, 그 적응의 방식이 서로 다른 두 태도다. 그런데 좌는 기질에서 출발했을지언정 동물적 본능을 넘어서는 지점이 있다. 이성적 추론과 논리적 사고가 작동한다. 근대에 들어 거기에 주석을 달고 체계화하면서 이념의 지위까지 획득하게 된 거다. 그런 의미에서 오늘 우리가 말하는 좌의 체계는 기획된 것이라고 말할 수 있다. 그 지점에서부터 단순히 기질적 좌가 아니라 하나의 정치 세력으로서의 좌파가 탄생한 거다.

그런데 이렇게 좌, 우가 기질적인 거라고 주장하면 좌파는 불편할 수 있어요. 인간의 차이는 태생적인 거라 받아들일 수밖에 없다는 식의 논지를 펴는 우생학은 서구 제국주의 시대의 우파가 과학의 이름으로 식민을 정당화하기 위해 만들어낸 사기거든. 우파는 원래 끊임없이, 차별과 격차는 당연하다는 논리를 개발하려 한다고. 그래야 자기들이 배 터지게 더 많이 먹은 게 면죄되니까. 그래서 좌파는 태생적 기질 따위를 논하면 거의 자동으로 우파의 혐의를 맡아내지. 인간의 격차를 정당화해버리는, 정치적으로 올바르지 않은 접근이라고 느끼는 거지. 하지만 자연이 정치적으로 '올바르'려고 진화하는 건 아니거든.

그래서 좌파는 기질이나 생래적인 것을 넘어서는, 양육과 학습을 강조하는 거고. 물론 학습과 양육은 대단히 중요하다고 나도 생각해. 하지만 그것이 타고난 근본 기질까지 바꾼다고 생각하진 않아. 학습과 양육으로 사이코패스를 바꿀 순 없다고. 사이코패스조차 사회 속에서 용인되는 방식으로 살아갈 수 있도록 훈련시킬 수 있을 뿐. 그러니까 학습과 양육으로 그 기질을 제어할 수 있게 되는 것일 뿐이라는 거지. 예를 들어 북유럽 국가들이 누리는 높은 수준의 복지와 그걸 가능하게 한 사회민주주의는 분명 양육과 학습의 결과물이야. 그런데 그러한 양육과 학습이 좌의 기질을 가진 사람들이 유독 북유럽에서만 더 많이 태어나게 만든 건 아니라고. 그게 아니라 우의 기질을 타고난 사람들조차 둔감해질 정도로 생존의 공포가 약화되는 안정적인 사회 시스템을 만들어낸 거지.

> 자연이 정치적으로 '올바르'려고 진화하는 건 아니다.

그렇기 때문에 우리나라 같은 시스템에선 나이 먹어 우에서 좌로 가는 사람은 많지 않아도 좌에서 우로 가는 사람은 많은 거라고 봐. 시대 상황이나 학습의 결과로 우의 기질을 타고난 이들이 좌의 이념 체계를 머리로는 받아들일 수 있거든. 특히 정치적, 경제적 약자인 젊은 시절에는 더욱. 그런데 그렇게 살다가 가진 것이 점점 많아져서 지킬 것이 늘어나면 타고난 우의 기질이 드러나는 거지. 이게 내가 보기에는 김문수 같은 사람의 케이스지.

시대가, 정권이 하도 비상식적이고 폭력적이니까 도저히 그들과 한패가 될 수 없어 젊은 시절 좌의 이념 체계를 받아들인 자들이, 가진 것이 늘어나면서 애초 타고난 기질대로 가는 거다. 그러니까 자기 욕망이 자기 염치를 이기는 시점에 그들은 돌아간다. 그래서 난 그건 변절이 아니라 자연스러운 복귀라고 본다. 김문수, 이재오 같은 사람들. 이 정도면 거대 담론의 도움 없이 일상의 언어로 좌, 우의 본질에 대해 충분히 이야기했다고 본다. 자, 다음.

유인원 완전체.

지 _ 우파라는 사람들과 얘기해보면 스펙트럼이 다양하잖아. 확신범으로 보이는 조갑제 같은 사람이 있고, 조갑제가 이념적으로 공격하는 이명박 같은 사람도 있잖아. 그런 차이는 어떻게 봐야 하는 거야?

김 _ 조갑제는 최소한 자존심은 있다. 그래서 호오를 떠나 우파라고 불러줄 수도 있다. 끝.(웃음) 그럼 이제 이명박을 이야기해보자고. 이명박의 말과 행동을 지금까지 이야기한 좌, 우의 관점에서 해석해보자고. 예를 들어 용산사태 때 이명박이 내놓은 첫 번째이자 유일한 키워드가 법질서야. 이건 원시적 좌, 우로 충분히 설명할 수 있어. 우는 자기 힘이 더 세서 더 많이 갖는 건 당연한 권리라고 생각한다고 했잖아. 그렇게 더 많이 가져서 만들어지는 계급과 위계 역시 당연한 체제고.

그게 자신의 이익을 보장해주니까. 그 시스템이 안정적으로 유지되는 게 아주 중요하지.

그게 바로 법질서야. 법질서라는 게 애초 사람을 살리려고 있는 건데, 그게 본질적인 법질서의 역할인데, 그 법질서가 사람을 죽였어. 자신이 대통령으로 있는 국가의 국민들이, 그들을 지켜주라고 있는 공권력에 의해 목숨을 잃었다고. 그런데 가장 먼저 말하는 게 법질서라는 거. 대통령이 국민보다, 자신들의 이익을 보장해주는, 자신들이 지배하고 있는 현 시스템을 먼저 걱정한다는 거. 바로 우의 동물적 반응이지.

또 예를 들어 종부세 없애버리는 거. 내가 잘나서 내 노력으로 획득한 내 사유(私有)는 절대로 건드리지 말라는, 전형적인 우의 동물적 반응이지. 그 사유재산의 가치가 단순히 자신의 노력만으로 만들어진 게 아니라는 건 상상조차 할 수가 없지. 예를 들어 어느 아파트의 가치가 높다고 생각해봐. 그 아파트의 가치는 건설 자재나 설계만으로 결정되는 게 아니거든. 입지와 교통과 환경 모두가 복합적으로 작용한다고. 그럼 그 아파트 주변의 교통 조건, 교육 환경을 자신들이 만들어냈냐고. 아니잖아. 그 대부분은 국가 예산으로 만든 거야. 그 국가 예산엔 다른 사람들이 낸 세금이 포함되어 있다고. 이런 식의 사유 확장도 할 수 없는 게 우의 사고 회로지.

우에게는 그저 그게 자기 손에 있는 자기 것이란 것만 중요하니까. 동물이 딱 그렇잖아. 그래서 우에게 사유재산은 중요한 걸 넘어 신성한 거라고. 그로 인해 자신의 위계와 계급이 결정된다고 생각하니까. 그리고 그 사유재산이 바로 자신의 가치와 신분을 대변한다고 생각하니까.

동물이니까 그게 얼마나 초라한 건지는 전혀 몰라. 딱 이명박이지.(웃음)

그리고 이명박이 복지를 대폭 삭감한 거. 우에게 격차는 자연스러운 거라고 했잖아. 지가 못사는 건 그냥 지 책임이라고 생각한다고. 그들에게 그런 불평등은 당연한 거고, 자연의 이치인 거지. 그러니 복지는 기본적으로 국가가 그들의 게으름을 방조하고 조장하는 거라고 생각해. 아니 왜 자기가 잘못한 걸 국가가 대신 책임져주냐는 거지. 그렇게 돈이 아깝다는 소리를 '모럴 해저드'라는 그럴듯한 용어로 돌려 말하지. 그들이 복지와 관련해 할 수 있는 최대치는, 훨씬 더 강한 내가, 약해빠진 널 불쌍히 여겨 다소간의 도움을 주도록 하겠다, 지. 그건 복지가 아니라 시혜라는 걸 몰라. 복지란 불쌍해서 돕는 게 아니라, 공동체의 구성원이라면 당연히 누려야 할 최소한의 권리를 공동으로 보장해주려는 사회적 염치라는 걸 이해할 수가 없는 거야. 나는 우리나라 우파는 원시인을 설명하는 수준에서 백 퍼센트 해석된다고 봐.

> 복지. 공동체의
> 구성원으로 최소한의
> 권리를 공동으로
> 보장해주려는
> 사회적 염치.

지 _ 외국의 보수와는 어떤 차이가 있는 거야?

김 _ 그 기질적 본질은 물론 다르지 않다고 생각해. 우리나라 사람들의 뇌만 예외적으로 후질 리가 없잖아. 미국에서도 보면 총기 소지의 절대적 자유를 주장하는 애들이 우파란 말이지. 우란 게 결국은 이 두려운 무한 경쟁의 세계에서, 나 혼자서 나를 지켜내야 한다고 생각하는 공포감에서 출발한다고 했잖아. 그러니까 내가 날 보호하는 자위의 수단을 갖는 건 마땅히 보장되어야 할 권리일 수밖에 없는 거지.

미국에선 그게 총이지. 우리나라에선 부동산이고.(웃음) 그래서 우파는 전 세계 어느 나라에서나 자위, 국방 같은 개념에 대단히 예민하게 반응하면서 자신을 지킬 권리를 설파하지. 사바나 시절로 돌아가 생각해보면 밀림에선 자기를 지킬 무한 권리가 있어야 마땅한 거거든. 그 관점에서 그게 걔네들 뇌에는 맞는 반응이야.

그렇게 우파는 총기 소지까지 당연히 여기고 국방을 가장 중요한 가치 중 하나로 생각하는 게 일반적인데, 우리의 가카께서는(웃음) 성남 비행장에 피해를 줄 가능성이 있다고 군에서 반대해도 어떻게 해서든 제2 롯데월드 허가를 내주잖아. 군사기지보다 상업 빌딩이 더 중요해. 바로 이 지점에서 이명박은 우파 일반과 달라. 그리고 바로 이 지점을 조갑제는 못마땅해하는 거고.

우파라면 상업적인 빌딩의 신축을 이미 군사적 기능을 하고 있는 기지보다 중요하게 생각할 수가 없거든. 도저히. 그런데 이명박은 빌딩이 먼저야. 공군기가 이착륙할 때 사고 위험이 있다고 하는데도. 굳이 거기에 지어야 상업적 이득이 극대화된다는 롯데의 돈 계산을 국방보다 우위에 두는 거지. 바로 여기서 이명박의 특징이 고스란히 드러나.

이명박이 삶의 불확실성으로 인한 공포에 반응하는 방식은 단 하

좌. 우. 무서우니까

나야. 전부 단 하나로 귀결된다고. 오로지 먹고사는 문제로 환원시키기. 정말이지 가장 낮은 수준의 우파야. 내가 더 많이 가져서 나를 보호하려는 유인원으로부터 단 한 걸음도 더 나아가지 못한 거야. 그래서 난 우리나라의 나름 머리 되는 우파들은 이명박을 무척 부끄러워할 거라고 봐.(웃음)

우파들은 본능적이고 일차원적인 만큼 나름의 매력도 분명히 있거든. 자존심 있는 우파들이, 자기 목을 내놓더라도 그건 못하겠다고 덤빌 때의 결기, 그 비장함, 짠함 같은 게 분명 있거든. 내 머리카락을 자르려거든 차라리 내 목을 따라는 식의. 그럴 때 우파는 대중의 정서를 다이렉트하게 자극한다고. 열광시킨다고. 촌스럽고 부담스럽다고 할 사람도 물론 있겠지만.

**창 대신 돈을 든
완전 유인원.**

그런데 이명박은 완전 유인원인 거야. 창 대신 돈을 든.(웃음) 그래서 조갑제가 이명박을 싫어하는 거야. 자존심 있는 우파에게 가장 중요한 건 결국 폼이거든. 비장미가 거기서 나오거든. 그런데 이명박은 압도적인 수준의 동물적 천박함을 발산하고 있으니까. 인류가 쌓아온 정신적인 성과물 자체가 흔적도 없는 거지. 난 그래서 이명박이야말로 순결하다고 봐. 뇌에 구김살이 없어.(웃음) 뇌가 완전 청순한 거야.(웃음) 그래서 이명박에게 중요한 건 이념이 아니라 이권인 거지. 오로지. 그래서 내가 만날 그러잖아. 이명박은 국가를 수익 모델로 삼는다고. 비유가 아니라 실제라니까.

지 _ 기존의 우파들과 이명박이 갈리는 지점을 얘기했는데, 북한과의 관계를 생각해보면 이명박은 이권은 챙기는 인간이니까 정주영이 그랬듯이 최소한 개성공단은 유지하지 않을까 생각했는데, 기존의 우파한테 이명박이 밀렸다고 봐야 하는 건가?

김 _ 그들 눈치를 보는 거지, 이권 추구 말고는 자기 철학이라는 게 없으니까. 만약 〈조선일보〉 같은 이데올로그 역할 맡은 애들이 없었다면, 북한하고도 장사했을 거라고 봐. 북한 문제도 오로지 이익과 이권의 문제로만 바라봤을 테니까. 그래서 오히려 북한과의 관계를 진전시킬 수도 있었을 거란 생각이 들어. 자기 철학이 없으니까. 세상은 참 오묘하지.(웃음) 자기 철학이 없어서 하마터면 도움이 될 뻔 했다니.(웃음)

지 _ 결국은 자기 철학이 없기 때문에 천안함사건이 벌어졌을 때도 태도가 오락가락했던 것 같고. 천안함의 진실이 어떤 것이든 간에 그것을 자기 정권 유지 차원에서 선거에 이용하려 했던 것은 분명한 것 같으니까. 실패했지만.

김 _ 이명박은 우의 원형질 수준이니까. 그래서 모든 문제는 이익의 문제로 환원되는 거고, 국가도 수익 모델이 되는 거고, 그러니 당연히 자길 자꾸 CEO라고 하는 거고, 결국 '먹고사는 문제만 해결해주면 되는 거 아냐.'라는 태도밖에 취할 수 없는 거고. '747 공약'도 그래서 나온 거고. 이익 이외의 문제에 대해서는 자기 철학이 없으니까 무슨 소리를 해도 사람들 마음에 와 닿는 이야기를 할 수가 없는 거지.

자기 욕망에 투표하다.

지 _ 이명박에 대해 사람들이 몰랐던 건 아니잖아. '전과 14범이고, 이상한 사람이다.'라는 것까지는 많은 사람이 알았잖아. (웃음) 노무현 정권이 권위주의를 청산했다든지 하는 장점이 있었음에도 불구하고, 사람들이 이명박을 택한 이유는 뭐라고 생각해?

김 _ 자기 욕망에 투표한 거지. 이명박이라고 하는 인물에 투표한 게 아니라 자기들 자신의 욕망에 투표한 거지. 이제 절차적 민주주의는 확보된 거 아냐, 민주, 이런 단어 촌스럽잖아, 라고 생각할 수 있는 시절이 됐고. 뭐 완전 착각이었지만. (웃음) 노무현 시절엔 정말 그런 생각이 들었거든. 더 이상 정치권력이 두려운 존재가 아니고, 아무나 대놓고 대통령 욕할 수 있었고, 그러니까 이제 정치는 서비스나 잘해라, 그렇게 넘어가는 단계였지. 그래서 이명박의 정체가 뭐든 나한테 이익이 될 것 같으면 표를 줄 준비가 된 거지. 아이러니하게도 그 준비를 바로 노무현이 해준 거지. 역사는 오묘하지. (웃음) 할 수 없어. 역사는 그렇게 진퇴를 거듭하는 생태계니까.

> 이명박이라고 하는
> 인물에 투표한 게
> 아니라 자기들
> 욕망에 투표한 거지.

닥치고
정 치

그래서 이명박이 대통령 되면 내 부동산 가격이 올라갈 것 같고, 내 자산이 늘어날 것 같고, 그렇게 먹고사는 문제에 대한 서비스는 해 줄 거란 착각을 한 거지. 이명박이 이제 확보되고 정착되었다고 생각했던 기본적인 민주주의를 그 근본부터 흔들 거라고는 아무도 생각하지 못했던 거지. 그래서 집권 초기만 하더라도, 에이 설마 그렇게까지 하겠어, 하는 식의 반응이 대단히 많았지. 하지만 이명박은 항상 그 이상을 해냈지.(웃음) 대단해.(웃음) 그리고 저런 것도 있지. 정치심리학적으로 볼 때.

지 _ 사회심리학 아닌가? 정치심리학도 있나?

김 _ 있다 치자고.(웃음) 모든 큰 유행은, 메가 트렌드는 그 이전의 메가 트렌드가 갖지 못했던 걸 보완하는 방향으로 진행된다고. 아무리 거대한 유행이라도, 그 유행에 익숙해지고 나면 반드시 그 유행이 갖지 못한 면으로 인한 결핍을 느끼게 된다고. 예를 들어 꽃미남이 대세였을 때, 부드럽고 친절한 꽃미남에 막 열광하다가 어느 날 문득 보니까 꽃미남이 너무 유약한 거야. 정말 보호해줘야 할 꽃처럼 대해야 하는 거야. 피곤한 거지. 보호받을 수 있는 씩씩한 수컷에 대한 아쉬움이 생기는 거지. 그래서 짐승남이 부상하게 되는 거지. 꽃미남이 결여한 그 무언가를 메우려는 거지.

그런데 그렇게 짐승남에 열광하다 보니 이번엔 목 아래로는 좋은

> 모든 유행은 그 이전 유행의 결핍을 만회하려 한다.

데, 목 위가 부실한 거라.(웃음) 대화가 온통 헬스에 관한 거고.(웃음) 다시 한 번 짐승남의 결핍을 만회하려는 마음이 움직이기 시작하는 거지. 그러다 이번엔 좀 불친절하더라도 잔 근육 정도에 도회적인 세련된 남자, 차도남을 찾아낸 거야. 물론 차도남 역시 지나가겠지. 이 이야기를 왜 했느냐. 대선 정도면 명실상부한 메가 트랜드라고. 5년에 한 번 대중의 마음이 국가적으로 움직이는 거니까. 누가 차기 대통령이 되느냐를 이 관점에서 예측할 수 있다는 거지. 5년간 대통령 하면, 그게 누구든, 어떤 방식으로든, 때론 그의 장점조차, 사람을 피로하게 만드는 부분이 반드시 있거든. 그로 인한 피로감, 그리고 그가 갖지 못한 것에 대한 결핍을 메우려는 방향으로 움직이게 된다고.

지 _ 그러면 이명박이 대통령이 된 데는 노무현으로 인해 피곤했던 점이 있었단 말이네?

김 _ 노무현이 아니라 그 누구든 피로와 결핍을 남기게 되는데, 노무현의 경우 지나치게 정치적이고, 지나치게 논쟁적이었던 것 같은, 그래서 내가 먹고사는 데 직접적인 도움은 안 되는 것 같은, 그런 이미지. 그게 실제든 아니든. 물론 난 수구 언론이 만들어낸 상징조작의 역할이 아주 지대했다고 생각하지만. 그래서 사람들은 노무현으로 상징되는 것들이 아닌 것, 노무현이 아닌 것의 합집합, 노무현의 여집합을 찾게 된 거지. 그런 기대가 이명박에 투사된 거지.
　그런 의미에서 이명박의 집권에 노무현이 기여했다는 분석은 어느

**닥치고
정 치**

정도 진실이 있다고 봐. 사실 모든 새로운 정권의 탄생엔 이전 정권이 기여하는 부분이 반드시 있지. 이걸 노무현의 정책적 실패가 이명박의 집권을 초래했다는 식으로 둔갑시키는 데는 결코 동의할 수 없지만 말이야. 노무현의 정책적 실패가 없었다는 소리가 아니라 그 실패가 이명박의 등장을 초래한 건 아니라는 거지. 이전 정권이 야기하기 마련인 일정 정도의 피로와 그로 인한 반작용으로 기여했다고 말해야 하는 거지.

그리고 박근혜가 지금 압도적 지지율을 보이는 이유도 바로 거기 있다고 나는 보는 거지. 이명박이 그동안 안겨준 피로감은 정말 역대 최고 수준이거든. 난 군사정권보다 훨씬 심각한 규모의 피로를 안겨주고 있다고 봐. 군사정권이 구사한 전략은 물리적 협박이었어. 그런 주먹을 휘두르는 위협에 두

> 정치보복의 금전화,
> 정치탄압의 생계화,
> 긴급조치의 민사화.
> 밥줄공안의 시대가
> 개막된 거지.

려움을 느끼는 건 당연하다고. 그래서 그게 무서워 입을 다무는 사람은 기분이 나쁘긴 해도 적어도 스스로 초라하다고 생각하진 않아. 그 정도면 무서운 게 당연하니까. 하지만 이명박의 방식은 밥줄을 끊는 거야. 정치 보복의 금전화, 정치 탄압의 생계화, 긴급조치의 민사화가 바로 이명박 식이라고. 국민이 직원이고 자기가 대한민국 CEO니까. 까불어, 그럼 벌금 먹이고 정직시키고 파면시키고 소송 걸고. 이게 본질은 다 돈이고 생활이거든. 한마디로 밥줄공안의 시대가 개막된 거지. 생각해보면 당연하지, 이명박의 이념은 돈이니까.

그런데 물리력이 아니라 이렇게 자기 밥줄 걱정에 입 닥치는 건, 자조와 자괴로 되돌아온다고. 너무 초라하잖아. 이게 진짜 나쁜 거야. 자기 하나 살자고 나머지 국민들을 자기비하하게 만드는 거니까. 그로 인한 정신적 피로감이 대단하다고. 그렇게 이명박이 결여한 부분, 사사롭고, 약속 안 지키고, 말 뒤집고, 거짓말하고, 이권만 챙기고, 자기들만 해먹고, 그래서 이명박이 피로하게 만드는 부분, 겁나고 자조하고 자괴하고 비루하게 만드는 그 부분에 지쳐서 이제 사람들은 이명박 아닌 것의 합집합을 찾고 있는데, 바로 그 지점을 선점한 게 박근혜야. 최근까지는 선점 정도가 아니라 독점을 해왔다고 봐야지.

그런데 유시민이나 손학규의 강점은 거기 있지 않거든. 사람들은 이제 이명박 아닌 것의 합집합을 찾는데, 진중하고, 사사롭지 않고, 약속 지키고, 속이지 않는 사람, 그런 가치가 요구되는 시대적 타이밍인데, 유시민은 그 요청에 응답할 자질의 측면에서 사람들 머리에서 가장 먼저 떠오르는 사람이 아니라고. 물론 내가 아는 실제의 유시민은 그런 자질이 있고도 남지만 대중이 가진 이미지의 평균으로는 아니라고. 그래서 박근혜가 선점한 그 지점에서 박근혜와 맞부딪쳐 이길 수가 없다고. 이건 참여당과는 무관해. 참여당이 있든 없든, 전직이 이명박인 상황에서 차기를 놓고 박근혜와 싸울 자로 유시민은 아니라고. 손학규는 말할 필요도 없고.(웃음)

닥치고
정 치

이명박의 여집합.

지 _ 그럼 박근혜의 대척 지점에서 새로운 합집합을 만들 수 있는 사람은 누구야?

김 _ 문재인. 똑같은 지점에서 맞설 수 있는 사람은 문재인밖에 없다고 생각해. 사사롭지 않고, 약속 지킬 것 같고, 진중하고, 의리 저버리지 않을 것 같고. 박근혜가 강한 지점과 정확히 일치하는 강점을 가졌어. 그런데 문재인 스스로는 자신의 약점을 언급하면서 자질이 없다고 하지. 문재인은 이런 식으로 표현하거든. '나한테 정치하라는 것은 음치에게 노래를 부르라고 하는 것이다.' 일반적인 상황에선 그런 자기 분석이 틀리지 않았어. 노무현은 대중 앞에 나서는 걸 즐겼고, 이야기하다 보면 스스로 신이 나고 흥이 났던 사람이야. 10분 얘기할 자리에서 한 시간도 이야기할 수 있었던 양반이니까. 지식인과 연예인의 자질을 동시에 갖추어야 대중정치인으로 성공할 수 있는데, 노무현은 둘 다 가진 사람이었어.

그런데 문재인은 자기한테는 그런 연예인 기질이 전혀 없다고 말하고 있는 거거든. 자신에게는 대중정치인으로서 성공할 수 있는 자질이 없다, 그게 문재인의 자기 인식이야. 그게 일반론으론 틀린 분석이 아닌데, 이번 대선에선 틀린 이야기야. 이번 대선에서 사람들이 기대하는 자질은 그게 아냐. 유려한 화술이나, 선동적인 수사나, 매끈한 제스처가 아니라고. 이번엔 어눌해도 전혀 상관없어. 느려도 자기 할 말만 하면 돼. 거기서 진정성이 느껴지기만 하면.

그런데 그런 종류의 진정성이란 건 훈련해서 만들어지는 게 아니라 타고난 애티튜드에서 나오는 거라고. 그런데 문재인은 그게 있다고. 그래서 문재인 스스로 단점으로 생각하는 게 사실은 이번 대선에선 오히려 최대의 장점이라고. 박근혜를 봐. 말을 잘해, 말을 많이 해. 박근혜도 바로 그런 애티튜드를 타고났거든. 그래서 문재인은 지금 그대로 충분히 경쟁력이 있다는 게 나의 주장이야. 2년 전부터 줄기차게 외쳐왔지만 아무도 귀 기울이지 않다가 최근에야 조금씩 먹어주는.(웃음) 나는 문재인이 개인적으로 너무 좋아서 문재인이 된다고 말하는 게 아냐. 지금과 같은 시대와 정황이라면, 문재인이라야 통한다고 생각하는 거지.

지 _ 아직 정치를 제대로 시작하지도 않았고, 정치인 중에서 인지도도 그렇게 높지 않은 문재인이 지금 야권 주자 중에서는 대통령에 가장 근접한다, 가장 경쟁력이 있다?

김 _ 지금 기준으로 가장 근접했다고 하는 건 거짓말이고. 지지율도 그만큼 안 나오는데. 하지만 이렇게는 분명히 말할 수 있다. 문재인이라야 대결이 가능하다. 몸에 어떤 요소가 부족하면 우리 몸은 알아서 그 요소를 섭취하려 하거든. 문재인은 지금 시대가 섭취하고자 하는 요소의 집합체야. 문제는 문재인 본인이 자신은 적절한 영양소가 아니라고 생

> 문재인은 지금 시대가
> 섭취하고자 하는
> 요소의 집합체야.

각한다는 거지. 문재인의 유일한 약점은 문재인을 과소평가하는 유일한 사람이 문재인 본인이라는 거지. 문재인의 출마를 가장 강력하게 저지하는 것 역시 문재인 본인이고.

주변의 지인들은 문재인의 출마를 반대할 수 있어. 두렵거든. 문재인이 정치로부터 상처 입을까 봐. 그러고는 결국 질까 봐. 불안하고 무서운 거지. 하지만 내가 지금 말하고 있는 건, 일반적인 지지와는 그 성격이 달라. 문재인이 영남 출신이어서 정치공학적인 측면에서 유리하다고 생각하는 사람들과도 난 달라. 영남 출신, 특히 부산 출신이어서 경남의 표를 잠식하고 경북 역시 어느 정도 해줄 것이다, 이런 계산, 난 그런 데는 관심 없어. 그런 결과를 초래할 수는 있겠지만 난 그런 이유로 문재인을 말하는 게 전혀 아니야. 이 사람이 가진 자질, 이 사람이 드러내는 품성, 그로 인한 아우라가 지금 시대가 요구하는 자질이기 때문이야.

지 _ 그러면 문재인을 끌어내는 게 우선인 거잖아.

김 _ 이런 사람은 끌어낼 수 있는 사람이 아니야. 자기가 결단해야 하는 거지. 그런데 난 문재인이 그런 결단을 할 가능성이 있다고 생각해. 흔히 문재인의 문제점으로 권력의지가 없다는 걸 지적한다고. 하지만 그건 권력의지라는 말의 정의를 협소하게 해서 그런 거야. 문재인에게 내가 하고 싶다, 내가 해야 한다는 식의 권력의지가 없는 건 맞아. 일반적인 정치인들은 내가 하고 싶다, 나는 자격이 된다, 거기가 출발점이지. 그리고 되어야겠다, 어떻게 하면 될까로 연결되지. 그런 욕망을 권력의지라고 부르는 거고.

그런데 문재인 같은 사람들은 그 순서가 달라. 거꾸로라고. 왜냐면 문재인 같은 사람들은 자신을 도구화할 줄 알거든. 유시민, 노무현, 이런 사람들은 어떤 상황 앞에서는 그 대의를 위해 *스스로를 도구화한다*고. 그래서 이런 식으로 생각이 흐르지. 내가 도구가 되는 게 의미가 있으려면 적합한 도구여야 한다. 출발점이 거기야. 그런데 과연 내가 그런 도구로서의 자질이나 자격이 있는 것인가. 문재인의 경우는 자신에게 그런 자질이 없다고 스스로 진단한 순간, 거기서 딱 정지한 거야.

내가 나가서는 이길 수 없다. 왜냐. 정치인의 자질이 없으니까. 그래서 남의 기회만, 예를 들면 유시민의 기회나 빼앗고 우리 진영의 에너지만 낭비시키고 결국 정권 교체의 기회를 놓치게 만들 거다. 이런 생각. 이런 사람에게 일반적인 의미의 권력의지를 묻는 건 번지수를 완전히 잘못 찾는 거지. 그런데 난 문재인이 딱 멈춘 그 지점, 자질이 없다고 생각한 바로 그 지점이 오히려 이번 대선에선 최대 강점이 되는 지점이라고 주장하고 있는 거지.

그렇게 본인이 목적을 달성하는 데 적합한 도구란 걸 *스스로* 받아들이는 순간, 그래서 만약 내가 해야만 한다면, 그렇다면 반드시 되고 말겠다고, 대단한 결기로 맞부딪쳐 나갈 사람이라고 난 생각해. 사사롭지 않으니까. 역사의식이 확실하니까. 그리고 남자다우니까. '내가 하고 싶다.'는 없지만, 내가 해야만 한다면, 그렇다면 이기겠다고 실존적 결단을 내릴 수 있는 사람이라고 생각한다고.

**닥치고
정 치**

지 _ 이 책은 조국 때문에 시작됐고 결국 문재인의 자질을 깨우쳐주는 걸로 가네.(웃음)

김 _ 지더라도 문재인 같은 사람이 정치인으로 꼭 필요하다 그런 차원이 아니야. 역사의 소명, 이런 것도 아냐. 난 이 사람이라면 이길 수 있으니까, 라는 말을 꼭 하고 싶은 거야. 이길 수 있으니까 나오라는 거야. 이길 수 없는데, 역사의 소명을 다하기 위해, 문재인에게 그 역할을 맡으라는 건 너무 가혹한 일이라고 생각해. 역사가 어쩌고저쩌고 다 필요 없어. 이미 노무현 시절 개인적으로 원하지 않았음에도 불구하고 자신의 역할을 역사적 임무로 받아들여 충분히 수행한 사람이야.

2002년 대선 때 선대본부장 맡지 않으려고 했는데 경선 이후 밖에서 지지율 흔들고 민주당 내부에서도 노무현 흔들어서 위기 상황 오니까 자신이 역할을 해야겠다고 판단해 선대본부장 맡았고, 정권 출범하고 민정수석도 안 하려고 했는데 노무현이 재야운동 할 때부터 오랜 숙원이었고 맡을 사람이 없지 않느냐고 해서 결국은 역할을 하겠다며 맡았고, 17대 때 하도 총선 출마하라고 하니 "나더러 정치하란 말 하지 마라." 고 하고선 민정수석까지 관뒀다가 탄핵 때 또 상황을 정리할 만한 사람이 없자 다시 청와대로 돌아와 역할을 맡았다고. 그리고 그 스트레스로 병까지 났던 사람이라고. 그런 사람한테, 평생의 친구인 노무현이 그렇게 가는 꼴을 본 사람에게, 또다시 역사의

> 이길 수 있으니까 나오라는거야. 나오면 이긴다니까. 씨바.

이름으로 짐을 맡으라고 요구하는 건 너무나도 잔인한 요구라고.

그런데 문재인을 거론하는 사람들은 보통 그런 방식의 언어를 구사한다고. 역사와 소명 어쩌고저쩌고. 조까라 그래.(웃음) 그건 그 사람더러 죽으라는 얘기야. 나는 그건 말도 안 되는 요구라고 생각해. 원하지 않았음에도 역사가 요구한 자신의 몫은 이미 충분히 다한 사람이야. 난 그게 아니야. 이길 수 있으니까 나오라는 거야. 나오면 이긴다니까. 씨바.(웃음)

두 사사롭지 않음의 대결.

지 _ 옛날 같으면 조심스러워하고, '내가 자격이 있나?' 하고 생각하는 걸 대가 약한 걸로 생각할 수 있는데, 이번에는 장점이 될 수도 있다는 거네.

김 _ 그렇지. 박근혜가 강한 지점에서 대등하게 싸울 수 있는 유일한 사람이란 말은 이제 충분히 했고, 그렇다면 왜 그 싸움에서 승산이 있는지를 이야기해보자고. 이건 우선 박근혜를 좀 더 설명해야 해. 진보 진영의 박근혜 비판 레퍼토리 중 빠지지 않는 게 '독재자의 딸'이라는 건데. 독재자의 자식이 정치를 하려면 아버지와의 정치적 단절을 선언하거나 아니면 아버지의 정치적 계승을, 먼저 선언하는 게 맞지. 둘 다 모호하게 처리하고 혜택만 누리는 박근혜는 비판받아야지. 하지만 박근혜의 애티튜드는 그런 공격들을 무력화시킨다. 그 이유를 이해하지 못하고 그저 독재자의 딸이란 단어만 들이대는 프로파간다는 전혀 유효하지가 않다.

박근혜는 그런 식의 공세로 흠집이 나기는커녕 오히려 연민을 자극할 뿐이라고. 어차피 박근혜를 지지할 사람 혹은 잠재적 지지자들 상당수는 독재라는 단어가 아니라, 딸이란 대목에 꽂히는 거거든. 박근혜에게는 재클린의 아우라, 미망인의 묘한 아우라가 있다고. 재클린 케네디는 일국의 퍼스트레이디였음에도 남편 사망 후 오래지 않아 재가를 했어. 그것도 외국인 재벌과. 그리스 선박 왕 오나시스. 그런데 미국 미디어는 재클린을 공식적으로는 비난하지 않아. 물론 비판적 출판물도 나왔었지만 정서적 금기의 측면이 있어.

대통령을 비극적으로 떠나보낸 비련의 여주인공에 대한 연민이자 예우지. 그런 여자를 비난하는 건 너무 가혹하다는 대중 정서라는 게 있는 거지. 바로 박근혜도 그런 효과를 누린다고. 박근혜가 뭘 어떻게 해서가 아니라, 양친을 비명에 보냈다는 사실 자체가 이미 한 편의 비극적 드라마잖아. 거기에 더해, 재클린이 퍼스트레이디였을 뿐 아니라 오나시스의 막대한 유산을 상속받아 엄청난 부호가 되었다는 점, 그렇게 여성으로서 부와 권력을 획득하고 일상과 생활로부터 자유로운 지점까지 갔다는 점, 그게 대중적 판타지를 자극해 재클린 팬덤을 만든 것처럼, 박근혜 역시 거의 유사한 성격의 판타지가 주는 혜택을 누리고 있다고. 가장 유력한 대권 후보로 웬만한 정치인은 상대도 안 하는 권력자인 데다 대단한 자산을 가진 부자이기도 하잖아.

이게 참 무서운 조합이라고. 비련의 여주인공인데 권력과 부까지 가졌어. 어떤 부류의 여자들과 남자들 일부가 아주 환장할 조합이지.(웃음) 이런 박근혜를 상대로 그저 야권이 단일화하기만 하면, 후보가 누구든 이길 수 있다고 믿는다면, 그건 멍청한 거야. 박근혜 인기의 본질을 이해하지 못하는 거지. 인간은 생각하는 것처럼 합리적인 존재가 아니에요. 그런 존재들이 하는 투표는 논리와 합리 이상으로 정서와 감정이 지배하는 행위라고. 단일화하면 확률은 올라가겠지만 결코 그것만으로는 간단하게 이길 수 없다고. 박근혜를. 불가능하다는 게 아니라 결코 쉽지 않다는 거야.

자, 그럼 박근혜의 최대 강점이 뭐냐. 한마디로 사사롭지 않다는 거야. 박근혜가 그런 말을 한 적이 있어. IMF를 보고 눈물을 흘렸다고. 어떻게 일군 국가인데. 난 그 일화도 사실이고, 그 눈물도 진심이었다고 생각해. 다만 '일궜다'란 동사의 주체가 아버지일 뿐. 박근혜에게 국가는 아버지거든. 그래서 정치는 효도이자 제사라고. 효도와 제사가 사사로울 게 뭐가 있어. 그리고 박근혜에겐 일상의 흔적이 느껴지지 않아. 그럴 수밖에 없지. 엄청난 부자니까.

문재인의 최대 강점 역시 사사롭지 않다는 거야. 설혹 문재인이 출마를 선언한들 아무도 대권욕에 눈이 멀었다고 생각하지 않아. 일단 거기서부터 기존 정치인들과 차별화된다고. 문재인을 반대하거나 싫어하는 사람들조차 문재인이 사리사욕에 움직인다고는 생각하지 않아. 문재인의 인생이 이미 그걸 입증하고 있으니까. 문재인을 검증해야 한다는 식의 주장도 있는데 난 웃기는 소리라고 봐. 검찰이 BBK 수사로 이명박을 검증했나. 청문회를 하면 검증이 되나. 토론회를 하면 되는 건가. 검증은 그 사람 인생 전체로 하는 거야. 그런 의미에선 문재인은 이미 검증된 사람이라고. 어쨌건 문재인의 최대 강점도 사사롭지 않다는 건데.

　그렇다면 문재인과 박근혜의 차이는 무엇인가. 박근혜의 사사롭지 않음은 사사로울 필요가 없어서 사사롭지 않은 거야. 아버지가 국가고, 정치는 제사고, 생활은 관념이니까. 사사로울 이유가 없는 거야. 하지만 문재인의 사사롭지 않음은 문재인의 선택이라고. 얼마든지 사사로울 수 있었으나 품성과 지성의 힘으로 사사롭지 않은 길을 선택한 거라고. 누구든 박근혜의 자리에 있으면 사사롭지 않을 수 있어. 하지만 아무나 문재인의 자리에서 사사롭지 않을 수는 없는 거야. 그래서 이번 대선은 두 사사롭지 않은 자들의 싸움이 될 것이며, 그 두 사사롭지 않음을 구분하는 싸움이 될 거야.

　그런데 그 싸움에서 난 문재인이 결국은 유리할 거라고 봐. 왜냐. 결국 박근혜의 강점이 바로 약점이 되는 건데, 그녀의 사사롭지 않음은 한편으론 가장 사사롭다고 할 수 있는 거거든. 국가가 아버지의 유산이라서 상속받겠다는 거니까. 그래서 그녀에겐 국가를 어떻게 이끌 거란 단서를 드러내는, 그런 철학이란 게 보이지 않는 거야. 효도에 무슨 철학이 필요해. 그리고 사사로울 이유가 없는 집안에서 자랐지. 아버지 생전엔 국가가 아버지 소유였으니까. 게다가 사사로울 이유가 없을 만

> 검증은 그 사람 인생 전체로 하는 거다.

큼 부자이다 보니 자연인으로서의 사사로운 삶, 생활을 몰라. 취직하고 승진하고 월급 오르고 결혼하고 아이 낳고 키우고 교육시키고 집 사고 늘이고. 이런 일상, 생활을 전혀 겪어보지 못했어. 정치는 결국 생활이 대상인 건데. 생활이 관념이니 정치도 관념인 거지. 사람들은 그걸 결국 구분해낼 거라고 봐. 우리 모두는 생활인이니까.

여기에 더해 문재인의 외모도 크게 한몫을 하지. 박근혜에게 같은 여성으로서 감정이입한 여성들이, 문재인에게 이성으로 감정이입하기 좋은 자질들을 문재인은 갖췄거든. 그녀들은 이제 다른 국가의 정상들과 함께 서 있어도 쪽팔리지 않은 대통령을 갖고 싶어 한다고. 이게 민주화의 열망만큼이나 절실한 거라고.(웃음) 박근혜의 지지층 중 일부를 유혹할 수 있다고.(웃음) 뿐만 아니라 문재인은 유시민의 표와 손학규의 표를 흡수할 수 있지만, 그 역은 안 된다고. 그래서 이긴다는 거야. 내가 이 주장을 2년째 해오고 있다니까. 2년 전에 처음 이 이야기를 했을 땐 아무도 거들떠도 안 보더니, 이제야 조금씩 그걸 깨닫는 사람들이 늘어나고 있잖아.(웃음)

문재인은 그런 사람이야.

그리고 담백하고 단호한 원칙의 남자라는 것 역시 사람들이 알아볼 거야. 그런 건 말로 설명하지 않아도 결국은 느껴지니까. 정봉주 전 의원한테 들은 얘기야. 사학법 문제로 청와대에서 교육위 의원, 교육부 장관, 청와대 교육수석이 회의를 했대. 당정청 회의지. 당, 정부, 청와대. 당의 입장이 가장 혁신적이고 부처의 입장이 가장 보수적인 가운데 청와대가 조율하는 자리였는데, 서로 격렬하게 논쟁하다가 교육부 장관이 부처안 관철 안 되면 사표 내겠다고 강수를 던졌대. 문재인이 회의 내내 가만히 듣고만 있다가 딱 한마디 했대. 그럼 관두시죠.(웃음) 국가 정책을 조율하는데 자기 자리를 압박 수단으로 사용할 거면 관두라는 거지. 군더더기 없는 단 한마디의 담담하고 단호한 원칙으로 수많은 말들을 제압했다. 문재인은 그런 사람이야.

말 나온 김에 내가 문재인을 처음 알아본 그 2년 전이 언제인지도 언급하고, 문재인 이야기를 끝내자고. 노무현 영결식 때야. 당시 백원우가 이명박을 향해 말 폭탄을 던졌잖아. 많은 이들이 범인은 아는데 아무도 그 범인을 지목하지도 체포하지도 못하는 상황이라고 여기고 있었기 때문에 백원우의 행동은 그렇게 생각하던 사람들에겐 통쾌한 일이었다고. 그런데 그렇게 피아가 확실히 구분되고 감정적으로 격해진 상황에서 문재인이 이명박에게 가서 머리를 조아리고 사과를 한다고. 보통 그런 상태에선 범인에게 피해자가 사과한다는 건 있을 수도 없고, 만약 그랬다면 분노하게 된다고.
그런데 문재인이 이명박에게 사과를 하니까, 비겁하거나 쓸데없다고 느껴지는 게 아니라 경우가 바르다는 생각이 퍼뜩 들었다고. 이런 건 타고나는 애티튜드의 힘이라고. 이런 건 흉내 내거나 훈련할 수 없는 거야. 문재인에겐 그런 힘이 있는 거야. 박근혜도 바로 그런 애티튜드가 있는 사람이야. 그때부터 아, 저 사람이다. 저 사람이 박근혜와 똑같은 지점에서 맞설 수 있는 사람이구나, 싶었어. 그리고 그때부터 2년 후에 문재인이 뜰 거라고 주장하기 시작한 거고. 그리고 신정아가 올해 책을 출간하자 이제 바로 그때가 왔다고 주장을 했고.

그 주장에도 사람들이 황당해했지만, 나로선 대단히 합리적인 추론에 의한 거라고. 신정아의 책에 의해 정운찬이 낙마할 거고, 정운찬이 낙마하면 손학규가 낙승할 거고, 손학규가 낙승해 지지율이 상승하면 손학규로는 안 된다고 생각하는 야당 지지자들이 불안해서 마음 줄 곳을 찾을 것이고, 진보적 지지자들의 속성은 이길 수 있을 것 같으면 지지해주는 보수적 지지자들과 달리, 자신의 지지가 스스로에게 떳떳해야 하는데 손학규는 그렇지가 않거든.

> 진보적 지지자들은
> 자신의 지지가
> 스스로에게
> 떳떳해야 한다.

그래서 마음 줄 곳을 찾다가 유시민이 그 마음을 받아줄 상황이 못 된다는 걸 발견하고는 두리번거리다 문재인을 발견하게 될 것이다. 고로 신정아의 책은, 전혀 의도하지는 않았지만, 문재인의 부상에 디딤돌로 작용할 것이다. 어때, 죽이잖아.(웃음) 그리고 그 시점부터 문재인이 본격 부상했다고. 그 부상과 신정아를 연결하는 사람이 나밖에 없었다는 거.(웃음) 이 놀라운 지식인의 혜안.(웃음) 그리고 이제는 문재인이 이긴다고 주장하는 거고.

지 _ 대단한 무당 나셨다 그죠.(웃음)

김 _ 진보 진영에선 신자유주의를 극복하고 어쩌고 하며 차기의 자격에 대한 이야기를 하는데, 올바르지만 틀린 이야기다. 이명박이 올발라서 뽑혔나.(웃음) 사람들이 대통령을 선택할 때 논리를 동원하는 건, 그 사람에게 꽂힌 마음을 정당화할 도구로 쓰는 거지, 논리의 귀결로 누군가를 선택하는 게 아니라고. 그런데 진보 진영에선 언제나 논리를 먼저 내세우지. 뇌 구조가 그럴 수밖에 없긴 한데.(웃음) 지금 사람들이 찾고 있는 건 그게 아니야. 자기 마음을 줄 사람, 그리고 그 마음이 배신당하지 않을 사람을 찾는 거지. 감성이 발달한 사람들이 직관적으로 그게 문재인이라는 걸 알아보기 시작했다. 그래서 난 이제는 이렇게 말한다. '문재인이 유일하게 대결 가능하다.'를 넘어 '문재인이 유일하게 이길 수 있다.'

이긴다. 이긴다니까, 씨바. 두고 보라고.(웃음)

2장

2011. 5. 16. 녹취

불법은 성실하다.

BBK

BBK.

지 _ 이제 우파의 기질에 대한 이해를 넘어, 그들이 실제 어떻게 국가를 운영하고 있는지를 이야기해야 할 것 같아. BBK 사건이 그들의 본질과 문제 처리 방식을 상징적으로 보여준다고 총수가 얘기했었잖아. 압권이라고.(웃음)

김 _ BBK는 이명박의 본질을 관통하는 모든 요소를 갖고 있지. 감탄을 금할 수가 없어.(웃음) 이명박은 돈을 좋아하는 수준이 아니라 돈에 대한 욕망 그 자체야. 이명박의 액션은 그래서 이해하기가 쉬워. 그 액션으로 인해 이득 보는 사람이 누군가를 보면 그 일을 왜 하느냐가 언제나 드러나. 해맑아, 해맑고 투명해.(웃음) 왜 그러는지를 아니까, 다음엔 어떻게 할 건지 역시 예측할 수가 있어. 고마워, 아주.(웃음)

닥치고
정 치

지 _ 가장 최근 BBK에 관한 뉴스가 김경준이 140억을 '다스'에 꽂았다는 거잖아. 그런데 사람들은 이게 어떤 의미인지 몰라. 김경준이 다스라는 회사에 140억 원을 꽂은 게 도대체 이명박과 무슨 관련이 있는지, 왜 중요한지를 이해하지 못해. 너무 복잡하니까.

> 이명박은 돈에 대한 욕망 그 자체야.

김 _ BBK는 실소유주 문제부터 헷갈리고, 도곡동이니 BBK니 옵셔널벤처스니 전개가 복잡해서 이해하기 어려운 사건이지. 하지만 BBK는 이명박 욕망의 본질을 아주 성실하게 드러내. 불법은 성실하거든.(웃음) 그래서 BBK를 이해하고 나면 이명박이 어떻게 국가를 수익 모델로 삼고 있는지도 간파할 수 있지.

지 _ 그러니까 이 사건을 통해 그들의 본질을 이해할 수 있다는 말이지?

김 _ 우리 사회에서 성공한 주류들, 경제인이나 정치인이나, 이명박과 유사한 욕망을 가진 자들 중에서 최근 10년간 이명박이 가장 성공한 케이스잖아. 대통령까지 됐으니까. 그러니까 BBK는 이명박의 정체뿐 아니라 우리 주류 우파의 사고 패턴 역시 가늠할 수 있게 해주지. 그리고 그들이 어떻게 국가까지 수익 모델로 삼는지도 유추할 수 있게 해주지. 그런데 BBK는 단순화시켜 파악할 필요가 있어. 언론에선 디테일을 다루는데 오히려 본질 이해에 방해가 돼. 중요한 건 디테일이 아니라 흐름이거든. 흐름을 알면 전체 그림이 보이고 그래야 본질이 드러나니까. 다스에 꽂힌 140억을 이해하려면 우선 도곡동 땅부터 시작해야 해. 자, 가보자고.

도곡동.

지 _ BBK 하면 꼭 도곡동 땅 얘기가 따라 나오는데, BBK와 어떤 연관이 있는 거야?

김 _ 결론부터 먼저 이야기하자면, 만약 도곡동 땅이 이명박의 소유라면, 다스 또한 이명박의 회사인 것이고, 다스가 이명박의 차명 소유라고 한다면, 다스의 돈을 종잣돈으로 한 BBK 역시 이명박의 것이 되거든. 그리고 만약 그렇다면 BBK가 변신한 옵셔널벤처스의 주가조작이란 심각한 범죄로부터 이명박이 결코 자유로울 수 없게 되는 것이고. 그러니까 도곡동 땅의 소유 문제가 풀리면 모든 게 풀리는 거야. 자, 지금부터 그 이야기를 차근차근 해보자고.

도곡동 땅. 이건 이명박, 아니지, 지금부터는 그 엄청난 신공을 존경해 마지않는 충심에서 호칭을 통일하자. '가카'로.(웃음) 가카께서(웃음) 이 땅을 85년 현대건설에 있을 때 사들이신 게지. 당시 건설 회사들은 다들 부동산 투기했다고. 하긴 뭐 지금도 그렇지만. 당시 가카께서

77년부터 현대건설 사장으로 계시면서(웃음) 회사가 입수한 개발 정보를 개인 투기에 이용한 걸로 추정이 되지. 추정.(웃음) 지금부터 끊임없이 추정이 나올 거야.(웃음) 완전 소설이거든.(웃음) 가카께서 구입한 그 땅은 개발 예정이었던 대규모 행정타운 인근으로 지하철 3호선이 통과하는 금싸라기 땅이었다고.

이걸 처남에게 차명으로 등기시켜둔 건 이미 93년에 밝혀졌어. 당시 민자당 비례로 처음 의원 배지를 달았는데 공직자 재산 공개 때 숨겨둔 게 들켰다고. 당시 청와대와 민자당 재산공개진상파악특위의 내사 결과, "이명박 민자당 의원이 도곡동 땅을 차명으로 은닉했다."고 언론들이 크게 보도했지. 이렇게 보도됐다는 것까지는 팩트야. 그러니까 도곡동의 실소유주가 이명박이란 방증은 지난 대선 이전에 이미 많아.

이 땅이 93년에 문제가 되니까 95년 가카가 그 도곡동 땅을 포철에 판다고. 김만제 포철 회장 시절에. 그런데 98년 감사원의 포철 경영 실태 감사 기록을 보면, 감사가 도곡동 땅을 왜 매입했느냐 질문하면서 "위 부지의 실질적 소유자가 이명박 씨라는 것을 알고 계십니까."라고 물으니까 김만제 회장이 "예, 알고 있습니다."라고 답변을 한다고. 포철도 알고, 감사원도 알고 있었던 거지. 이건 감사원 문서 자료로 남아 있어. 이러한 자료가 존재한다는 것 역시 팩트지. 이 사실은 2007년 대선 당시 검찰 조사에서도 다시 한 번 확인 돼. 검찰이, 포철 실무진이 매입 적정가 190억이라고 한 도곡동 땅을 김만제 회장이 263억에 매입하라며 직접 지시했다고, 발표했지.

2007년 대선에서 도곡동 땅뿐 아니라 서초동 땅까지 다시 한 번 문제가 되니까, 가카는 그 땅은 현대건설이 중동 특수의 성과에 대한 보너스로 준 거라고 주장해. 회사가 일 잘했다고 땅을 보너스로 줬다는 해명이지. 한마디로 자신은 부동산 투기를 한 적이 없다는 거지. 그러자 현대건설 퇴직자들 모임인 '현대건우회' 사무총장이 언론에 등장해서 "급여로 땅을 주는 회사가 어디 있냐."고 가카의 주장을 반박해버리지.(웃음) 그 사무총장이란 양반은 현대건설 근무할 당시 인사부의 급여 담당이었거든.

급여 담당이었던 사람이 급여 관련 사실관계를 모를 리 없잖아. 가카는 땅을 관재이사가 관리해줬다고 해명을 해. 그러니까 다른 사람은 모르고 관재이사만 알았다는 식의 변명이지. 그런데 언론에서 과연 그런지 확인하려고 했더니, 하필 그 사실을 세상에서 유일하게 알고 있었다는 그 관재이사가 2006년 이미 사망한 분이네.(웃음)

지 _ 우연도 이런 우연이 있나.

김 _ 그런데 그 사무총장이 당시 관재이사란 직책 자체가 없었다고 쐐기를 박지.(웃음) 이렇게 위기에 처한 가카를 구출해준 게 바로 검찰이지. 서류상으로 도곡동 땅이 형 이상은과 처남 김재정의 소유로 등기되어 있었는데, 검찰에선 처남은 실소유주가 맞고 형 이상은은 차명 소유로, 제3자의 것으로 보이지만 그 제3자가 누구인지는 밝혀낼 수가 없다고 발표하잖아. 당시 밝혀낼 수 없다고 한 이유가 아주 웃겨. 지금 담당자가 출석을 하지 않는다는 거야. 어찌나 수줍은 검찰인지.(웃음)

닥치고
정 치

그리고 그 땅이 제3자의 것이라고 발표하면서 검찰이 그 이유를 밝힌 것 중에 가장 웃긴 건, 형 이상은의 자금 담당 이 모 씨가 있는데 검찰이 최근 1년간 통화 내역을 보니 그 사람과 이상은이 단 한 차례도 전화 통화를 안 했다는 거야.(웃음) 매달 2천만~4천만 원씩 총 아흔일곱 차례나 전액 현금으로 인출해 자기한테 건네는 관계인데, 100억이 넘는 자기 돈을 관리하는 사람인데 서로 절대 연락을 안 해.(웃음) 초현실적 절대 신뢰의 관계지.(웃음) 검찰 확인 결과, 형 이상은은 자금 운용 내역을 제대로 알지도 못하고 있었다고 했고.

> 100억이 넘는
> 자기 돈 관리자인데
> 절대 연락 안 해.

반면 처남 김재정은 검찰 조사에 그런대로 대응을 해낸 걸로 보여. 최소한의 면죄부를 줄 수는 있을 만큼. 당시 한나라당 대선 후보를 놓고 이명박, 박근혜가 박빙으로 부딪히는 중이었고 그중 누가 대선 후보로 결정 날 것인지 아무도 모르는 상황이었기 때문에, 검찰도 일방적으로 가카 편만 들어줄 수는 없었거든. 그러니까 검찰도 적당히 줄타기를 해야 하는데, 처남 김재정은 그나마 검찰이 나중에 핑계를 댈 수 있는 수준까지는 응대를 한 것으로 보인다는 거지. 물론 조금만 들여다봐도 김재정은 실제 소유주란 검찰의 발표도 졸라 희한해.(웃음) 95년 도곡동 땅을 포철이 263억에 매입해준 덕분에 김재정은 그 중 자기 지분으로 145억을 소유한 갑부였는데, 불과 2년 후인 97년에 빚 4억과 2억 6천을 갚지 못해 집을 두 번이나 가압류 당한다고. 그럼 2년 사이에 145억을 다 날렸느냐. 아니야. 검찰 발표를 보면 2007년 당시 도곡동 땅 대금으로 남아 있던 돈이 120억이야. 신비롭지.(웃음) 자기 돈이 아니라서 쓸 수가 없었다고 무식한 추정을 해본다.(웃음)

하지만 검찰은 김재정이 도곡동 땅 매각 대금을 직접 관리한다고 발표해. 그렇게 최소한의 면죄부가 가능했을 만하다 싶은 것이, 처남 김재정은 가카가 70~80년대 압구정동 현대아파트 투기할 때 분양받은 아파트 세 채에 살았던 걸로 전입 기록이 남아 있어요. 가카가 투기한 아파트에 처남을 살게 해준 거라고 봐야겠지. 그리고 다른 재산 기록을 봐도 가카와 아주 관련이 깊어. 예를 들어 82년 김재정은, 매형인 가카에게서 충북 옥천의 땅 37만여 평을, 2,500만 원에 사들여. 가카 집에 세 들어 살던 김재정이.(웃음)

당시 김재정의 나이가 33세였다고. 월평균 임금이 20만 원일 때고. 10년치 월급을 한 푼도 안 쓰고 모아야 해. 당시 30대 초반 직장인이었는데 그런 돈이 어디서 났냐고. 실제 돈이 오간 게 아니라 처남이 차명 매입하는 방식으로 관리한 게 아니겠는가, 졸라 추정되는 거지.(웃음) 가카 비서관을 지낸 김유찬은 이런 말도 했어. 자신이 비서관으로 재직하던 당시 지구당의 전 참모들과 비서관들 사이에선 처남 김재정을 가카의 집사로 알고 있었다고.

그렇게 처남 김재정은 이미 오래전부터 차명 담당자로 숙달되었던 걸로 추정되는데,(웃음) 형 이상은은 기초 훈련도 안 되어 있었던 거라고 추정되지.(웃음) 만약 도곡동 땅이 정말 처남 김재정의 소유가 맞다면, 이미 언론보도와 함께 의원직이 날아갈 판이었던 93년도에 완전히 소명되었어야지. 하지만 당시 그런 보도는 전혀 없어.

**닥치고
정 치**

그렇게 검찰에 의해 일단락됐던, 도곡동 땅의 실소유주가 이명박이다, 라는 주장은 가카가 당선된 후 다시 한 번 등장하지. 전 서울지방국세청 국장 안원구에 의해. 가카의 형 이상득의 아들과 친분이 있었고, 한때 차기 국세청장감으로까지 거론되던 대구 출신의 국세청 엘리트였는데, 노무현을 죽음으로 몰고 간 한상률 전 국세청장과의 알력 과정에서 결국 억울하게 감옥에 간 인물이야. 안원구의 스토리 또한 드라마틱하지만 여기선 도곡동 땅에 집중하자고.

안원구가 폭로한 내용은 자신이 2007년 포스코건설을 감사하다가 도곡동 땅이 가카의 소유라고 기재된 전표를 확인했다는 거야. 당시 감사를 맡았던 대구지방국세청 직원들이 도곡동 땅이 가카의 소유라고 되어 있는 전표를 포스코건설 서류에서 발견했는데, 그걸 자신이 덮었다는 거야. 그걸 본 직원 두 명까지 구체적으로 거론했지. 혼자 본 게 아니라고. 자신의 항소심 공판장에서 공개적으로 밝힌 내용인데, 자신의 이익과 무관한 사실을 지어낼 이유가 없잖아. 그걸 봤다고 해서 형량이 줄거나 무죄가 입증되는 것도 아닌데. 그 전표는 95년에 작성된 원본 형태로 존재한다고 했고.

다스.

지 _ 그럼 도곡동 땅이 BBK와는 어떻게 연결되는 거야?

불법은 성실하다

김 _ 이만하면 도곡동 땅이 가카의 차명 소유 부동산이었다고 합리적으로 의심할 근거는 충분한 셈이지. 그런데 이 도곡동 땅을 판 돈이 다스라는 회사로 들어가. 다스는 87년 설립되었는데 현대에 자동차 시트를 납품하는 회사야. 역시 가카의 차명 소유라 오래전부터 의심되는 회사인데, 이 회사의 지분 또한 처남 김재정과 형 이상은의 것으로 등록되어 있지. 도곡동 땅도, 다스도 공식적으로는 같은 두 사람의 소유로 되어 있는 거지. 사돈끼리 참 사이도 좋아.(웃음) 그런데 이 다스가 190억을 BBK에 투자한다고. 도곡동 땅을 판 돈이 다스로 들어가고 다스에서 다시 BBK로 들어가는 거지.

그러니까 도곡동 땅이 가카의 소유라면 다스도 가카의 소유가 되는 거고 BBK도 가카의 소유가 되는 거야. 그래서 도곡동 땅의 실소유주가 아주 중요하다는 거고. 그런데 다스가 BBK에 190억을 투자하는 과정을 보면 아주 골 때려. 다스가 BBK와 투자 계약을 한 게 2000년 3월 28일이야. 그런데 당시 다스의 사장으로 근무하던 양반이 미국 법원에 낸 진술서에서 "이날 김경준을 처음 보았고, 투자 문제도 이날 처음 들었다."고 진술을 했어. 그런데 다스가 투자를 결정했다고 기록된 날은 2000년 3월 21일이야. 사장이 투자 설명을 듣기도 전에 이미 투자가 결정되어 있었단 소리지. 흔히 하는 표현으로, 최종 결정 권한이 없는, 바지사장이란 뜻이지.

다스라는 회사는 당시 장부상 한 해에 순이익이 30억밖에 안 나던 회사야. 190억이면, 6~7년치 순이익을 한 번에 다 투자하는 건데, 회사 입장에서는 사활을 건 어마어마한 투자인데, 한국에서 기반도 없고

닥치고
정 치

사장과 일면식도 없는 30대 초반의 교포 김경준이 어떻게 그런 거액의 투자를 회사 사장도 모르게 미리 받아내느냐고.

김경준의 주장과 진술에 의하면, 다스에 갔더니 이미 투자 계약서가 작성되어 있더라는 거야. 검찰이 김경준에게 "사장을 만나 네가 투자받기 위해 설득했느냐." 물으니까, "아니다. 투자 계약서가 이미 작성되어 있었고, 30분 만에 입금되었다."는 게 김경준의 대답이야. 이런 이야기는 지어낼 필요가 없는 거지. 오히려 지어낸다면 앞뒤 말이 되게 꾸며내야 이건 상식적으로 말이 안 되잖아. 서로 이해가 다른 다스 사장과 김경준의 진술이 일치하는 대목이지. 그런 결정을 내린 사람은 따로 있었다는 소리가 되는 거지.

그런데 이 BBK를 5년 동안 추적했던 〈주간동아〉의 엄상현 기자라고 있어. 그 양반이 BBK 기사를 2007년 11월 주간동아 커버스토리로 내는데 그 기사 보면 아주 기가 막혀. 이 양반이 2002년에 다스에 전화를 해. BBK 사건을 일반인들이 알게 된 건 2007년이지만, 그 사건이 터진 건 2000년이거든. 이 양반은 그때부터 BBK 사건을 계속 추적한 거지. 다스에 전화해서 김재정을 찾은 거야. 190억 투자에 관해 물어보려고. 가카의 처남 김재정이 다스의 최대 주주로 되어 있으니까. 그런데 회사에 오래 근무한 직원들이 김재정을 처음 들어봤다고 하더라는 거야. 아니 회사의 주인인데 말이야.(웃음) 그럼 BBK라는 회사는 아느냐고 물었더니, 역시 처음 들어봤다고 하더라는 거야.(웃음) 지금 회사의 사활이 걸린 대투자를 한 곳인데 말이지.(웃음) 그래서 김재정에게

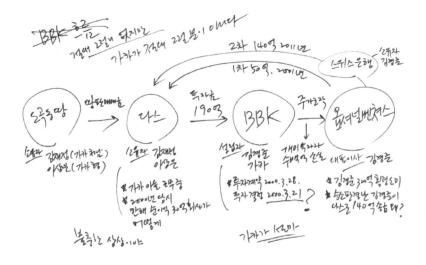

직접 전화해 BBK 투자에 관해 물었더니 자기는 다스의 경영에 전혀 관여하지 않고 투자과정에도 전혀 참여하지 않았다는 거야.(웃음) 최대 주주이자 감사가 자기 회사 순이익 6년치를 몽땅 투자했는데도 몰랐던 거지.(웃음) 실제 주인이 아닌 거라고 졸라 추정이 되는 거지.(웃음)

그 기자가 그때 이미 다스 뒤에 가카가 있다는 추론을 한 건지는 모르겠으나, 적어도 그때의 취재로 인해, 다스와 가카의 관계가 본격적인 논란이 되기 이미 5년 전에, 처남 김재정이 다스의 실소유주가 아니라는 정황을 포착하게 된 거지. 그럼 이야기가 이렇게 되는 거거든. 도곡동 땅을 판 돈이 다스로 들어갔어. 이건 팩트야. 그런데 다스가 처남 김재정의 것이 아니라면, 그럼 거꾸로 도곡동 땅도 김재정의 것이 아니잖아. 그리고 검찰이 도곡동의 형 이상은 지분은 제3자의 것이라고 했잖아. 그럼 도곡동의 장부상 주인 두 명 다 실제로는 주인이 아닌 게 되잖아. 땅 전체가 제3자의 것이 되는 거잖아. 누굴까요.(웃음)

지 _ 정리하자면 도곡동 땅을 판 돈이 다스를 통해 BBK로 들어갔다는 거잖아? 투자가 이뤄진 과정은 말이 안 되지만, 어쨌든 그 돈의 흐름 자체는 입증된 팩트라는 거지?

김 _ 그 흐름 자체는 입증된 팩트야. 도곡동 땅 판매 대금이 다스로 들어갔다는 건 2007년 검찰이 밝힌 내용이니까. 그리고 다스에서 BBK로 총 190억이 들어간 것 역시 아무도 부정할 수 없어. 자료가 다 남아 있으니까. 여기까진 팩트야.

지 _ 그럼 다스가 190억을 투자한 것에 대해 이명박이 아느냐의 문제가 남네?

김 _ 만약 도곡동 땅의 주인이 가카라고 한다면 그 사실을 모를 리 없지만, 드러난 정황만을 놓고 한번 따져보자고. 우선 가카도 BBK를 김경준과 공동 설립한 것까지는 부인하지 못해. 그건 너무 증거가 많으니까. 하지만 자신은 다스가 BBK에 투자한 돈에 대해서는 전혀 개입하지 않았다고 하지. 도곡동 땅도, 다스도 모두 자신과는 무관하다고 주장하는 거지. BBK에 관해선 절대 아무것도 책임지지 않으려는 거지. 그래서 가카는 다스가 190억을 BBK에 투자한 것도 몰랐다고 주장해. 그걸 알았다고 하면, 사람들이 '다스는 이명박의 것'이라고 생각할까 봐.

가카의 주장은 그냥 김경준이 다 알아서, 자기는 모르는 사이, 다스로부터 투자를 받아 왔다는 거야. 정말이지 팔만대장경으로 빨래하는 소리지.(웃음) 백만 번 양보해서 다스가 처남과 형의 소유라고 해보자고. 회사의 존립이 위험해질 수도 있는 무려 190억을, 알지도 못하는 30대 교포 하나 보고 투자했다는 소리잖아. 그런 거액을 투자받을 교포가 마침 가족인 가카와 동업자인데도, "그 회사 괜찮은 거냐."고 한번 물어보지도 않았다는 거잖아.

형이 190억을 동생의 동업자에게 투자하면서 동생한테는 비밀로 했다는 거라고.(웃음) 혹은 처남이 190억을 매형의 동업자에게 투자하면서 매형한테 극비로 했다는 거고.(웃음) 이게 말이나 돼. 앞뒤가 하나도 안 맞잖아. 완전 조까는 소리로 추정되지.(웃음) 그래서 도곡동 땅의 주인이 이명박이고, 다스의 주인도 이명박이고, 그럼 당연히 BBK의 주인도 이명박이란 합리적 의심과 논리적 추정을 하지 않을 수가 없는 거지. 정상인이라면.

대통령의 포트폴리오.

지 _ MB는 왜 뜬금없이 BBK를 설립한 거지? 그 동기를 알면 상황이 이해될 것 같은데.

**닥치고
정 치**

김 _ 물론 지금까지 이야기한 건 모두 소설이야.(웃음) 우리 가카는 절대 그럴 분이 아니시니까.(웃음) 가카께서 BBK를 통해 무엇을 하시려고 했느냐. 그건 BBK를 설립하기 직전까지의 가카의 상황을 이해해야 하는데, 서울시장 하기 전인 당시까지만 해도, 가카의 커리어에서 내세울 거라곤 국회의원 두 번에 의원직 박탈 한 번, 그리고 건설회사 사장의 이미지밖에 없었어.

> 경제대통령 이미지의 포트폴리오는 매우 부실했다.

하지만 그 현대건설은 자기 것도 아니잖아. 실제 자기 이름으로 된 단독 사업을 성공시킨 경력이 전혀 없다고. 그렇다고 다스를 자기 거라고 할 수도 없는 노릇이고.(웃음) 경제대통령 이미지를 전면에 내세우고자 하는 사람의 포트폴리오로는 매우 부실했던 거지. 건설 이외에 시대에 부합하는, 그럴듯한 성공 사업이 필요했던 거지. 그걸 통해 돈을 벌고자 하는 욕망도 당연히 있었겠고.

지 _ 건설과는 전혀 다른 금융에서 성공해 포트폴리오를 만들고 싶었던 거구만.

김 _ 그렇지. 그때가 구체적으로 어떤 상황이었냐면, 가카가 15대 총선 때 당선되었으나 공직선거및부정선거방지법 위반으로, 돈을 졸라 많이 써놓고 안 썼다고 했거든, 기소되어 재판받다가 결국 98년 400만 원 벌금형 선고를 받고 5년간 피선거권이 박탈된 직후라고. 어차피 몇 년은 정치 못 한다고 생각할 때여서 미국에 가게 되는데, 아마도 그 시기에 에리카 김을 만났던 걸로 보이고, 그녀를 통해 투자전문가로 활동하던 동생 김경준을 소개받기도 한 거지. 그리고 2000년 1월에 BBK를 설립하지.

그러니까 BBK는 가카가 그 시절 김경준과 함께, 혹은 김경준을 통해 구상했던 종합금융그룹의 출발점이 되는 회사였어. BBK의 성격은 투자자문회사이고, 그 외 증권사를 포함해 몇 개의 회사를 더 만들려고 했어. 여기서 복잡한 여러 회사의 이름이 등장하는데 다 알 필요는 없어. 이 복잡한 회사 이름들이 사람을 더 헷갈리게 하거든. 계열사들이 어떻게 된 게 일관된 작명 기준이 없어. 작명 센스하고는.(웃음) 어쨌든 당시 지분 구조를 분석해보면, 결국 가카의 그림은 다스를 지주회사로 놓고 BBK를 포함하는 종합금융그룹을 설립하려고 했던 걸로 추정돼, 추정.(웃음)

그런데 이게 왜 틀어지냐 하면, 금감원이 BBK가 서류를 위조하고 자본금을 유용한 사실을 알아내고 BBK의 투자자문업 등록을 취소해버린 거야. 당시의 가카는 그저 전직 경제인에 의원직까지 박탈당한 전직 국회의원일 뿐이었으니까, 금감원까지 자기 마음대로 움직일 수 있는 거물 따위는 아니었다고. 그래서 금감원은 규정대로 처리한 거지. 그러면서 BBK 다음 단계로 추진하던 증권사 설립 역시 무산되고. 종합금융그룹 설립의 꿈이 출발선에서부터 무너지게 된 거지.

**닥치고
정 치**

개미 등쳐 먹기.

지 _ 그럼 옵셔널벤처스는 뭐야?

김 _ 이 종합금융그룹을 만들어가는 과정에서 BBK가 옵셔널벤처스라는 회사를 인수한다고. 성격은 창투사야. 종합금융그룹이란 구도에서 필요했던 회사인데, BBK 외에는 이 옵셔널벤처스라는 이름 하나만 기억하면 돼. 왜냐면 이 옵셔널벤처스를 인수하는 과정에서 주가조작을 하거든. 마치 외국인이 옵셔널벤처스를 인수하는 것처럼 꾸며서. 그럼 개미 투자자들은 옵셔널벤처스에 뭔가 대단한 가치가 있어 그러는 줄 알 거 아냐. 금감원에 의해 종합금융그룹 설립이 무산되면서 BBK를 청산하는 과정에서도 옵셔널벤처스를 통해 다시 한 번 주가조작을 하고.

그러면서 수천 명 개미 투자자들에게 몇 백 억의 손해를 끼치지. 그리고 그렇게 주가조작해서 모은 돈으로 김경준은 BBK에 투자했던, 이명박과 가까운 투자자들 돈은 다 갚고서 미국으로 튀어. 참 친절한 범죄자지.(웃음) 주가조작으로 돈을 모으고 그 공금을 횡령해 도피할 자가 왜 BBK 투자자 중 가카와 친한 사람들 돈만 다 갚고 튀냐고. 그리고 튀기 전에 다스에는 190억 중 50억만 갚아. 졸라 희한하지.(웃음) 어차피 튈 놈이 왜 또 50억은 갚느냐고.

더 희한한 건, BBK에 돈을 댄 투자자들 중 유일하게 돈을 다 돌려받지 못한 게 다스야. 다른 사람들 돈은 다 갚고 튀었는데, 오히려 다스에는 50억만 돌려주고, 140억은 안 갚고 튀어. 더더욱 희한한 건, 다스는 김경준이 미국으로 튀고 나서 1년 반이나 지나서야 비로소 미국 법원에 투자금 반환 소송을, 김경준 상대로 건다고. 무려 140억을 안 갚고 튀었는데도 1년 반이나 참아. 평소 우리 가카의 돈에 대한 집착에 견주어 볼 때, 천사 가브리엘이 마침 그 시기에 가카의 영성에 잠시 강림한 걸로 봐야지.(웃음)

지 _ 왜 개미들 돈은 먹었으면서 BBK 투자자들 돈은 갚아준 거야?

김 _ 바로 그 지점에서 소설이 다시 한 번 등장하지. 종합금융그룹이 무산되면서 청산을 해야 하는데, BBK에 투자했던 사람들은 전부 가카를 보고 투자한 거니까, 한국에서 계속 정치를 하려는 가카 입장에선 그들에겐 피해를 주면 안 되는 거지. 곧 서울시장 출마도 해야 하고. 2000년 8월, 김대중 대통령이 광복절 대사면 때 가카를 복권시켜줬거든. 그 자비가 이렇게 되돌아올 줄 누가 알았겠어.(웃음) 어쨌든 가카는 이미 96년 15대 총선 때부터 대통령이 되는 코스로 서울시장 출마를 준비하고 있었단 말이지. 의원직 박탈당할 때 나온 문서에 이미 그 플랜이 나와.

그러니까 이렇게 추정할 수 있지. 일단 가까운 사람들 돈은 다 돌려주고, 가카 자신의 돈은 50억만 먼저 돌려받는다. 나머지 140억은 스위스 계좌에 넣었다가 김경준이 미국으로 튄 다음에 나누려고 했던 게 아니겠는가, 추정이 되지.(웃음) 주가조작해 만든 돈이기 때문에 그 돈을 전액 다 돌려받으면, 액수가 워낙 커서 의심을 받고 주가조작 사건에 가카까지 연루될까 봐, 로 추정이 되는 거지. 완전 추정이야, 추정.(웃음)

그렇게 가카와 김경준이 사전에 모종의 거래를 했는데, 김경준이 미국으로 튀고 나서 둘 사이가 틀어진 게 아니겠는가, 다시 한 번 추정되며.(웃음) 돈을 나누는 과정에서 서로 더 많이 가져야 한다고 하다가 그렇게 된 게 아니겠는가, 또 한 번 추정되지.(웃음) 김경준이 주가조작해서 들고 튄 횡령액이 대략 320억 정도 되거든. 가카한테 그중 140억은 당연히 돌려받아야 할 원금이고, 320억 중 140억을 뺀 나머지를 놓고 둘이 나누자고 하다가 둘이 틀어진 게 아니겠는가, 4차 추정이 되는 바야.(웃음)

가카는 내가 종잣돈 대서 시작한 거니까 더 먹어야 한다고 하고, 김경준은 무슨 소리냐, 내가 한국에서 범죄자가 되면서까지 작업한 건데 내가 더 먹어야 한다, 뭐 다툼은 이런 수준이 아니었겠는가, 5차 추정.(웃음) 뻔하잖아, 수준들이.(웃음) 1년 반 동안은 그런 이야기를 주고받다가 결국 합의가 안 되니까 법정 다툼이 미국에서 시작된 거고. 그러니까 가카와 김경준이 진짜 갈라진 건 바로 이때인 걸로 6차 추정.(웃음) 그전까지는 정황상 가카 주범에 김경준 종범 혹은 공범 정범, 7차 추정.(웃음)

물론 완전히 허무맹랑한 소설에 불과하지. 절대 내 말을 믿으면 안 돼. SF 소설이니까.(웃음) 가카는 절대 그럴 분이 아니시니까.(웃음) 그런데 이런 추정들이 그 일부라도 사실이라고 하면, 정말이지 사악한 짓을

> 내 말을 믿으면 안 돼. 가카는 절대 그럴 분이 아니시니까.

한 거지. 어차피 접게 된 사업, 어떻게든 그 투자원금은 건져보자 한 정도가 아니라 개미 투자자들한테 사기를 쳐서 아예 남겨 먹으려고 한 거잖아. 사업 실패했을 때조차 사기를 쳐서 전화위복의 기회로 삼는, 이 진취적 기상. 호연지기.(웃음)

지 _ 옵셔널벤처스가 김경준을 상대로 낸 소송은 뭐야 그럼?

김 _ 그건 옵셔널벤처스에 투자했다가 당한 개미투자자들이 김경준을 상대로 낸 소송이야. 그러니까 크게 나누면 가카가 김경준을 상대로 낸 소송과 옵셔널벤처스 주가조작으로 손해를 본 개미들이 김경준을 상대로 낸 소송 두 가지가 미국에서 진행되고 있었던 거지. 김경준이 옵셔널벤처스의 대표이사였다가 주가조작해서 모은 회사 공금을 가지고 미국으로 튀었으니까, 거기에 투자한 소액주주들이 횡령한 돈을 토해내라는 거지. 여기까지가 지난 대선 때 논란이 됐던 사건의 간단 정리야. 디테일은 더 있지만 생략하자고.

지 _ 간단 정리만 해도 복잡하네. 그래도 사건 개요는 이제 눈에 그려진다.

김 _ 여기까지가 대선에서 밝혀진 일들이야. 대선에서 가카를 파다보니까 주가조작한 옵셔널벤처스, BBK와 연결이 된 거지. BBK 정관에는 이명박 이름 석 자 딱 넣어서, 이명박이 오케이하지 않으면 어떤 것도 이루어지지 않는다고 되어 있거든. 그런데 웃기는 게 가카는 김경준이 혼자서 몰래 정관을 그렇게 만들었다고 해명했지. 김경준이 회사를 가카도 모르게 가카에게 바쳤다는 거지. 이 순정.(웃음) 김경준은 가카를 남몰래 짝사랑한 거지.(웃음) 애절해.(웃음) 그런데 그 BBK를 따라가 보니 다스가 나오고, 그걸 또 거슬러 올라가니 도곡동 땅이 나온 거지. 일이 그렇게 된 거야.

지 _ 그런데 김경준이 대선 직전 기소되고 결국 징역 8년에 벌금형 100억 받고, 김경준 단독 사기 사건으로 막을 내린 게 BBK 여태까지의 끝이지?

김 _ 그렇지. 가카 당선되고 나서는 도곡동 땅의 이상은 지분은 제3자의 것이라고 했던 것까지 특검에서 클리어 해줬지. 이상은의 것이 맞다고. 검찰도 아니라는 걸 알고 있었지만 당선 직후잖아. 대통령은 임기 시작하고 나서보다 당선 직후가 진짜 권력의 정점에 있을 때거든. 단순히 인사권만 생각해봐. 그 수많은 자리를 생각해보라고. 그런데 도곡동 땅은 모든 것의 출발점이기 때문에 가카 소유가 절대 아니라고 못 박아두는 게 절실하게 필요했거든. 처음에 이야기했듯, 도곡동 땅의 실소유주가 이명박이 되는 순간 다스, BBK를 거쳐 옵셔널벤처스의 주가 조작에까지 연루되니까.

에리카 김의 입국.

지 _ 그런데 김경준 누나 에리카 김이 2007년 대선 이후 4년 만인 2011년 돌연 귀국해서 잠시 떠들썩했잖아. 금방 잠잠해졌지만. 이게 뭔가 거래가 있을 거란 생각은 들지만 그게 뭔지 잘 모르겠단 말이야.

김 _ 에리카 김의 돌연 귀국. 바로 거기서부터 BBK 제2라운드야. 진짜 재밌어. 완전 영화야.(웃음) 에리카 김이 귀국한 시점 전후에 중요한 사건이 미국에서 있었어. 다스가 미국 재판에서 김경준에게 졌어. 김경준이 140억을 다스에게 돌려줄 필요가 없다고 판결이 났어. 반면 옵셔널벤처스는 횡령금을 반환하라는 판결도 나고. 그러니까 김경준이 가카한테는 이기고, 소액투자자들한테는 진 거야. 정상적인 결과지.

에리카 김의 돌연 귀국, BBK 제2라운드.

그리고 그즈음은 김경준이 구속된 지 3년이 지난 시점이야. 김경준은 100억 벌금에 8년 징역을 받았다고. 그런데 김경준은 벌금 100억을 안 냈어. 벌금을 못 내면 하루를 돈으로 산정해서 노역으로 대체해. 돈을 안 내는 대신 형을 사는 거지. 그 노역의 최대치가 3년이야. 그러니까 김경준의 노역은 하루를 얼마로 산정했든 다 끝난 시점이야. 사람들은 징역 8년을 다 살고 나서 노역 3년을 다시 살아야 하는 줄 아는데 아니야. 이미 산 3년을 벌금 대신의 노역으로 간주해줄 수도 있어. 법무부 장관이 그렇게 판단하면.

법무부 장관이 노역을 먼저 산 거라고 인정해주면, 그럼 벌금 부분은 사라지고 형만 8년 남은 게 되는 거야. 벌금에 대한 대가는 다 치른 게 되는 거라고. 형만 남게 된다고. 그럼 뭘 할 수 있느냐. 외국인 수감자를 큰 무리 없이 추방할 수가 있게 돼요. 김경준은 미국 국적을 갖고 있거든. 어쨌든 그렇게 되면 국민 정서상 거부감이 적다고. 대한민국에 벌금 낼 건 없어졌고 오로지 형만 살면 되는 건데, 그건 어디서 살건 똑같다고 할 수 있으니까.

여기서 걸리는 게 추방에 관련된 법률이야. 외국인 수감자 추방 과정이 원래는 복잡해. 차관을 수장으로 하는 10인 이상의 위원회를 구성하고 절차도 많다고. 왜냐면 외국인 수감자를 추방하면 자국에 가서는 제대로 형을 살지 않을 수 있어서 법적 정의가 실현되지 않을 가능성이 커지거든. 미군 범죄자들이 우리나라에서 범죄를 저지르고 미국 가서 제대로 단죄되지 않는 경우를 생각해봐도 알 수 있잖아.

그런데 이 국제수형자이송법이 2009년 초에 개정이 돼요. 어떻게 개정이 되냐면 관련 규정이 6개인가 있었는데 다 없애버린다고. 이건 굉장히 이례적인 일이라고. 만든 지 얼마 되지도 않은 법률의 관련 규정을 이렇게까지 바꾸는 건 거의 법률을 새로 제정하는 것과 마찬가지라고. 어떻게 바꾸냐. 그냥 법무부 장관이 정하도록 바꿔. 그냥 법무부 장관 한 사람이 보낸다고 결정만 하면 그게 곧 법적으로 최종 결정이야.

그럼 이 법안을 누가 발의했느냐. 외국인 수감자 추방의 절차가 너무 어렵다고 생각한 국회의원이 많았던 거냐. 아니면 한국에 있는 자국 수감자가 지나치게 가혹한 처벌을 받는다고 생각한 외교관들의 강력한 요구가 있었느냐. 그런 거 없어. 그냥 정부 발의야. 법은 국회에서도 만들 수 있고, 정부에서도 만들 수 있잖아. 그냥 정부 스스로 졸라 쉽게 외국인을 추방할 수 있도록 법을 바꾼 거라고.

지 _ 법무부 장관이 판단해서 추방할 수 있게 법을 바꿔버렸단 거지?

김 _ 그렇지. 그러니까 이제 법무부 장관이 김경준을 미국으로 추방하는 데 있어 법적 걸림돌이 되는 건 아무것도 없어. 법무부 장관이 판단해서 3년을 벌금 대신의 노역으로 인정해주고, 추방을 결정하면 모든 절차는 끝이야. 다음 법무부 장관이 누가 되는지 지켜봐. 틀림없이 이명박 최측근 중의 측근이 된다. 아무리 야당이나 국민이 그 인물을 반대하더라도. 여기서 특히 주목할 게 바로 이 법이 만들어진 시점이야. 2009년 초에 만들어졌다고 했잖아.

그 말은 2008년에 이미 정부 내에서 법이 준비되었단 얘기거든. 2008년이면 가카가 취임한 해야. 아, 불법은 참으로 성실해.(웃음) 아주 감탄스러워.(웃음) 가카가 취임 1년차에 이미 김경준을 추방하기 위한 준비를 시작했다고. 정부 부처 공무원들이 가카께서 취임하시니까 아, 김경준을 추방할 수 있도록 우리가 미리 알아서 관련법을 개정해둬야겠구나 생각했을 리가 없잖아.(웃음) 당연히 시킨 거지. BBK 대응 팀이 따로 있다고 졸라 추정되지.(웃음)

**닥치고
정 치**

예언자 김경준.

지 _ 어차피 이거 총수의 소설이잖아. 소설치고는 아주 치밀한데.
하하.

김 _ 그분께 바치려면 이 정도 소설적 구성은 해드리는 것이 예의
라고 본다.(웃음) 가카에게는 굉장히 중요한 일이거든. BBK는 가카의
아킬레스건이라고. BBK가 지금까지 이야기한 소설대로라면 지난 대선
에 한 모든 말이 거짓말이 되는 건 물론이고, 주가조작에 연루될 뿐 아
니라 차명으로 보유한 재산까지 드러난다고. 하지만 더욱 놀라운 건 이
모든 것이 이미 3년 전에 예언되었다는 거.
바로 김경준에 의해. 무슨 소리냐.

김경준이 검찰에 구속되어 수사를 받던
2007년 11월, 조사실에서 김경준이 면회 온
장모와 필담을 나누면서 주고받은 메모가 있

> "저에게 이명박 쪽을
> 풀리게 하면 3년으로
> 맞춰주겠대요."

다고. 〈시사IN〉이 공개했지. 그때 김경준이 그 메모에 "저에게 이명박
쪽을 풀리게 하면 3년으로 맞춰주겠대요. 그렇지 않으면 7~10년. 그
리고 지금 누나랑 보라(아내)에게 계속 고소가 들어와요. 그런데 그것도
다 없애고, 저 다스와는 무혐의로 처리해준대. 그리고 아무 추가 혐의
는 안 받는대."라고 썼다고. 이거 전부 실현되는 중이라고. 검찰이 김경
준을 기소하면서 다스와 관련된 부분은 뺐고. 8년 징역도 실현됐고.

지 _ 에리카 김이 얻을 수 있는 건 뭐야? 선택의 여지가 별로 없었던 거야?

김 _ 에리카 김이 올해 2월 25일 입국했잖아. 그리고 이틀 연속 검찰 조사를 받았는데, 그때 검찰은 에리카 김에게 모든 법적 면죄부를 안겨주지. 에리카 김이 기소 중지 상태로 있었던 게 허위 사실 공표, 주가 조작, 횡령 등이었다고. 횡령 혐의는 인정됐지만 불기소. 이유는 동생이 실형을 살고 있어서. 마음이 안됐으니까.(웃음) 우리 검찰 졸라 따뜻해.(웃음) 허위 사실 유포, 주가조작은 공소시효가 끝나서 공소권 없음.

불법은 믿을 수 없을 정도로 성실하다고.

한 가지는 명백하지. 에리카 김이 이렇게 결론 날 걸 모르고 입국하진 않았다는 거. 그걸 몰랐다면 미쳤다고 스스로 잡히려고 귀국하나. 여기까진 김경준의 메모 예언 중 이미 실현된 일들이고.(웃음) 3년 뒤에 풀어주겠다는 약속만 아직 과정중에 있는 거지. 법률 개정까지는 다 끝났고. 하지만 생각처럼 쉽게 추방하진 못할 거야. 에리카 김은 그렇다 쳐도 김경준까지 미국으로 보내는 건 너무 눈에 띄는 일이거든. 이 모든 건, 다시 한 번 말하지만 가카의 취임 첫해에 이미 준비되었다는 거, 대단하잖아. 불법은 믿을 수 없을 정도로 성실하다고.(웃음)

지 _ 김경준과의 약속을 지키기 위해서 그렇게까지 한 거야?

**닥치고
정 치**

김 _ 아니지. 약속을 지키기 위해서라니. 가카는 절대 그러실 분이 아니잖아.(웃음) 언론에선 에리카 김이 한국에서 사업을 하기 위해 문제를 풀려고 왔다는 보도가 있었는데 말도 안 되지. 그 난리를 친 한국에 왜 굳이 미국 시민권자가 돌아와 사업을 해. 더구나 돌아오자마자 감옥에 갈 수 있는데. 이건 에리카 김이 원한 게 아니라 당연히 가카가 원했기 때문이지.

에리카 김은 굳이 한국에 돌아와서 자신의 혐의를 털 필요가 없어. 그냥 한국에 안 오면 되는데 뭐. 하지만 가카는 반드시 에리카 김을 정리해야 해. 왜냐면 에리카 김은 기소 중지 상태였단 말이야. 법적 결론이 나지 않고 수배 중인 상태였다고. 그 얘기는 이 상태로 다음 정권에 넘기면 다음 정권이 BBK 수사를 재개할 만한 근거를 남겨두는 거라고. 가카는 이 사건을 법적으로 종결시키려고 한 거지.

김경준도 마찬가지야. 한국에 두면 안 되는 거야. 다음 정권이 김경준 꺼내서 재조사할 수 있잖아. 그래서 정권이 끝나기 전에 김경준을 한국에서 추방시켜야 한다고. 이렇게 하고 나면 적어도 법적으로는 완벽하게 처리되는 거지. 그러니까 이 모든 난리는 김경준과 한 약속을 지키려고 하는 게 아니지. 가카는 절대 그러실 분이 아니셔.(웃음) 법까지 바꾸고 에리카 김 부르고 생난리를 치는 이유는 단 하나야. 가카 자신을 위해서.

물론 에리카 김 입장에서도 이제 김경준을 데리고 가고 싶겠지. 김경준이 미국으로 추방되면 미국엔 돈 내고 풀려나는 금 보석 제도가 확

> 다음 정권이 김경준 꺼내서 재조사할 수 있잖아.

불법은 성실하다

실하니까, 자유의 몸이 될 수 있다고. 게다가 그동안 김경준 모친이 한국에서 옥바라지를 했는데 부친 병환이 최근 심하다네. 첩보에 의하면.(웃음) 그 가족으로서도 타결 지어야 할 필요가 있었던 거지. 하지만 이건 김경준과 에리카 김이 원한다고 해서 될 일이 아니지. 그들은 검찰을 움직일 수 없잖아. 가카가 원하신 거지. 에리카 김은 그 가카의 은총에 감읍하여 지난 대선 땐 내가 거짓말한 거라고 고해성사까지 하고 갔잖아.(웃음)

또 한 가지 추정해볼 수 있는 건, 가카의 BBK 대응 팀이 BBK 관련 건의 처리 종료 시점을 올해 상반기로 잡았던 게 아닌가 싶어. 왜냐면 7월에 한나라당 전당대회가 잡혔었거든. 이때 친이 세력이 당권을 잡지 못하면 박근혜 체제로 넘어가거든. 그럼 가카의 권력기관들에 대한 통제력이 점점 약화될 수 있다고. 그래서 법적 정리 시한을 올 상반기로 잡았던 게 아니겠는가, 추정이 되는 바야.(웃음)

에리카 김이 입국한 바로 다음 날 미국에 있던 한상률이 입국한 걸 봐도 그렇고. 최근 BBK 관련 소송들이 줄줄이 판결이 난 걸 봐도 그렇지. 대선 당시 BBK 수사 팀 검사 9명이 김경준을 변호했던 변호사들과 정봉주 전 의원과 〈시사IN〉의 주진우 기자를 상대로 각각 냈던 손해배상 청구 소송에서 전부 패소했어.(웃음) 청와대가 이제 힘이 떨어져서 빨리 판결을 내달라고 종용은 해도, 개별 재판의 결과에까진 영향을 주지 못하는 상황에 온 거라고 추정이 되지.(웃음) 집권 초기에 1심이면 몰라도, 그땐 판사들도 영향을 받지만, 집권 후반에 2심이면 판사들도 자기 판결이 역사에 남는데 말도 안 되는 결론을 내진 않으니까.

**닥치고
정 치**

추정 또는 소설.

지 _ 총수의 소설 'BBK' 구성이 완성되어가는 것 같아. 갈등의 원인, 복선, 진행, 결말 모두 아귀가 맞고, 개연성 있고. 그런데 에리카와 더불어 한상률이 들어온 건 뭐야?

김 _ 한상률은 주로 노무현 서거와 연결되지만 BBK와도 연결 고리가 있어. 한상률은 국세청장 직위상 도곡동 땅 파일에 접근 권한이 있었다고. 안원구와 접촉도 많았고. 보고를 받았을 개연성이 있지. 한상률 자신이 훗날을 대비해 도곡동 땅 파일을 따로 쥐고 있었을 수도 있고. 가카 쪽에선 그렇게 추정하는 것이 안전하지. 혹시라도 그 파일이 있는데 그게 정권 교체 이후 나오면 안 되잖아. 그래서 BBK 사건을 마무리하면서 한상률까지 불러들여 그걸 확인하고 싶었을 거라고 추정할 수 있지, 추정.(웃음) 그것까지 막으면 이제 구멍은 없다고 판단했을 수 있어. 그러니까 눈에 띄는 걸 무릅쓰면서까지 에리카 김, 한상률을 한 번에 부르지 않았겠는가, 나는 추정하는 바이다.(웃음)

지 _ 한상률은 노무현 잡아낸 일등 공신인데, 왜 이명박이 날려버렸는지 궁금해.

김 _ 광우병 촛불 터지면서 가카 쪽에선 정말 당황했다고. 그러면서 촛불 집회 배후에 노무현이 있다고 결론을 내렸다고 하더군. 당시

대책 회의에서. 이건 그 회의에 참석했던 사람들한테서 나온 이야기야. 자기들 잘못을 정면으로 인정할 수 없는 초라한 정신 세계를 가진 자들이 가장 쉽게 매달리는 사고 패턴이지. 그런 자들은 일이 잘못되면 배후나 음모가 있어줘야 하거든. 그렇지 않으면 자기들이 못난 게 되잖아. 진짜 못난 자들은 자기가 때로 못날 수도 있다는 걸 절대 인정하지 못하거든. 참 하찮지.

그래서 고향 내려가 오리 농사 짓고 있는 사람을 그렇게 비열한 방식으로 끌어내 죽인 거야. 가장 시답잖은 자들이 가장 씩씩한 자를 가장 비겁한 방식으로 죽였다는 걸 생각하면 지금도 분해서 열불이 나. 그래서 초는 누가 샀냐고 얘기했던 거거든. 그게 노무현이라고 말하고 싶었던 거지. 노무현을 잡지 않는 한 뒤에서 사주해 정권을 흔드는 음모가 계속된다는 정신병적 결론에 도달한 거야. 그래서 검찰, 경찰, 국세청, 국정원 다 동원돼. 그때 개가를 올린 자가 바로 한상률이야.

지 _ 심지어 '태광'을 수사하는데 국세청 조사 4국이 동원돼 교차 조사를 했잖아.

김 _ 그렇지. 조사 4국은 초대형 사건을 수사하는 곳이라고. 태광처럼 재계 순위 한참 떨어지는 규모를 수사하는 곳이 아냐. 그런데 한상률이 국세청장일 때 조사 4국을 동원해 태광을 뒤져. 그런데 태광은 소재지상 부산 국세청에서 조사를 해야 하는데, 말이 안 되니까, 교차 조사라는 명분을 내세운 거지. 같은 국세청에서 자기 지역 기업들을 매년 조사하면 지방 국세청과 기업이 결탁할 수도 있다고 해서 서로 다른 두 지방 국세청끼리 조사 대상을 바꿔서 조사하는 제도야. 그럼 서울하고 부산하고 조사 대상을 교환해 교차 조사를 해야 하는 거잖아. 그런 거 없었어. 서울에서 부산 관할 기업을 조사하면 부산에선 서울 관할 기업을 조사해야 교차 조사잖아. 그런 거 없었다고. 교차 조사는 당연히 핑계고, 그냥 노무현 죽이려고 한 거야.

어쨌든 그렇게 박연차를 잡아내면서 한상률의 승승장구가 시작된다고. 안원구가 한상률이 이명박과 직접 통화하며 지시받는 것도 봤다고 했는데, 당시 한상률은 가카에게 그 정도까지 신임을 얻어내고 있었다고. 원래 한상률은 노무현 말기에 국세청장에 임명된 사람이라 어차피 정권 바뀌면 바로 날아갈 거라고 다들 생각했던 사람이거든. 그래서 한상률은 가카의 형님, 이상득과 가까운 안원구를 통해 연임 로비를 했다고. 안원구 자신이 실토한 거야. 자신이 한상률을 위해 연임 로비를 했다고. 로비를 한 당사자가 로비를 했다고 하는데도 수사를 안 하지. 상대가 가카의 형님이니까. 이상득 국회 사무실에 안원구가 방문한 사실도 확인됐는데도 수사를 안 해.

어쨌건 그렇게 잘나가던 한상률이 왜 한 방에 날아갔느냐. 표면적으로는 〈학동마을〉이란 그림 로비 건 때문이야. 하지만 그건 말도 안 돼. 겨우 1,000만 원짜리 그림 한 점 때문에, 최고 권력자 가카와 직접 통화하는, 노무현 잡는 최고의 공을 세워 가장 잘나가고 있던 국세청장, 절대 안 날아가. 절대로. 그럼 왜 날아갔느냐. 그렇게 잘나가던 국세청장을, 스스로 관둘 생각 전혀 없는 국세청장을, 단 한 방에 날릴 수 있는 사람은 두 명밖에 없어. 가카와 가카 형님. 그림 때문이 아니라 그림이 거론되면서 한상률이 형님 이상득에게 로비한 게 언론에 의해 언급되기 시작했거든. 한상률 이름이 다시 거론되는 것 자체가 부담이지. 노무현의 죽음까지 다시 거론되니까.

한상률은 잘리기 직전까지도 주변에 절대 그만둘 이유가 없다고 말하고, 자신도 그렇게 믿고 있었어. 철석같이. 사퇴한 게 아니라 잘린 거라고. 그렇게 강제로 사퇴당하고는 바로 미국으로 건너가지. 아니 미국으로 보내지지. 그리고 한상률의 미국 체류 비용은 기업들이 대주고. 기업이 한상률이 만든 20페이지짜리 짜깁기 보고서에 억대의 자문료를 준다고. 국내 기업들의 인류애가 하늘을 찌르는 수준인 거지.(웃음) 한상률의 미국 체류는 본인이 원한 게 아니니까, 보낸 거니까, 그 돈을 가카께서 기업을 통해 처리해준 거라고 심하게 추정되지.(웃음)

법무적 경호실장.

지 _ BBK를 수사했던 검찰이 세 건의 소송에서 모두 패소하던 날 서태지, 이지아가 터지면서 음모론이 등장했잖아. BBK 재판 결과를 덮기 위한 초대형 떡밥이라고. 그 이혼 소송을 맡은 법무법인 '바른'이 이명박과 깊은 인연이 있는 곳이기 때문에.

**닥치고
정 치**

김 _ 그렇게 추정할 개연성이 존재하지. 아까도 이야기했지만 BBK를 올해 상반기 내에 종결지으려는 로드맵이 있었다고 추정해본다면, BBK 대응 팀 입장에선 이제 4년을 이어온 초장기 프로젝트를 마무리하는 단계라고. 그래서 김경준, 에리카 김, 한상률까지 모두 매조지고 관련 재판들까지 끝을 내야 하는데, 그 소송 결과가 모두 패소라고 해봐. 그럼 일반인들에겐 재판부가 BBK는 이명박의 소유라고 판결을 내린 거란 인상을 주잖아. 더구나 한 건도 아니고 세 건 모두 패소한다면. 만약 당일 특별한 뉴스가 없다면 포털에서 아주 크게 다뤄질 뉴스가 분명한데.

만약 BBK 대응 팀이 실재한다면, 그런 상황에 대처해야 하는 그들에게 감정이입을 해보자면 나름 큰 걱정을 했을 수도 있다는 추정이 가능하지. 물론 여기까지만 놓고 그런 추정을 해버리면 지나친 음모론이라고 일축할 수도 있는데, 너무나도 꼼꼼하신(웃음) 우리 가카라면 그럴 수 있을지도 모른다는 일말의 의구심에 기름을 부은 게 바로 법무법인 바른이지.

바른은 BBK 때 도곡동 땅과 관련해 이명박의 처남 김재정을 변호한 법무법인이야. 그리고 정동기 민정수석이, 민정수석은 청와대에서 검찰을 통제하는 자리야, 바로 법무법인 바른 출신이라고. 이 사람은 누구냐. 도곡동 땅의 이상은 지분은 차명이고 제3자가 있다는 검찰 발표가 2007년 8월 13일에 있었다고. 그때가 한나라당 대선 후보 경선 딱 일주일 전이야. 박근혜와 이명박이 박빙으로 싸울 때지. 누구든 거기서 이기는 사람이 대통령 되는 분위기였지.

그런데 검찰이 이명박을 직접 지명하진 않았어도 제3자가 있다고 하니까 박근혜 쪽이 승기를 잡았다고. 당시 박근혜 선대위원장인 홍사덕이 아예 "도곡동 땅의 실제 주인이 이명박 후보임이 검찰 수사 결과 밝혀졌다."고 선언을 해버렸지. 한나라당 지지층도 막 흔들렸고. 그래서 다급해진 이명박 캠프에서 검찰을 항의 방문하고 난리도 아니었어. 그때 이명박을 구해준 게 바로 정동기야.

당시 대검 차장이었던 정동기가 나서서 "이 후보의 땅이라고 볼 증거가 없다."고 쉴드를 쳐준다고. 이걸 〈동아일보〉가 받아서 "박근혜 후보 측과 일부 언론이 제3자로 이 후보를 지목하자 어제 정동기 대검 차장이 나서서 '이 후보의 땅이라고 볼 증거가 없다'고 밝혔다."고 방어에 나서지. 그렇게 맺어진 인연이야. 가카와 정동기가. 도곡동 땅을 덮어준 사람이라고. 대검 차장 관두고는 바른의 공동 대표가 돼. 그거 하면서 대통령 인수위 인수위원으로 들어가 법무행정분과인가를 맡았을 거야. 그런 다음 검찰 통제하는 민정수석이 되는 거지.

그렇게 바른은 BBK와 뗄 수 없는 관계에 있는 법무법인이야. 그 후 바른은 특히 가카가 신경 쓰는 관련 소송을 싹쓸이하지. 정연주 KBS 사장 해임 사건 때 정부 측 담당했고, 김윤옥 사촌언니 김옥희 씨 공천 로비 사건 때 김옥희 씨 변호했고, 촛불 집회 때 광화문 일대 상인들 172명이 손해 입었다면서 광우병국민대책회의 상대로 제소했을 때 상인 측 대리했고, 2009년 미디어법 날치기한 후에 야당이 권한쟁의심판 청구했을 때 정부 측 변호했고, 특히

가카가 신경 쓰는
관련 소송 싹쓸이.

닥치고
정 치

노무현 잡을 때 박연차를 대리했고. 뭐 이명박이 신경 쓰는 정치적 소송은 전부 다 대리했다고 봐야지. 바른은 이명박의 법무적 경호실장이었다고.

그런데 그런 바른이 이지아의 법적 대리인인 거야. 서태지와 이지아가 법정 분쟁의 당사자라는 사실은 그 대리인들 말고 누가 알 수 있어. 서태지 쪽 변호사들은 아예 서태지인지도 몰랐다고 한다고. 당시 기자들이 확인 전화를 하니까 그런 소리를 했다고. 서태지는 원래 일을 그렇게 처리하잖아. 비공개 공판이었기 때문에 알 수 있는 사람은 판사, 양쪽 변호사밖에 없는데, 언론 보도에 따르면 판사도 몰랐다고 하고. 이지아의 본명을 판사가 어떻게 알아. 연예부 기자도 모르는데, 소장에 주민등록번호도 없고 직업도 특정되어 있지 않고.

그렇다면 그 재판의 정확한 성격을 알았던 사람은 이지아 측 변호인단밖에 없지 않느냐는 추론이 가능해지는 거지. 사실 이 사건은 기자적 관점에서 보면 희한한 사건인 게, 아직도 그 사실을 최초로 누가 밝혀냈는지 나오지를 않아. 원래 기자들은 이런 대특종을 터뜨리면 자기들이 어떻게 추적하고 취재에 성공했는지, 후속 기사를 엄청나게 낸다고. 자기 자랑하느라고. 이게 전혀 없어요. 이건 언론이 취재를 통해 알아낸 사건이 아냐. 제보를 받은 거지. 그건 분명해.

지 _ 법원에 있는 공무원이라고 했던가, 법원 쪽에서 제보가 나왔다고 얘기를 했잖아?

김 _ 연예부 기자도, 판사도, 한쪽 일방의 변호사조차 모르는 걸 법원 공무원이 알았다는 것도 이상하지만, 설혹 알게 되었다 한들 그걸 왜 스포츠지에 얘길 하느냐고. 그래서 자신이 얻는 이득이 뭐야. 그리고 스포츠지에서는 법원 공무원이 그런 이야기를 한다고 해서 그걸 어떻게 확신해. 담당 변호사도 서태지인지 모르는 걸. 그리고 그 이야기를 들은 기자는 서태지의 담당 변호사도 자신이 변호하는 사람이 서태지인 걸 모르는데, 누구한테 확인해서 그게 서태지인 걸 확신해 터뜨리냐고.

이 정도 사건은 백 퍼센트 확신하기 전에는 엄청난 소송을 당할 일이라서 절대 못 터뜨린다고. 그런데 누구한테 크로스 체크를 하냐고. 서태지 본인한테 확인하나. 그리고 그 공무원이 설혹 어떻게든 알았다 해도, 일반인이라면 그걸 언론에 알렸다간 역으로 자신에게 소송이 들어올지도 모른다는 걱정을 하는 게 정상이지. 역시 결혼은 너무 일찍 하면 안 된다는 국민적 교훈을 주려고 자신을 희생하려 했다면 이해하겠어.(웃음) 기자가 터뜨렸다는 건, 법원 공무원이 중간에 눈치 챘다는 정도가 아니라, 백 퍼센트 확실한 소스로부터 들었다는 말이지.

지 _ 만약 그게 맞다면 정말 BBK 대응 팀이라고 부를 수 있겠네.

김 _ 소설이지.(웃음) 너무나도 소설적인 우연에 관한 소설.(웃음) 이건 변호인의 비밀 유지 의무에 관한 이야기라고. 그러니까 함부로 단정할 수 없지. 다만 그런 개연성 정도는 언급할 수 있다고 봐. 법무법인 바른이 이명박의 법무적 경호실장 역할을 해내며 얻어낸 이득의 크기는 그런 개연성에 대한 소설적 추론까지 얼토당토않은 것이라 치부할 정도로 적지 않아. 그게 억울하려면 자신들이 그런 소송들을 대리한 것은 이명박과 커넥션 때문이 전혀 아니라는 것부터 입증하는 게 순서라고 생각해. 이명박 집권 전후로 법무법인 바른이 보여준 이명박과의 과밀착은 사람들이 그런 음모론에 충분히 솔깃할 만한 단서가 된다고, 개인적으로 생각해. 하지만 이건 어디까지나 음모론의 영역이라고 해두는 게 공평하겠지. 구체적으로 입증 가능한 것이 아무것도 없으니까. 법무법인 바른이 억울할 소지도 분명히 남아 있는 거니까.

분명한 팩트는, 그렇게 이명박과 밀착해 결국 법무법인 바른이 대법원 수임 사건 1위 업체가 된다는 거지. 율촌, 태평양, 김앤장이 아니라, 대법원 수임 사건이 제일 비싼데, 바른이 1위가 된 거야. 작년에. 하지만 일반인들은 법무법인 바른을 모르지. 김윤옥 사촌언니 김옥희 공천 로비 사건 때 브로커가 하나 잡혀가는데, 그 브로커까지 바른이 변호해주지. 이 브로커가 잘못되면 공천 로비 사건의 진짜 성격이 드러나거든.

김옥희 공천 로비 사건도 정말 재밌어. BBK와는 무관하니까 아주 간단하게 정리하면, 김옥희 씨가 18대 총선 때 사기를 쳐서 공천 헌금을 받았다는 내용인데. 사실은 영부인 김윤옥의 사촌언니이면서 친언니라고 사기를 쳐서 30억을 챙겼다는 거야. 진짜 코미디도 이런 코미디가 없어. 그 사기에 넘어갔다고 한 사람이 이명박의 특보 출신이야.(웃음) 서울시버스운송조합 이사장으로, 이미 2003년 초에 가카가 서울시장 당선인 시절부터 알고 지냈던 특보가 70대 노인이 김윤옥의 친언니라고 말하는 데 속아서 30억을 그냥 바쳤다는 거 아냐.(웃음) 그렇게 해서 그 공천 헌금을 준 특보는 사기 피해자가 되어 그냥 빠져나갔지. 정말 코미디야. 공천 로비 사건을 단순 사기 사건으로 둔갑시켜버린 거지.

미국 판사와 140억.

지 _ 총수 소설에 따르면 이명박의 사건 처리 방식이 얼마나 치밀한지 알 수 있는데 이제는 특별법이 따로 만들어지지 않는 한 BBK를 재수사할 근거는 사라진 건가?

김 _ 나도 BBK 사건은 에리카 김으로 종결됐다고 생각했어. 그래서 김경준 추방만 남았구나 생각했거든. 그런데 처음에 이야기한 그 140억이 다시 BBK를 살려내. 140억 이야기하려다 정말 멀리 돌아왔네.(웃음) 하지만 이 140억을 제대로 이해하려면 지금까지의 이야기를 다 해야 하거든. 자, 140억이 뭐냐.

올 초 어떤 상황이 진행되고 있었냐면, 2007년 이미 한 번 김경준에게 패소한 다스가 김경준을 상대로 140억 투자금을 돌려달라는 소송의 항소심이 진행 중이었고, 옵셔널벤처스의 투자자들이 김경준을 상대로 먹고 튄 횡령금을 내놓으라는 항소심에서는 김경준이 1심에 이어 다시 한 번 패소했다고. 옵셔널벤처스가 이기면 무슨 일이 벌어지느냐.

스위스 은행에 짱 박아놓은 김경준의 돈 300억대가 다 날아가요. 돌려주라고 판결난 액수가 371억이거든. 그럼 가카가 실소유주로 추정되는 (웃음) 다스는 140억을 돌려받을 길이 없어진다고.

나도 갑자기 김경준이 다스에게 140억을 돌려주기 전까지만 해도, 에리카 김과의 패키지 딜이 아까 말한 정도인 줄로만 알았어. 에리카 김을 법률적으로 털어주고, 대신 에리카 김은 가카를 털어주고, 그리고 동생 데리고 돌아가라. 그런데 다스의 실소유주로 추정되는 이분은(웃음) 돌려받지 못한 140억을 결코 포기하지 못한 거야. 돈에 대한 이 숭고할 정도의 순수한 애착.(웃음) 이 돈만 포기했으면 BBK는 정말 법률적으로 완전히 끝났을 거야. 정권 교체돼서 특별법 만들기 전엔. 그런데 미국 법원이 옵셔널벤처스의 소액주주들에게 371억을 돌려주라는 판결을 내린 나흘 후, 집행 명령을 내리기 전 열흘 정도 공백이 생긴 사이, 김경준이 스위스 은행에서 140억을 빼서 다스에 돌려준다고. 김경준이 다스에는 재판에서 이겼는데. 전혀 돌려줄 필요가 없는데. 그러니까 다스는 1심에서 졌는데도 김경준으로부터 돈을 돌려받았고, 개미들은 항소심에서도 이겼건만 돈을 돌려받지 못한 거지. 그 돈을 가카가 먼저 잽싸게 인터셉트 한 것이 아니겠냐고 조심스럽게(웃음) 추정할 수 있겠지.

지 _ 웬만하면 정치적 비용이라 생각하고 포기할 텐데, 정말 돈에 관해선 포기를 모르는 남자구나.(웃음)

김 _ 보통 인간이라면 그랬겠지. 대통령까지 됐잖아. 그럼 140억을 그 비용이라고 생각하면 되잖아. 안 그래도 돈, 엄청나게 많은데. 그런데 우리 가카는 돈에 관해선 절대 물러서지 않는 불퇴전의 정신을 가진 분이거든.(웃음) 그 140억, 끝내 돌려달라고 한 거지. 정말 어마어마한 분이야.(웃음) 안 그러면 옵셔널벤처스 소액투자자들에게 다 뺏기니까. 상상을 초월하는 분이야. 진심으로 존경과 감탄을 금할 수가 없어.(웃음) 그런데 미국 판사가 나중에 그 돈이 빠져나간 걸 알게 된 거야. 더구나 왜 승소한 자가 재판에서 진 패소자에게, 법적으로는 안 줘도 되는 돈을 돌려주느냐고. 이건 국가가 재판 결과에 따라 집행할 돈을 김경준 개인이 함부로 빼돌린 것이기도 하거든. 판사 입장에서는.

지 _ 미국 판사가 열 받았다는 얘기가 그거로군.

김 _ 그래서 판사가 빡 돈 거야. 판사가 양쪽 변호사를 불러서, 다스와 김경준 사이에 거래가 있었냐고 물어봤는데, 있긴 있었는데 밝힐 수 없다고 했다고. 그래서 판사가 김경준과 다스 사이에 무슨 이면 거래가 있었는지 밝히라고 미 검찰에 명령을 한 거야. 미 검찰은 수사에 들어갔지. 물론 미국 검찰이야 도곡동 땅의 실소유주가 누구고 다스의 실소유주가 누구냐, 이런 건 관심 없지. 다스와 김경준의 거래 내용이 뭐냐는 것에만 관심 있을 뿐. 그런데 우린 그 거래의 내용을 알면 거기서부터 다

> 판사가 다스와
> 김경준 사이 거래
> 있었냐고 물었는데.

시 역추적을 할 수 있잖아. 그런 일이 지금 벌어진 거야. 가카 스스로 우리에게 다시 진실을 알 은혜로운 기회를 주신 거야.(웃음)

청계재단의 정체.

지 _ 대통령까지 했는데도 그 돈을 결국은 포기 못했네?

김 _ 도곡동 땅 판매 대금이 다스로 들어갔고, 다스로부터 190억이 BBK에 꽂혔고, 그 중 50억은 김경준이 다스에 돌려줬다고 했잖아. 나머지 140억은 둘 사이가 틀어져서 못 받고 있었던 걸로 추정된다고 했고. 그걸 끝끝내 받아낸 거지. 다스가 그 140억을 무슨 수를 써서라도, 위험부담이 있더라도, 반드시 받아내야 한다고 결정한 사람이 누구겠어. 그 돈이 투자되는 당일에야 알게 됐다고 하는 바지사장이겠어. 당연히 다스의 진짜 주인이지.

지 _ 게다가 다스의 최대 주주인 처남 김재정은 얼마 전 고인이 됐잖아. 세상을 뜨면서 자신의 지분을 아들이 아니라 와이프에게 전액 상속했다면서. 나중에 아들한테 상속하려면 상속세를 이중으로 내야 하는데 왜 그랬을까?

김 _ 김재정의 아들이면 가카의 처조카잖아. 그런데 와이프는 김재

불법은 성실하다

정 사망 이후에는 사실상 이씨 집안과의 연고가 대단히 약해진다고. 아무리 가카라고 해도 일체의 관련 법을 다 무시하고 그 재산을 우격다짐으로 되찾을 수가 없어. 어쨌든 합법적으로 김재정의 와이프에게 등기된 재산이니까. 처남 김재정은 평생 가카의 차명 담당자로 살다가, 세상을 뜨면서 다스 지분의 일부라도 자신의 가족에게 남기고 싶었던 게 아닐까, 추정을 해보지. 추정이야.(웃음) 임종을 앞두고는 이제 가카가 무서운 게 아니라 자신이 떠난 후의 가족이 걱정되는 게 당연하잖아.

게다가 검찰이 이미 다스는 김재정의 것이라고 해줬잖아. 공개적으로. 그러니까 아내 명의로 해두면 가카가 그 지분을 되찾으려고 할 때, 최소한 협상력이라도 더 생길 수 있겠다고 판단을 했을 거라고 추정.(웃음) 그래서 상속세를 또 내더라도 굳이 와이프에게 전부 상속시킨 게 아닐까 추정이 돼요. 추정.(웃음) 법적으로는 완벽하게 김재정의 것이니까. 그래서 결국 김재정의 처와 이명박 사이에 모종의 딜이 있었을 거라고 3차 추정. 올 4월에 김재정의 처가 가지고 있던 다스 지분 중에 5퍼센트를 가카 측에게 주거든.

지 _ 그게 청계재단으로 들어간 다스의 지분 5퍼센트라는 거지?

김 _ 그렇지. 어차피 너무 눈에 띄어서 한 번에 지분을 다 돌려받을 순 없는데, 다시 지분을 되돌려달라고 할 때 김재정의 아내 측에서 나름 버티면서 협상해서 그 정도를 1차로 내놓은 게 아닐까 추정되지. 4차 추정.(웃음) 그런다고 해도 가카가 공개적으로 문제 삼을 수 없을

**닥치고
정 치**

거라고 생각한 김재정이 남기고 간 마지막 플랜이 아니었을까, 5차 추정.(웃음) 가카 입장에선 이상은의 몫으로 되어 있는 지분과 돌려받은 5퍼센트를 합하면 다스의 최대 주주가 되니까, 일단 그 정도에서 합의를 본 게 아닐까, 6차 추정.(웃음) 그런데 여기서 진짜 재밌는 대목이 다시 한 번 나와.

그 5퍼센트를 돌려받아서 어딘가 박아둬야 하는데 박아둘 데가 없는 거야. 가카 아들에게 줄 수도 없잖아. 나와는 아무 상관도 없다고 그렇게 주장했던 다스의 지분을 갑자기 가카 아들에게 준다고 생각해봐. 사람들이 의심할 거 아냐. 그래서 결국 그 지분을 어떻게 하느냐. 청계재단에 꽂아.(웃음) 기부했다며.(웃음) 제조업체가 기부를 자기 회사 지분으로 하는 경우가 있던가. 대한민국 기부 역사상 최초가 아닐까 싶어.(웃음) 정말 창의적인 기부야.(웃음) 이 5퍼센트가 평가액으론 100억대니까 보통 사람은 범접조차 할 수 없는 자애로움의 극치지.(웃음)

그런데 다스는 비상장사이기 때문에 지분을 가지고는 재단 장학 사업에 활용할 수가 없다고. 비상장사 지분을 가지고 무슨 장학 사업을 하냐고. 장학생들한테 지분 나눠주나.(웃음) 정상적인 기부라면 당연히 팔아서 현금으로 줘야지. 상식적으로는 도저히 말이 안 되는 거지. 그래서 청계재단이 교육청에 재산 변경 신청을 했을 때, 공익법인의 재산으로 인정받으면 세금 혜택을 받으니까 승인을 먼저 받아야 하거든, 교육청에서 승인을 거부했다고. 그 지분으로 수익을 어떻게 확보할 것인지 먼저 계획을 제출하라고. 교육청으로선 당연한 요구지. 그 지분을 팔아 현금을 확보하거나 아니면 그 지분으로 배당금을 어떻게 확보할 건지 계획을 내놓으라는 거지.

그런데 청계재단이 지분을 팔 리가 없잖아. 그건 가카의 다스 지분을 되돌려받은 거지, 실제 기부를 받은 게 아닌 걸로 추정되는 데 말이야. 그래서 남은 옵션은 그 지분에 해당하는 배당을 받는다고 해야 하는데, 다스는 93년과 94년을 제외하곤 배당을 안 했다고. 그래서 교육청에서 계속 서류 보완을 요구하니까 결국 청계재단이 아니라 다스가 직접 교육청에 공문을 보낸다고. "1주당 액면가액 1만 원에 대하여 연간 5퍼센트 정도의 배당이 가능하도록 최선의 노력을 하겠습니다."라고 말이야.

이것도 골 때리지. 청계재단에 계획을 내놓으라는데 다스가 대신 답변을 해. 앞으로는 배당을 하려고 노력하겠다고. 아니 기부를 위해 배당하겠다는 주식회사도 있나.(웃음) 이건 국내가 아니라 세계 기부 역사상 최초가 확실해.(웃음) 그런데 더 웃긴 건, 액면가의 5퍼센트 배당액에 해당하는 액수라고 해 봐야 1년에 약 750만 원밖에 안 돼. 100억 지분을 기부했는데 실제 배당되는 액수는 1년에 750만 원이라고. 그럴 거면 왜 100억대 지분을 줘. 그냥 1년에 750만 원 기부하고 말지. 말도 안 되는 짓거리들이지.

현금 확보 계획을 내놓으라니까 궁여지책으로 배당을 하겠다고는 했는데, 그 돈은 진짜 장학 사업에 써야 하니까, 그 돈이 너무 아까운 거라고 추정되지.(웃음) 그래서 겨우 내놓은 게 750만 원인 거지. 그것도 1년에. 여기서 우린 가카의 돈에 대한 절절한 사랑을 다시 한 번 엿볼 수 있지.(웃음) 그리고 청계재단이 장학 재단이 아니라 가카의 재

닥치고
정 치

산 관리 재단이 아니겠는가, 하는 졸라 합리적인 의심을 하게 되는 거지.(웃음)

지 _ 그럼 청계재단 얘기까지 여기서 잠깐 해보자고. 어떤 방식으로 운용하는 거야?

김 _ 청계재단은 기부라면서 대대적으로 홍보했잖아. 하지만 이건 기부가 아니지. 기부는 자신과 무관한 제3의 기관에 쾌척했을 경우에나 쓰는 말이지. 자신의 재산권, 배타적 소유권을 포기하는 경우에나 쓸 수 있는 말이라고. 이 경우는 자기 재산을 출연해 자기 재단을 만든 거라고 해야 적확하지. 그 관리자는 사위이고. 사회 환원이 아니라 사위 환원이지.(웃음)

사회 환원이 아니고 사위 환원이지.

왜 이렇게 했느냐. 재단을 세우면, 자기 재산에 대한 배타적 소유권이 재단의 운영권으로 전환되는 거라고. 그러니까 그 운영권만 쥐고 있으면 돼. 그 운영권을 행사하는 주체가 이 사회인데, 그게 전부 가족, 친구, 지인들로 이뤄져 있다고. 우리나라 재벌들이 재단 만들어서 상속세, 증여세 피하는 것과 똑같은 수법이지.

이 재단이 좋은 게, 세금 혜택이 있다고. 그리고 사람들에게 월급 형태로 얼마든지 돈을 줄 수가 있어. 이사회에서 정하기만 하면. 게다가 재단은 소유권이 없어. 소유권이 없기 때문에 상속세가 없어. 돈을 물려주는 대신 재단의 운영권만 넘겨주면, 재산이 고스란히 합법적으

로 넘어가는 거지. 상속세도 없이. 죽이지.(웃음)

그럼 현재 이 청계재단이 어떻게 사업을 하고 있느냐. 환원했다는 재산 내역이 결국 가카 소유의 건물인데, 이 건물이 공익 재단의 소유가 되면 여러 항목의 세금을 감면받아. 아마 틀림없이 이 감면액만큼만 공익사업에 쓴다는 데 500원 건다.(웃음) 어차피 세금 나갈 거, 공익사업으로 생색내는 거지. 이건 강남 빌딩 부자들이 흔히 쓰는 수법이거든.

국가가 수익모델이다.

지 _ BBK 사건을 따라가 보면 검찰, 국세청, 대형 로펌, 재단이 어떻게 움직이는지 볼 수 있겠네. 무엇보다 MB의 정체도 확실해졌네. 그 동력이 돈이라는 것까지.

김 _ 가카의 돈에 대한 애착은 숭고하기까지 해.(웃음) 그래서 BBK도 스스로 되살려내고 있어. 감사할 따름이지.(웃음) 하지만 미국의 조사 결과가 쉽게 나오진 않을 거야. 그걸 가만 두고 볼 가카가 아니시거든.(웃음) 난 지금까지 이야기한, 이런 내용들이 조국의 《진보집권플랜》에 들어갔어야 했다고 생각해. 우리 보수 우파의 정체가 대체 뭔지, 구체적인 사건을 놓고 알려줘야지. 추상적이고 관념적인 진보를 이야기하기보다는. 그놈들 정체는 이런 거라고, 구체적으로. 그 실체를 알면, 겨우 그런 자들에게 망가지는 우리 체제에 대한 탄식은 절로 나오게 되

닥치고
정 치

어 있거든.

지금까지 이야기한 돈에 대한 정신병적 집착, 믿을 수 없을 정도의 천박함, 수단과 방법을 가리지 않는 비열함, 상상을 초월하는 뻔뻔함. 이게 우리 우의 정점에 오른 자의 수준이다. BBK는 그걸 내장까지 드러낸다.

지 _ 그래서 BBK를 알면 우리 보수 우파의 정체를 알 수 있다고 한 거구나. 그런데 초반에 이야기한 국가를 수익 모델로 삼는다는 건 어떤 거야?

김 _ 내가 항상 이야기하는 게 현 정권은 국가 자체를 자기 집단의 수익 모델로 삼는다는 건데, 그 이야기를 하자면 또다시 구체적 사례를 BBK만큼이나 길게 이야기해야 하니까 아주 짧게 본질만 짚자고. 예를 들어 4대강의 경우, 토목 전문가들은 이렇게 이야기한다고. 1미터를 더 파는 데 대략 2조 예산이 더 들어갈 수 있다, 그런데 6미터를 판다고 해놓고 5미터만 파도 원래 5미터만 팠는지, 아니면 6미터를 팠는데 나중에 토사가 흘러내려 쌓인 건지 알 수가 없다, 강바닥이란 원래 그런 거니까. 특히 본류의 바닥만 깊게 파버리니까, 지류의 물이 합류하는 지점에서의 낙차가 갑자기 커져서 강바닥과 양 측면이 무너지는 역행 침식이 생긴다고. 그럼 그 토사가 다 어디로 가겠어. 당연히 본류 바닥에 쌓이게 되지. 그럼 6미터 판다고 돈을 받아놓고 5미터만 파도 아무도 모른다는 거지.

그 액수를 빼돌리면 도대체 누가 잡아낼 수 있느냐. 실제 현장에서 준설량 관련 서류를 보여달라고 하면 안 보여준다고. 그걸 보면 얼마나 팠는지가 대략 드러나잖아. 그런데 안 보여줘. 그리고 그 돈이 어디로 가는지 누가 알 수 있느냐. 물론 가카가 그 돈을 받았을 리는 절대 없지. 가카는 절대 그럴 분이 아니니까.(웃음)

또 인천공항 매각 같은 건도 그래. 이건 호주의 '맥쿼리'라는 곳에 팔겠다는 건데, 명분은 선진 경영 도입이야. 말이 안 되지. 이미 국제공항협의회(ACI)에서 하는 세계 공항 서비스 평가에서 6년 연속 세계 1위를 하고 있는데, 뭘 어디서 배워. 오히려 외국에서 인천에 배우러 오는데. 더구나 한 해 영업 이익도 5천억이 넘어. 완전 초우량 공기업이야. 이걸 외국에 팔 아무런 이유가 없다고. 팔 하등의 이유가 없는 걸 팔려고 할 때는, 그게 팔려고 하는 사람들 자신에게 뭔가 이익이 되니까, 라고 생각하는 게 가장 합리적인 추론이지.

이건 맥쿼리라는 펀드의 구성을 봐야 해. 소위 검은 머리 외국인이 있다고 추정이 되는 거지. '론스타'도 그런 케이스거든. 겉으로는 외국인처럼 보이지만, 실제로는 외국인으로 둔갑한 국내 투자자들이란 뜻에서 '검은 머리 외국인'이라고 부르지. 국내 투자자들이 외국인을 얼굴마담으로 내세워서 알짜 기업을 먹는 거지. 그러고는 배당을 받아 챙기는 거야. 인천공항은 대한민국이 망하기 전엔 절대 없어질 리 없는 독과점 사업인 데다, 이미 엄청나게 돈도 잘 벌고 세금도 무지 많이 내고 있는, 공항업계 세계 1위인 공기업이야.

그러니까 이걸 팔 정상적인 이유가 하나도 없는데, 그런데도 팔려

**닥치고
정 치**

고 한다. 그럼 팔려고 하는 주체에게 뭔가 이익이 되는 게 있는 거다. 그런데 맥쿼리란 회사의 대표이사가 바로 가카의 형님, 이상득의 아들이었네. 딩동댕.(웃음) 여기서부터 다시 한참 풀어내야 하지만 그건 또 BBK만큼이나 장황한 설명이 필요하니 여기까지만 하자고. 다만 이렇게 정리할 수가 있겠어. 인천공항은 현 정권이 마지막으로 해치우려는 초대형 수익 사업일 거라고 혼자 추정하는 바이며, 그리하여 인천공항은 외국인에게 매각하는 게 아니라 사실은 가카가 매입하려는 거다, 라는 황당무계한 소설을 나 혼자 쓰는 바이지.(웃음) 그리고 이런 게 바로 국가를 수익 모델로 삼는 거고.(웃음)

> 가카 형님의
> 아들이었네.
> 딩동댕.

신정아와 문재인.

지 _ 이제 검찰 이야기도 조금 더 해보자고. 검찰이 중요한 역할을 해온 것 같으니까. 최근 MB가 중수부 폐지 논란 때 검찰 편을 들어준 건 어떻게 해석해야 하는 거야? 퇴임 후에도 검찰이 충성을 다할까 하는 의구심이 들기도 하는데.

김 _ 가카, 아니지 이제 돈 이야기가 아니라 정치 이야기니까 호칭을 다시 바꾸자, 이명박으로.(웃음) 퇴임 후에 검찰이 미쳤다고 이명박에게 충성을 다하나.(웃음) 검찰은 이명박 편이 아니라 검찰 편이야.(웃음) 지금도 이명박 편을 드는 게 아니라 이명박 편에 서는 게 유리하니까 설 뿐이야. 검찰은 항상 검찰 편이야. 이전에도 그랬고 앞으로도 영원히 그럴 거야. 오히려 검찰을 이렇게까지 쪽팔리게 만든 이명박에 대해 지금도 속으로는 무척 자존심 상해할 거라고 봐. 검찰의 엘리트 의식은 대단하거든. 만약 자존심조차 상하지 않는다면, 그럼 진짜 하찮은 조직이고. 설마 그렇진 않겠지.

그런데 중수부 문제는 일반인들에겐 하나도 안 중요하지만 검찰과 정치권에는 대단히 중요한 문제니까 간단하게 정리하자고. 이건 결국 검찰 개혁과도 밀접한 관계가 있거든. 정치인들은 중수부 싫어해. 당연하지. 정치권은 자기들 뒤를 파고 기소할 권한을 가진 검찰을 두려워하거든. 검찰도 정치인을 싫어해. 자신들에게 직접 영향을 끼칠 수 있는 게 바로 정치니까. 중수부는 그런 검찰 조직 중에서도 검찰총장이 직접 지휘하는 유일한 곳이야. 검찰총장은 대통령이 직접 지명하지. 그 검찰총장을 민정수석이 관리하고. 민정수석은 대통령 최측근 비서고. 그러니까 중수부는 대통령이 찍어서 죽이고 싶은 사람 죽일 수 있는 가장 확실한 기구야.

한나라당 의원들도 초반엔 모두 중수부 해체에 합의한 것은, 정권 말기가 되어가니까 이명박이 자신의 레임덕을 방지하기 위해 한나라당 의원들조차, 친박은 물론이거니와 확실한 친이를 제외한 대다수를 중

> 검찰은 항상
> 검찰 편이야.
> 영원히.

수부를 통해, 원하기만 하면 마음대로 조질 수 있다고 두려워한 거거든. 그래서 한나라당 의원들조차 중수부 해체를 주장한 거라고. 부산저축은행 사건을 이번에 중수부가 엄청 신속하게 수사했는데 중수부가 그렇게 했다는 건 가카의 오케이 사인이 떨어졌다는 얘기거든. 앞으로 계속 드러나겠지만, 부산저축은행 사건에는 정치권이 심히 연루되어 있을 테니까.

> 권력의 진짜 힘은 기소하는 데 있는 게 아니라 기소하지 않는 데 있는 거라고.

이건 가카께서 정치권에 '니들 내 임기 말기로 간다고 나한테 까불면 죽는다.', 그런 시그널을 준 거라고 봐야지. 원래 권력의 진짜 힘은 누군가를 치는 데 있는 게 아니라, 충분히 칠 만한 정보를 가지고도 치지 않는 데 있는 거거든. 권력이 누군가를 치려고 하면, 원래 같은 편이었던 자들도 사생결단으로 덤빈다고. 하지만 그런 정보를 가지고도 치지 않으면, 그자는 철저한 권력의 하수인이 되는 거지. 그러니까 권력의 진짜 힘은 기소하는 데 있는 게 아니라 기소하지 않는 데 있는 거라고. 부산저축은행 사건은 바로 그런 힘을 사용하겠다는 신호지.

지 _ 그런데 검찰은 중수부를 폐지하면 권력형 비리를 제대로 수사할 수 없고, 그동안의 노하우가 날아간다고 하잖아.

김 _ 중수부는 전두환이 만든 거야. 전두환이 그걸 왜 만들었겠어? 조국의 민주주의를 위해 만들었겠어, 씨바.(웃음) 그건 다 핑계고, 그 문제는 이렇게 봐야 해. 검찰도 결국 공무원이고 직장인이라고. 학창시절 1등 하면서 오로지 법만 공부해 출세했다고. 어릴 땐 검찰이면 출세하는 거라고 생각하니까. 그들은 우주인이 아니라고. 그들 역시 앞으로의 진로를 걱정하지 않을 수 없는 그냥 생활인이라고. 검찰 관두면 상식선에서 할 수 있는 건 변호사 아니면 정치권으로 진출하거나 업체에 가는 건데, 그 외부로의 파이프라인 중 가장 굵은 게 바로 중수부지. 대통령과의 핫라인이니까.

그러니까 진로의 출세 라인을 유지하고 싶은 직업인으로서의 생활 욕구와 엘리트라는 자부심을 대통령과의 직통 라인으로, 그렇게 정치에 대한 영향력으로 존재를 증명하고자 하는 검찰의 권력 욕구, 동시에 저축은행과 연루된 정치인들 뒷조사를 통해 정권 교체기에 역할을 하고자 하는 찬스 욕구,(웃음) 그리고 다음 총선까지 무탈하게 살아남아 다시 한 번 배지를 달고 싶은 국회의원들의 생존 욕구,(웃음) 마지막으로 레임덕 막으며 마지막 순간까지 권력을 행사하고 싶어 하는 이명박의 생존 욕구가 더해져 만들어진 게 바로 이번 중수부 폐지 논란이다, 난 그렇게 보지. 각자 그런 계산들이 있기 때문에 중수부 폐지 논란은 서로서로 다치지 않는 선에서, 각자의 한계를 확인하는 선에서, 대충 시늉만 하고 끝날 게 뻔하지.(웃음)

지 _ MB도 퇴임하면 검찰, 특히 중수부가 자기를 지켜줄 것 같지 않은데, 검찰의 손을 들어주는 건 무슨 계산인 거야?

**닥치고
정 치**

김 _ 사실 이게 이명박한테는 양날의 검인 게, 중수부라는 조직은 자기가 대통령일 때나 유용하지, 퇴임 후를 생각하면 가장 신속하고 강력하게 자기를 칠 수 있는 조직을 남겨두는 거라고. 그런데도 중수부를 존속시키려고 결정한 건, 그만큼 검찰의 도움 없이는 남은 임기를 무사히 마칠 수 없다는 걱정을 하고 있다는 방증이지. 그러니까 다음 검찰총장은 완전 최측근이 온다고 봐야지. 그리고 그 사람은 분명 신공안정국을 만들려고 할 거야. 간첩 사건도 나올 거고.(웃음) 이번 정권처럼 북한이 모든 분야에 전방위로 활용되는 경우는 본 적이 없거든.(웃음) 달랑 간첩 사건 하나만 내놓지는 않겠지, 뭔가 더 큰 작전을 위한 보조 장치로 쓰겠지. 하지만 안 통해.(웃음) 머리가 좋다고 시대착오적이지 않은 건 아니거든. 시대착오적 영리함이야말로, 가장 멍청한 거야.(웃음)

> 가카에게 가장 중요한 건 보수가 재집권하는 게 아냐.

사실 이명박 입장에서 가장 중요한 건 보수가 재집권하는 게 아냐. 특히 박근혜의 대선 승리는 바라지 않는다고 봐야지. 이명박에게 가장 중요한 건, 자신의 퇴임 이후의 안전 보장이라고. 이명박은 원체 사람을 믿지 않는 데다 곁에 있는 사람들도 다 이익을 고리로 모여 있는 거거든. 이명박이 끊임없이 문제가 됐던 인물들을 쓰고 또 쓰고 하는 회전문 인사를 하는 이유도 인간 자체를 불신하기 때문이야.

사람은 오로지 떡고물을 줄 때만 자기편이라고 생각하니까. 계속 챙겨주는 걸로 붙들어두는 거라고. 이익으로 한통속을 만들어버리겠다는 거지. 너무나 이명박다운 사고야.(웃음) 그런데 어떻게 박근혜를 믿겠어. 절대 못 믿지. 물론 형 이상득을 통해 유화 채널도 유지하겠지만, 동시에 박근혜를 주저앉히고 자신이 믿을 수 있는 후계 구도로 대체하려고 아주 머릴 쥐어짜고 있을 거라고.

정운찬을 어떻게든 만들어보려고 했던 게 그런 이유고. 그런데 정운찬은 신정아가 날려버렸고. 신정아는 본의 아니게 우리 정치에 관여한 바가 커.(웃음) 그리고 김태호 경남도지사도 총리로 앉혀 어떻게든 만들어보려고 했는데 실패했고. 이런 시도는 앞으로도 계속될 거야. 그래서 앞으로의 정국은, 이명박이 자신의 퇴임 이후 안전을 보장받기 위해 들이는 노력, 이란 관점을 통해 바라봐야지만 이해할 수 있는 일이 벌어질 거라고. 이명박과 한나라당, 이명박과 보수가 한편이라고 생각하면 이해하지 못할 일들이 벌어진다고. 두고 봐.(웃음)

그리고 BBK 문제를 막아내기 위해 이명박이 했던 그 황당한 짓들을 생각해보면, 남은 임기 동안 이명박이 설마 그런 짓까지는 할 수 없지 않겠는가, 하는 안일한 생각은 하지 말아야 해. 그는 자신을 위해서라면 무엇이든 할 수 있다.(웃음) 여태 그렇게 임기 내내 삐걱거렸던 북한과의 관계에서도, 자신의 퇴임 이후 안전을 보장해줄 수 있는 작전의 일환이기만 하다면, 그동안 마치 아무 일도 없었다는 듯 하루아침에 표정을 180도 바꿔서 유화 제스처를 쓸 수 있는 완전한 인격체야.(웃음)

그래서 그동안 한 번도 안 만나던 북한 정치인들을 갑자기 총선 전까지 세 번이나 만나자고 먼저 제안했던 거지. 그리고 만나자고 한 시점도 보면 바로 19대 총선 시작하는 때라고. 씨바, 불법은 정말 상상을 초월하게 성실해.(웃음) 만약 북한과의 딜이 성사된다면 아마 엄청난 이

닥치고
정 치

권에 대한 보장이 북한 쪽에 갔을 거야. 자기 살고 싶을 땐 수단과 방법을 가리지 않은 게 이명박이니까.

검찰, 고3 선도부.

지 _ 이번에 저축은행과 중수부 이야기가 나오면서 박지만 이야기도 살짝 나왔는데, 이명박과 박근혜의 관계는 어떻게 되는 거야?

김 _ 박근혜의 유일한 전략은 그 자리에 가만히, 이거 하나였어.(웃음) 박근혜에 대한 사람들의 정서적 반응과 함께. 퇴행적이고, 회고적이고, 원시적인 그 감정과 함께 그 자리에 가만히. 박근혜가 유지하려고 했던 유일한 스탠스는 혼자 가만히 그 자리에 있으면서 이명박과는 최대한 엮이지 않는다는 거였지. 여당의 가장 강력한 차기 대권 주자임에도 사람들 머릿속에 야당으로 포지셔닝하고자 한 건데. 훌륭한 전략이고 여태 성공적이었지. 그래서 반대해야 할 사안이라도 자신에게 분명한 이익으로 되돌아오지 않으면 그냥 입 다물고. 꼭 반대해야 할 사안이라면, 세종시처럼, 충청 표는 반드시 필요하니까, 짧게 딱 끊고 간다. 그래서 최대한 이명박과 거리를 유지한다. 적극적으로 반대하는 것조차 결국 함께 엮이는 거니까.

> 박근혜의 유일한 전략은 그 자리에 가만히.

불법은 성실하다

지 _ 하지만 대통령이 방해하려면 얼마든지 방해할 수단이 있잖아.

김 _ 물론. 아무리 임기 말이라도 살아 있는 권력의 힘은 절대 무시 못하지. 대통령은 다음 후보가 대통령이 되게는 못해도 안 되게는 할 수 있다고들 한다고. 이명박은 다음 후보를 자기가 되게 만들겠다고 나설 거라고 보지만. 어쨌든 박지만 이름이 부산저축은행 건에서 살짝 언급된 것도 그런 시그널이라고 봐야. 박근혜, 아직 니 세상 아니다. 치고 나가지 마라. 한 방에 훅 보낼 수 있다. 일종의 위협이지.

그래서 박근혜는 신경질적으로 반응한 거고. 그러면서 앞에서는 서로 악수하고 웃고.(웃음) 저축은행과 연관된 박지만 관련 정보는 검찰에서가 아니면 나올 수 없고. 검찰이 흘린 거라면 의도가 있고. 의도가 있는 거라면 기획된 거고. 기획된 거라면 정치가 개입된 거지. 그 정치의 끝엔 가카가 계신 거라는, 말도 안 되는, 추정이 되고.(웃음)

하지만 검찰도 지금 딜레마가 있을 거야. 검찰이 청와대와 마지막까지 보조를 맞추면 다음 정권에 밉보이게 되는 부담이 있거든. 그래서 현 정권과 적절한 타이밍에 적절한 방식으로 스리슬쩍 결별을 해야 하는

정치 검찰은
고3의 세계관으로
사는 사람들.

데, 그게 검찰이 여태 살아남아온 검찰의 정치인데, 지금 우리 가카의 태도는 검찰을 절대로 못 놔준다는 거거든. 검찰총장도 이명박 최측근이 올 게 뻔하고. 한마디로 같이 죽자는 거라고.(웃음) 검찰이 정권 교체기에 검찰 정치를 할 수 있는 여지가 점점 줄어들고 있어.

**닥치고
정 치**

그런데 이런 이야기 하면 검찰 개혁 이야기가 따라 나오는데, 검찰이라고 다 그런 건 아닌데, 그중에도 이런 정치 검찰은 고3의 세계관으로 평생을 사는 사람들이란 걸 이해해야 해. 나 공부 잘했는데, 나보다 공부 못했던 애들이 사회 나와서 지금은 나보다 더 잘나가고, 돈도 더 많이 벌고, 그래서 피해 의식과 박탈감이 있는 이들이 나름의 역전 활로를 모색하는 게 바로 출세 지향의 정치 검찰들이 하는 행각이야.

지 _ 그럼 예전에는 공부 잘해서 반장 했었는데, 지금은 반장 못해서 화나는 거네.(웃음)

김 _ 아니지. 반장도 아니고, 부반장도 아니고, 선도부지.(웃음) 자긴 전교회장 해도 될 성적인데, 선도부만 시키는 거야. 나보다 공부도 못한 게 전교회장 돼서. 정치 검찰의 문제는 뭐 대단히 복잡하고 어려운 게 아냐. 바로 그 지점에서 출발하는 거라고. 기본 정서가 딱 고3에서 멈춰버린 자들이 너무 억울해서 세상을 향해 자기 존재를 증명하려고 발버둥 치는 과정에서 벌어지는 해프닝이라고. 정치 검찰이 무슨 조국과 민족을 위해 한 목숨 던지겠다는 게 아냐. 그렇게 거창하게 생각하면 이 문제를 이해하는 데 실패해. 그냥 고3 수준의 인정 욕구라고 생각하면 딱이야.

지 _ 노무현 정권에서 검찰 개혁을 하려다 실패한 이유는 뭐야 그럼? 너무 점잖게 대해서 그런 건가?

김 _ 검찰의 작동 원리가 본질적으로 조폭과 같아. 자기들이야 그렇게 생각하지 않겠지만. 검찰은 기소권이란 절대 권력을 가졌잖아. 한 사람 한 사람이 하나의 독립기관이라고도 볼 수 있어. 그런 관점에선 국회의원하고 같아. 그런데 정치인은 자기가 대변하는 지역의 정서와 자기를 바라보는 유권자의 이해가 있잖아. 그러니까 적어도 표면적으론 혼자만의 이익을 위해 움직일 수 없다고. 그리고 정치인은 완전히 하나로 통합될 수가 없어. 기본적으로 각자의 정치적 이해가 갈리기 때문에. 한나라당조차.

그런데 검찰은 기소권이란 권력을 가진 채, 아까 이야기한 고3 수준의 인정 욕구에, 검사는 모두 검찰총장 아래 하나라는 검사동일체 원칙까지 더해져, 마치 면허 가진 조폭처럼 행동한다고. 그 엘리트들을 겨우 그런 유아적 조직 원리의 집단에 묶어둔다는 것 자체가 국가적 낭비라고 난 생각하는데, 어쨌든 그러면서 국회의원과는 다르게 눈치 볼 대상이 국민이 아니라 정권이 된다고. 왜냐면 정권이 자신들의 승진과 진로의 목줄을 틀어쥐고 있으니까.

난 검사동일체 원칙부터 무너뜨려야 한다고 생각해. 그리고 정말 하나의 독립기관처럼 권한을 주고 뿔뿔이 흩어지게 만들어야 한다고 봐. 그게 유일한 검찰 개혁의 방향성이라고 생각해. 그들의 권한을 약화시키는 게 아니라 독립시켜야 하는 거라고. 왜 검찰이 하나여야 해. 각자 자신의 양심에 따라 기소하고 판단할 독립된 자격과 권한을 주면 되는 거야.

**닥치고
정 치**

지 _ 고위 공직자 비리 수사처(고비처) 만들어서 검찰도 수사 대상이 될 수 있게 만들고.

김 _ 그것도 필요하고. 하지만 더 중요한 건 검찰이 공무원이라서, 직업인이라서 가질 수밖에 없는 승진 욕구, 생활 욕구를 정치가 아닌 방법으로 해소할 수 있도록 해줘야 한다는 거야. 일반 고위 공무원들을 생각해봐. 은퇴하면 관련 기업에 쉽게들 취직한다고. 하지만 검찰은 어디로 가. 그 진로라는 게 생각보다 제한되어 있어. 전관예우도 판사보다 약하고. 그래서 검찰은 월급도 많이 줘야 해. 월급 많이 주고, 진로 열어주고, 독립시켜주고. 그게 방향이야.

돈 많이 주고 노후 보장해주고 독립시켜놓으면 인간은 스스로 명예로운 일을 하려고 한다고. 거기서 존경을 얻고자 한다고. 검찰 개혁하면 자꾸 거대 담론을 얘기하는데, 그들이 한 사람의 인간으로서 뭘 얻고자 하는지, 그들이 스스로 뭘 빼앗겼다고 생각하는지, 뭐가 아쉬운지, 인간적으로 어떤 자괴가 있는지, 그 차원에서 접근해야 한다고. 애가 울면 젖을 많이 주면 되는 거야, 그럼 안 울어.(웃음) 인간은 모두 똑같아. 인간적 욕망과 자괴를 이해해야 문제의 본질을 비로소 이해할 수 있다고. 포장에 속으면 안 돼.

더구나 인간은 자기 합리화에 대단히 능한 동물이라고. 그 머리 좋은 고3들을 동일체라고 묶어놓으면 집단 자기 합리화가 일어난다고. 예를 들어 정권이 말도 안 되는 명령을 내렸다 치자고. 그럼 각자가 가진 합리적 이성으로 이건 너무하지 않느냐 사유할 수도 있을 것 같잖아.

불법은 성실하다

그런데 아냐. 우리가 이걸 하지 않으면 우리보다 못한 국정원이 대신 하지 않겠는가, 이런 식으로 자기 합리화 한다고. 그래서 결국 그 말도 안 되는 명령을, 그 머리 좋은 자들이, 멍청한 조폭의 똘마니처럼, 받아서 해낸다고. 왜. 결국, 조직인이고 생활인이고 직장인이니까.

노무현 정권이 오해한 건 그런 그들을 간섭만 하지 않으면 된다고 생각한 점이지. 검찰을 이용하지 않겠다는 건 물론 매우 훌륭한 정치적 결단이야. 하지만 보스가 명령하지 않는다고 조폭이 저 혼자 신부가 되나.(웃음) 조폭이 될 수밖에 없었던 그들의 처지와 사고와 형편을 이해하고 다른 살길을 제시해줘야지. 검찰 개혁은 관념이나 대의의 문제가 아니라, 검찰 한 사람 한 사람이 결국 그냥 사람에 불과하다는 인식에서 출발해야 해. 아주 구체적으로. 사람은 직위나 신분이 아니야. 사람이지.

그러니까 그 사람들을 미워할 일이 결코 아니야. 그건 오히려 문제 해결에 방해가 돼. 만약 검찰을 시민단체 조직으로 바꾸잖아, 그럼 금방 그 일도 잘할 사람들이다.(웃음) 그런 인간에 대한 이해 속에 시스템 개조의 방향성을 결정해야 하는 거지.

> 보스가 명령하지
> 않는다고 조폭이
> 저 혼자 신부가 되나.

닥치고
정 치

3장

2011. 5. 20. 녹취

재벌, 자본주의 아니다.

재벌, 삼성.

지 _ 이번엔 경제 권력에 대해 이야기해보자고. 앞에서 MB를 이해하고 우리 주류 우파의 속성을 이해할 수 있는 상징적 사건이 BBK라고 했는데, 그럼 우리 사회 경제 권력의 속성을 이해할 수 있는 상징적 사건은 뭐야?

김 _ 역시 삼성이지.(웃음) 우리 사회 주류 우파의 절대 축인 재벌의 속성과 그들이 국가를 장악한 정도를 고스란히 드러내는 가장 상징적 사건은 삼성의 재산 상속 과정에서 벌어진 에버랜드 전환사채 편법 증여 건이지. BBK 이상 가는 초장기 판타스틱 드라마인데.(웃음) 이 사건 하나만 정확하게 이해해도 삼성이, 우리 재벌이, 법을 초월해 어떻게 국가를 농단하고 있는지 여실히 드러나지.

지 _ 이 이야기를 간단히 요약하면 아버지가 아들에게 재산을 물려주고 싶은데 세금은 내기 싫은 거 아냐?

김 _ 그렇지. 그냥 물려주면 세금이 조 단위가 나오니까. 그래서 편법을 찾아냈지. 그 편법을 눈치 챈 시민 단체가 삼성을 고발하면서 그 문제가 세상에 드러나게 된 거고. **종업원이 주인 몰래 주인 아들에게 상속시켜버렸단 거야.** 그런데 이게 드러나자 삼성이 주장한 건 간단해. 구멍가게에 비유해보자고. 가게를 아들이 물려받게 된 건, 삼성 주장은, 종업원이 한 짓이라는 거야. 아버지가 아니라.(웃음) 그리고 그렇게 가게가 상속됐다는 걸 아들도 몰랐다는 거야.(웃음) 그러니까 종업원이 주인 몰래 가게를 주인 아들에게 무단 상속시켜버린 거야.(웃음) 세계 초일류 기업이라는 삼성이 그런 주장을 했다고. 구멍가게도 불가능한 걸, 삼성그룹을 그렇게 넘겼다니 정말이지 한민족이 한반도에 자리 잡은 이래 반만년 역사 최고의 개그지.(웃음) 그런데도 이 시나리오가 결국 성공을 했네.(웃음)

지 _ BBK 식으로 얘기하자면 종업원들이 구멍가게 사장을 짝사랑한 거네(웃음)

김 _ 사장을 너무나 짝사랑한 나머지 종업원이 아무도 모르게 가게를 사장 아들에게 상속시켜버렸다는 건데, 이걸 에버랜드 전환사채 편법 증여 사건이라고 한다고. 그런데 전환사채 편법 증여라니, 이게 무슨 뜻이야.(웃음) 용어가 어렵고 등장인물도 많아 헷갈려 관심을 끊게 만든다는 점에서도 BBK와 졸라 비슷하지. 자, 지금부터 이 사건을 아주 쉽게 핵심만 설명해보자고. 결국 중요한 건 흐름이고, 그 흐름을 통해 드러나는 본질이니까.

상속을 위해 아버지에게 이재용이 최초로 받은 돈은 60억 8,000만 원이야. 이게 95년 일이야. 결국 이 돈만 가지고 200조 규모라고 하는 삼성그룹을 다 먹는다고. 그 수법은 이래. 일단 60억 8,000만 원에서 증여세 16억을 내. 요만큼이, 대한민국 1등 기업, 세계로 뻗어가는 삼성그룹을 홀랑 먹는 데 낸 정상적인 증여세의 전부야. 그 증여세를 내고 남은 돈 44억으로 삼성에스원 주식 23억원 어치와 삼성엔지니어링 주식 19억 원어치를 사. 상장 직전의 회사 주식을 16,000원에 산다고. 그리고 상장 직후 그 주식을 각각 375억과 230억, 총 605억에 팔아. 그 시세차익으로만 563억을 벌어. 죽이지.(웃음) 완전한 주식의 신이야.(웃음)

이걸 종잣돈으로 제일기획, 에버랜드, 삼성전자, 삼성SDS 주식을 사들여. 이 중에서 가장 중요한 게 에버랜드야. 이유는 이따가 설명할게. 이 에버랜드를 먹는 방법은 이래. 먼저 에버랜드가 전환사채를 발행해. 전환사채는 나중에 주식으로 바꿀 수 있는 채권이야. 일반적으로 회사가 자금을 조달할 때 쓰는 방법인데, 나중에 주식으로 바꿀 수도 있는 거니까 보통 기존의 주주들에게 먼저 권리를 준다고. 우선 배정한다고 하는데. 그래서 에버랜드의 기존 주주인 제일모직, 삼성물산, 중앙일보 등등의 주주에게 이 전환사채를 우선 배정받을 권리가 있었어. 그런데 걔들은 포기해. 사기만 하면 떼돈 버는데.

**닥치고
정 치**

에버랜드, 종업원의 짝사랑.

지 _ 그게 어떻게 가능했냐는 걸 애기해줘봐.(웃음)

김 _ 에버랜드가 그 전환사채를 얼마에 이재용에게 전부 넘기느냐면, 주당 7,700원이야. 2년 후 중앙일보가 이 에버랜드 주식을 삼성카드와 삼성캐피탈에 주당 10만 원에 넘긴다고. 그러니까 열 배 넘는 장사잖아. 그런데도 기존 주주들은 이 일확천금할 절호의 찬스를 스스로 포기해. 다들 돈에는 전혀 관심이 없는 무욕의 화신들인 거지.(웃음) 이게 어떻게 회장님의 지시 없이 가능할 수가 있냐고. 게다가 그 권리가 다 이건희의 딸들과 아들에게 가요. 삼성의 주장에 의하면 그걸 에버랜드 사장이 알아서 한 거라는 거야. 사장이 회사를 통째로 헐값에 회장 아들에게 몰래 넘긴 거라는 소리지.(웃음)

그래 놓고 들키니까 삼성은 그걸 전부 에버랜드 사장한테 뒤집어씌우지. 비겁한 새끼들.(웃음) 주식을 헐값에 팔아버려서 주주들에게 손해를 끼친 배임 혐의였는데, 사장이 단독으로 한 짓이라고 만들어버리는 거지. 이때 등장하는 기상천외한 변명이 그거야. 그 사실을 회장님은 몰랐다.(웃음) 종업원이 오너도 모르게 회사를 그 아들에게 헐값에 넘겼다고 주장하다니, 이 변명은 아무리 생각해도 창의적으로 웃겨.(웃음) 이건희 일가가 대단해 보이는 건 오로지 돈 때문이야. 그 실체는 이렇게 유치하다고.

> 전부 사장한테
> 뒤집어씌우지.
> 비겁한 새끼들.

재벌, 자본주의 아니다

더 웃긴 건 그 뻔히 속 보이는 재판을 하는 동안 검사와 판사가 얼마나 시간을 끌어대는지, 2000년 시작된 이 재판이, 2006년까지만 따져도, 담당 검사가 12번, 판사가 5번 교체됐어. 그 와중에 에버랜드 너무 끈다고 이건희 기소하란 여론이 일잖아. 그럼 이런 식으로 대처하지. 이건희가 갑자기 삼성전자도 어렵고 한국 경제도 5~6년 후면 위기다, 이런 말을 해. 그럼 재경부 관료 같은 사람이 나와서 역시 위기다, 언론에 말해.(웃음) 그럼 다시 검찰이 받아서 국가 경제 차원에서 기소 여부를 고민하고 있다, 기사가 나와.(웃음) 깜찍한 새끼들.(웃음) 심지어 2006년 항소심 재판장이었던 이상훈 판사가 유일하게 이건희 회장을 소환해 수사하라고 석명권이란 걸 행사하니까 아예 다른 데로 전보 발령 나버렸잖아. 이상훈 판사가.(웃음) 삼성의 힘이 그 정도야. 결국 이 재판은 거의 10년을 끌다가 2009년 5월, 결국 이건희 폐하 쪽의 무죄가 확정돼.(웃음)

그렇게 이재용이 에버랜드 주식 62만 7,000주를 확보한다고. 사장이 몰래 바친 주식으로 자신도 모르는 사이 에버랜드의 최대 주주가 된 거지.(웃음) 여기서 우리는 이재용이 삼성의 상속자라는 걸 확인할 수 있지. 왜냐면 에버랜드가 가장 중요하거든. 왜 에버랜드가 가장 중요하냐면, 에버랜드는 삼성 전체를 지배하는 사실상의 지주회사야. 관련 법상 법적인 지주회사가 아닐 뿐 실질적인 지주회사야. 그럼 어떻게 지배하느냐. 이재용이 에버랜드의 주인이 되자 삼성생명의 주식을 잔뜩 사들여. 삼성의 전현직 임원들 명의로 되어 있던 주식을 주당 9,000원에 사들이지. 이 역시 고위 임원들이 회장님 몰래 회장님 아들이 삼성생명

드시라고 헐값에 자진 납세한 거지.(웃음) 어우, 사람들이 사랑이 너무 많아.(웃음)

이걸 자세히 들여다보면 아주 골 때려. 이재용이 삼성생명 주식을 사들인 직후 이건희가 삼성자동차 부채 처리를 위해 자신의 삼성생명 주식을 출연한다고. 그때 산정된 가격이 주당 70만 원이야. 그걸 이재용은 단돈 9,000원에 사버린 거지. 죽이지.(웃음) 그때 이건희가 삼성자동차에 출연한 주식과 이재용이 사들인 주식은 전부 삼성의 전현직 임원 35명의 명의로 되어 있던 거야. 당연히 이건희 일가의 주식을 임직원들이 차명으로 보유하고 있었던 거라고 봐야지. 진짜 자기 주식 70만 원짜리를 미쳤다고 9,000원에 파냐고. 더구나 전현직 임원 35명이 동시에. 말도 안 되지. 차명 보유. 어때, 이 단어 들으니까 BBK가 딱 떠오르지.(웃음) 서로 친한 사이인가 봐.(웃음) 사실 이때 넘어간 차명 주식에 대해 정상적인 증여세만 매겨도 1조는 나온다고. 삼성한테 법은 그냥 육법전서에 갈겨놓은 낙서일 뿐이야.

> 법은 그냥 육법전서에 갈겨놓은 낙서일 뿐.

어쨌든 그렇게 이재용의 에버랜드가 삼성생명의 최대 주주가 된다고. 그런데 삼성생명은 삼성화재와 삼성물산을 최대 주주로서 지배한다는 거. 그리고 삼성생명, 삼성화재, 삼성물산은 다시 삼성전자를 최대 주주로서 지배하고. 같은 방식으로 삼성전자는 삼성카드를, 삼성카드는 에버랜드로 연결된다고. 그러니까 이걸 단순화시켜 정리하면 에버랜드 → 삼성생명 → 삼성전자 → 삼성카드 → 에버랜드로 이어지는 거대한 지배의 순환 고리가 만들어지는 거지. 그 출발점이자 정점에 에 버랜드가 있는 거고. 죽이지.(웃음) 이런 걸 순환출자라고 해. 이렇게 해서 겨우 61억만 가지고 몇백조 자산 가치라는 삼성그룹 전체를 지배하는 거지. 6만 원으로 타워팰리스를 산 셈이지. 세금은 16,000원만 내고.(웃음) 워런 버핏 따위는 코홀리개지. 우리 이재용 님이야말로 세계 투자계의 옥황상제야.(웃음)

그런데 이 순환출자가 왜 문제냐. 이건희 일가의 삼성그룹 전체 지분이 1퍼센트가 안 된다고. 그럼 그룹에 대해 1퍼센트 이하의 의결권만 가져야 하잖아. 그런데 삼성은 이건희 일가가 백 퍼센트 지배권을 발휘하거든. 겨우 1퍼센트도 안 되는 지분으로 백 퍼센트를 지배하는 건 말도 안 되는 거잖아. 어떤 회사 주식 1퍼센트만 가지고 그 회사가 전부 자기 거라고 주장하면 완전 미친 놈이잖아. 하지만 우리의 삼성은 그래도 돼.(웃음) 다른 재벌들도 순환출자를 어느 정도씩은 하는데 삼성 수준으로 하는 곳은 없지. 다른 30대 재벌들 총수 일가 평균 지분은 무려 5퍼센트나 된다고.(웃음) 삼성 따라가려면 한참 멀었지.(웃음)

> 우리의 삼성은
> 그래도 돼.

금산분리.

지 _ 정부는 완전히 손 놓고 있었다는 건가?

닥치고
정 치

김 _ 완전히 손을 놓지는 않았어. 노무현 정부가 성공했다고는 결코 말할 수 없어. 삼성의 편법을 해결하진 못하고 그저 불편하게 만든 수준에 그치고 말았다고 말하는 게 적확해. 그래서 노무현 정부가 삼성 문제를 해결해주길 기대한 이들로부터 큰 실망을 샀지만, 최소한 삼성의 이 지배 구조를 의식하고 견제하기 위해 나름의 노력은 했어. 그 정도 평가는 가능해. 몇 가지 법안을 손보는데, 분명 불완전하긴 했어도, 그중 가장 중요한 게 금산분리야. 산업자본이 은행을 소유해서는 안 된다는 건데.

지 _ 그렇게 되면 은행이 재벌의 사금고가 될 가능성이 있으니까 그런 거잖아.

김 _ 그렇지. 예금은 예탁한 사람들의 돈인데, 그 은행의 주인이 사기업이 되면 그걸 마음대로 빼 쓸 위험이 있으니까. 게다가 삼성은 그러고도 남는다는 거.(웃음) 2004년인가, 금감위에서 생명보험사의 상장 이익을 고객에게 배분해야 한다고 주장한 적이 있어. 생각해보면 당연하잖아. 순전히 고객이, 보험계약자가 낸 돈으로 꾸려지는 회사인데 그 회사가 성공적이어서 상장되어 얻는 이익의 일부는 애초 그 돈을 낸 고객에게 돌아가는 게. 그때 생명보험사의 상장 이익은 상당 부분 고객에게 돌아가야 한다는 게 금감위의 논리였다고. 물론 이 싸움에서도 결국 삼성이 이겼어.

그런데 그 과정에서 삼성생명이 보험감독원 규정을 어기고 꼼수로 회계 처리를 해서 이익을 주주 몫으로 몰래 빼돌린 걸 들켰다고. 여기서 주주는 당연히 이건희 일가지. 그들에게 고객이란 고마운 존재가 아니라 돈 대주는 바보들일 뿐이니까. 그리고 나중에 삼성 특검 때 밝혀진 건데, 삼성생명의 배당금을 100만 원권 수표로 바꾼 뒤 백화점 상품권 사고, 차명 계좌에 넣고, 채권을 산다고. 아주 전형적인 자금 세탁 수법이지. 삼성생명은 이미 그들의 사금고인 거야. 이런 사고방식을 가진 자들에게 은행을 허락한다는 건 말이 안 된다고 봐. 삼성이 은행을 소유하게 되면 삼성이야 땡큐지. 그동안 전현직 임원들의 차명으로 계좌를 복잡하게 쪼개서 관리했던 비자금, 자기 은행에서 편하게 관리할 테니까.(웃음)

하지만 삼성에게 금산분리는 단순히 사금고를 가질 수 없다는 수준을 넘어서는, 이건희 일가의 삼성 지배권과 직결되는 매우 중대한 법안이야. 왜냐면 금산분리를 하게 되면 순환출자의 고리가 중간에서 끊어지거든. 그래서 금산분리의 가장 치명적인 영향을 받는 게 바로 삼성이라고. 금산분리는 금융 계열사가 비금융 계열사 지분을 5퍼센트 이상 소유하지 못하도록 한다고. 그럼 삼성생명이 삼성전자를 지배할 수 없게 되거든. 순환출자의 연결 고리가 중간에 끊어지는 거지. 그렇게 되면 에버랜드를 지주회사로 해서 삼성그룹 전체를 회장님의 아들로 하여금 날름 드시게 하고자 했던 종업원들의 눈물 어린 충정이 수포로 돌아가는 거지.(웃음) 지난 95년부터 온갖 잔머리를 굴려가며 이룩해온 승계 구도가 근본적으로 흔들리게 되는 거라고.

아마도 삼성그룹이 삼성생명을 축으로 하는 금융그룹과 삼성전자를 중심으로 하는 비금융그룹 부문으로 분리하거나 새로운 구상을 할텐데, 그게 아주 복잡하고 해결이 쉽지 않거든. 아주 조때는 거지.(웃음) 이 금산분리로 인해 삼성 이외의 재벌 중에선 SK가 영향을 받긴 해. 일반 지주회사는 금융회사를 자회사로 보유할 수가 없게 되어 있어서 SK가 보유한 SK증권 지분을 매각해야 하거든. 그 외에도 CJ는 CJ창투, 두산은 두산캐피탈 지분을 매각해야 한다고. 다른 자잘한 곳들도 있긴 하고.

그중 SK가 가장 덩치가 크지. 하지만 이렇게 승계 구도와 지배 구조 전체가 근본적으로 뒤흔들리는 건 사실상 삼성밖에 없다고. 최태원은 법적 지주회사인 SK가 아니라 사실은 SK C&C를 통해 그룹을 지배하거든. 설혹 SK증권의 지분을 팔더라도 지배 구조 전체가 흔들리는 건 아니라고. 그래서 SK증권 지분을 최태원 회장이 개인적으로 직접 매입하려 했다는 이야기도 있지만 그건 여기서의 주제가 아니니까 넘어가자고. 어쨌든 그 지분을 팔지 않더라도 그에 대한 징계는 지배권을 상실하는 게 아니라 과징금 180억을 내는 거야. 결국 금산분리가 가장 치명적인 건 삼성이란 소리야.

비즈니스프렌들리, 하시다.

지 _ 그런데 이명박이 그 금산분리를 없애려고 하잖아.

김 _ 돈 이야기니까 다시 존경의 마음을 담아 잠시 가카로 부르기로 하자.(웃음) 우리 가카는 비즈니스프렌들리시잖아.(웃음) 후보 시절부터 이미 유일하게 금산분리 반대를 주장하셨지. 우리 가카는 자신의 이익과 직접적인 관련이 없는 일에는 관심 자체가 없으신 분이잖아.(웃음) 그런데 오로지 삼성에만 치명적 피해를 주는 일개 법안에 그렇게까지 관심을 가지셨다는 건 삼성의 이익이 곧 자신의 이익이란 등식이, 가카의 고매한 품성으로 보아,(웃음) 성립이 된 거라고 얼추 추정하는 바이지.(웃음)

그래서 후보 시절 삼성이 가카에게 각별한 애정을 표현했을 거라고 대략 추정되지.(웃음) 그렇게 금산분리 반대를 주장하며 제기한 논리가, 산업자본으로부터 금융자본으로 이동해야 한다, 삼성전자가 돈을 잘 버니까 금융에 자본을 투입해야 한다, 그래서 우리 금융이 세계적 경쟁력을 갖추고 선진화해야 한다는 거야.

그럼 재벌이 은행을 지배하는 것 아니냐, 그런 반론이 나오니까 중소기업 100곳과 컨소시엄을 만들면 된다고 했다고. 중소기업 한 곳당 수백억 투자하고 어쩌고 하면서. 이게 말이 안 되는 게, 만약 돈이 조 단위로 든다고 쳐봐, 한 중소기업이 300억씩 투자해야 해. 중소기업으로서는 엄청난 돈이지.

그런데 그래 봐야 주요 의결권을 행사할 수가 없잖아. 당연하지. 300억이라고 해 봐야 조 단위에서는 100분의 1도 안 되는데. 그런데 의결권도 행사 못할 거면서, 들러리 하려고 생돈 300억을 투자할 중소기업이 어디 있냐고. 억지지. 그런 말도 안 되는 금산분리 무력화에 유일

하게 찬성하는 가카에게 삼성은 절대적인 마음의 지원을 했을 거라고
보는 거지. 마음만.(웃음)

가카께 그 마음을 전달한 사람들로는 가카의 후보 시절, 선대위에
서 경제살리기특위 부위원장 역할로 삼성에서 파견된 황영기 씨와 홍
보전략팀장 지승림 씨가 있지. 대선 후보 선대위에 사람을 직접 꽂아
넣는 삼성의 이 출중한 기량을 보라.(웃음) 이건 우리 정치 로비 역사에
전무후무한 기록일 거라고 봐.(웃음) 기업은 항상 뒷방에서 정치와 거래
했다고. 하지만 우리 가카는 삼성맨을 자신의 선대위에 직접 꽂아버리
시지. 이 호연지기.(웃음)

이 사람들이 바로 이명박 캠프에서 금산분리 완화를 설계했다고
졸라 추정되지. 그걸 가카는 자기의 정책으로 크게 외친 거고. 이중 황
영기 씨는 바로 오늘의 주인공, 이재용의 편법 증여에 직접 연루되어 금
감원 징계를 받은 장본인이지. 아주 적임자라고 봐야지.(웃음) 가카는 그
커다란 삼성의 마음을 담뿍 받아안고선(웃음) 2009년 한 차례 금산분리
무력화를 시도했다가 무산되고 올해 다시 한 번 시도를 하지.

김동수 공정거래위원장이 올 4월에 임시국회에서 공정거래법 개
정안을 통과시키기로 여야가 합의했다고 기자들에게 선언하지. 거짓말
이야.(웃음) 합의 안 했어. 박지원이 바로 부인하지. 금산분리를 규정한
관련 법이 몇 개 있는데 그중 핵심이 공정거래법이거든. 이 개정안은 비
금융 지주회사가 금융 자회사를 가질 수 있도록 허용하는 거야. 간단히
말해서 에버랜드가 삼성생명의 주식을 지금처럼 가져도 된다는 거지.

이게 국회 법사위를 통과하지 못해. 이 일과 관련해 정진석 청와대

정무수석이 SK 최태원 회장과 회동을 가졌다는 소식도 언론에 살짝 보도되고. SK도 영향이 있다는 건 이미 말했지. 하지만 이 법의 최대 수혜자는 역시 삼성인데, 놀라운 건 이날이 4월 21일, 바로 서태지 이지아 이혼 사건이 터진 날이라는 거.(웃음) 절묘해. 불법은 경이롭게 성실해.(웃음)

지 _ 놀랍네. 삼성이 공직자, 정치인, 검찰 막론하고 주무르고 있다는 건 알고 있었지만 대통령까지 앞장설 줄은 몰랐네.

김 _ 가카는 프렌들리하신 분이라니까.(웃음) 그런데 난 가카 임기 내에 이 법을 어떻게든, 반드시, 통과시키려고 하시지는 않을 거란 예상을 살짝 해보네. 무슨 소리냐. 가카의 이중 꼼수인데, 가카는 왜 취임 첫해, 힘이 가장 강력할 때, 금산분리 폐지를 해치우지 않았을까. 혹은 조중동을 위한 미디어법 날치기 때처럼 한나라당을 총동원해 밀어붙이지 않았을까.

그건 삼성의 마음을 받아안았을 때야 후보에 불과했지만 이제는 슈퍼 갑인 가카이시잖아.(웃음) 애를 태워야 더욱 큰, 삼성의 마음을 추가로 얻으실 수가 있잖아.(웃음) 더구나 금산분리 폐지가 설혹 안 된다고 한들, 가카 입장에선 아쉬운 게 없거든. 이미 얻을 마음은 다 얻어냈으니까.(웃음) 그래서 이건 큰 제스처만 이래저래 취하다가 그냥 끝날 가능성도 분명

가카는
프렌들리하신
분이라니까.

닥치고
정 치

히 있다고 봐.

특히 저축은행 비리 줄줄이 터지고 있잖아. 그리고 이건 가카의 의중이 분명히 반영된 거라고 이야기했잖아. 그런데 저축은행의 비리가 밝혀지면 결국 금산분리 완화를 하면 안 된다는 여론이 형성될 거라고. 왜냐면 저축은행 비리라는 게 대주주가 서민들 예금을 자기 돈처럼 마구 쓴 거라고. 일개 저축은행 정도의 대주주가 예금 빼돌려 비자금 만들고 은행을 완전히 사금고화했는데 재벌들이 은행을 소유해 봐. 나라 전체를 사금고화할 수 있다고.

그래서 난 가카가 삼성을 위한 제스처는 충분히 취했으니 적당히 발을 빼기 위한 명분용으로, 저축은행 문제를 적절히 활용하지 않겠는가 하는, 얼토당토않은 소설적 추정도 하는 바이지.(웃음) 이 추정은 만약 조중동이 금산분리 물 건너갔다는 식의 기사를 쓰면, 맞는 거라고 보면 돼.

사실 삼성의 라이벌 재벌들 중에 금산분리가 완화되면 좋아할 곳이 있긴 하지만 그렇게 되지 않더라도 자기들은 삼성과 같은 타격은 없는 데다, 만약 금산분리가 완화되지 않아 삼성이 분할되거나 한다면 자기들한테는 좋은 일이란 말이지. 삼성이 약화되는 거니까. 자기가 먹는 것도 중요하지만 라이벌이 못 먹는 게 더 중요할 때가 있단 말이지. 그리고 가카께서 오로지 삼성의 마음만 받았겠냐고.(웃음) 우리 가카는 절대 그렇게 단순한 분이 아니셔.(웃음) 한 무리하고만 마음을 나누시는 편협한 분이 절대 아니란 말이야.(웃음)

비자금, 도둑질.

지 _ 하긴 재벌들은 모두 비자금을 만들고 그 비자금 상당액이 정치권으로 흘러들어갔을 테니까. 하지만 역시 삼성이 그 분야에선 최고겠지. 김용철 변호사의 폭로 내용도 그렇고.

김 _ 그렇지. 이제 다시 이명박.(웃음) 이명박 후보 시절, 김용철 변호사의 폭로가 터졌잖아. 폭로의 핵심은 그렇게 삼성의 지배 구조를 만들어가는 과정에서 검찰을 어떻게 떡검으로 만들었는지를 밝힌 거고 그 명단도 내놓았잖아. 우리 검찰이 삼성의 떡검이 된 것도 결국 아버지가 아들한테 불법으로 회사를 넘기는 걸 어떻게든 무마하려다 벌어진 일이라고. 사법부가 삼성의 집중 관리 아래 들어간 것도 마찬가지 이유고. 이건희 부자의 지극히 사적인 욕심 때문에 우리의 국가 시스템이 그렇게 돈에 철저히 망가졌다고. 그리고 그걸 위해 쓰는 비자금은 또 어떻게 관리되고 있는지도 밝혔지.

지 _ 임직원들 명의의 차명 계좌로 관리를 한 거라고.

김 _ 김용철 변호사는 삼성이 자기도 모르게, 굿모닝신한증권 도곡 지점과 우리은행 삼성센터 지점 등 모두 7개의 자기 명의 차명 계좌를 개설해 50억 원의 비자금을 관리하고 있었다고 폭로했지. 검찰 간부 40여 명에게 떡값으로 연간 10억 이상 뿌렸다고도 했고. 나중에 삼성 특검이 조사한 바로는 삼성 전현직 임원과 그 가족의 명의로 3,800여 개의 차명 의심 계좌가 있고, 그중 1,300여 개 계좌는 차명 계좌가 확실하다고 결론 냈다고. 김용철 변호사 한 사람의 차명 계좌만 해도 7개나 됐는데 전체 차명 계좌가 1,300개밖에 안 된다는 건 특검이 전수조사를 안 했다는 소리지. 그래도 그 정도였다고.

삼성 돈에 포로가 된
공적 시스템의 실체.

　　그런데 특검은 현금이라서 추적이 어렵다며 이 비자금을 조성한 경위는 조사하지도 않은 채 오히려 삼성에게 면죄부를 안겨주지. 이병철의 돈이었다고. 정말 웃겨서. 아니 아버지 돈이 뭐가 부끄럽다고 그렇게 꽁꽁 숨겨놔, 씨바.(웃음) 이건 단군 이래 최대 규모의 경제사범을 잡아내는 일이었다고. 세계적으로도 전무후무할 수준의 조세 포탈범이었다고. 그런데 그걸 그렇게 풀어서 오히려 그 돈을 이건희 품에 모두 안겨줘버리네. 이게 삼성의 돈에 포로가 된 우리나라 공적 시스템의 실체야. 김용철 변호사가 자기가 그 범죄에 개입했으니까 날 잡아가라고 해도 안 잡아가잖아.(웃음)

　　지 _ 날 잡아넣고 수사하라는데도 안 한다는 것은 뭔가 있단 얘기겠지?(웃음)

　　김 _ 뭔가 있는 정도가 아니라 확실한 게 널렸지.(웃음) 그 차명 계좌만 들여다봐도 아주 웃기다고. 계좌에 보통 억대씩 들어 있었는데 특징이 그런 거였어. 인출은 반드시 현금으로 한다. 인출할 때는, 예를 들어 2억 2,222원, 1원 단위까지 인출한다. 억 단위의 현금을 인출하면서 1원까지 인출하는 사람이 어디 있냐고. 말도 안 되잖아. 비자금도 비밀장부에 회계 처리는 해야 하거든.(웃음) 그래서 끝자리까지 맞추는 거지. 그리고 그 모든 계좌의 비밀번호 대부분이 0000이었다는 거 아냐.(웃음) 웃기는 새끼들.(웃음)

그리고 그림 이야기도 했지. 비자금이란 게 언제든 현금화할 수 있는 자산으로 관리해야 하잖아. 그런데 그림이나 골동품은 세금도 없다고. 죽이잖아.(웃음) 현금화가 가능하면서 세금도 없으니까 샀다지. 그렇게 고가의 미술품을 하도 사 모으다 보니까 아예 미술관을 제대로 짓지. 그러니까 삼성 리움미술관은 세계 최고급 비자금 관리 창고라고, 간만에 소설적 추정을 하는 바이다.(웃음) 그리고 삼성 특검이 용인에 큰 그림 창고 찾아갔던 거 생각나지. 걔네들이 돈이 없어서 산 중턱에 아무도 모르는 데다 창고를 지어놓겠냐고. 이런 걸 다 그냥 넘어가. 아, 씨바.(웃음)

지 _ 특검이 비자금 다 찾아서 이건희한테 돌려준 셈이잖아. 그런데도 사람들이 '자기 돈 자기가 가져갔네' 수준으로 생각하고 있잖아.

김 _ 이런 일들은 항상 어려운 용어와 함께 등장하기 때문에 진짜 의미를 파악하기 힘들다고. 예를 들어보자고. 삼성전자가 영업 이익을 10조 내고 순이익이 8조 났다고 치자. 그중에서 주주들에게 2조를 배당했다고 해보자고. 이건희가 소유한 삼성전자 지분이 3.38퍼센트야. 그

**닥치고
정 치**

럼 이건희가 배당받을 액수는 700억이 안 된다고. 세금 떼고 나면 400억 정도 되겠지 아마. 그리고 실제 2조를 배당하지도 않아. 삼성전자가 10조를 남기고 2조씩이나 배당을 해도 이건희가 합법적으로 가져갈 수 있는 돈은 그것밖에 안 되는 거야.

그렇게 해서는 어마어마한 규모의 비자금을 만들 수가 없잖아. 어떻게 하느냐. 간단한 예를 들어볼게. 삼성전자가 어떤 부품을 조달해야 한다 치자고. 그런데 삼성전자가 직접 수입해도 될 걸 미국의 삼성물산 해외 법인과 수입 대행 계약을 맺는다고. 그럼 삼성물산 해외 법인이 물건을 사서 다시 삼성전자에 보내주는 식이지.

지 _ 거기서 대행 수수료를 먹는다는 거잖아.

김 _ 그렇지. 그러면 그 과정에서 삼성물산이 이윤을 남길 거 아냐. 어쨌든 거래니까.(웃음) 그 마진에서 비자금을 만드는 식이지. 삼성의 수많은 계열사들이 이런 식으로 비자금을 만든다고 생각해봐. 아까 이야기한 그림도 이용되지. 그림은 세금이 없다고 했잖아. 어차피 국세청은 세금을 따라다니기 때문에 그림은 신경 안 써. 그래서 그림을 그렇게 많이 가지고 있는 거라고. 그런 식으로 만든 비자금이 조 단위라는 거 아냐. 여기엔 세금도 없어. 합법적인 400억 따위는 비교할 수도 없는 거지.

비자금은 남의 돈을 훔친 절도.

그런데 그렇게 만든 삼성 계열사의 비자금은, 예를 들어 삼성전자를 통해 만든 비자금은, 삼성전자가 이윤으로 남겼어야 할 돈이었다고. 그래서 주주의 이익으로 돌아갔어야 할 몫이었다고. 이걸 이건희가 가로챈 거라고. 이건 도둑질이야. 비자금이란 게 자기 돈을 자기가 가져간 게 아냐. 남의 돈을 훔친 거라고. 이건 절도야. 아, 그리고 그림에 세금 매기지 않는 법은 이병철 시절에 만들어진 거라고. 죽이지.(웃음)

지 _ 아, 호암미술관. 선견지명이 있었던 거네.(웃음)

김 _ 그리고 현금 보관 방법은 김용철 변호사가 말했잖아. 금고에 넣어둔다고. 구조본에 가면 벽채에 금고 있고 거기 열면 현금 가득 있다고. 그런데 검찰은 이 금고 이야기를 듣고서 어떻게 했느냐. 두 달 있다가 급습.(웃음) 두 달 있다가 하는 건 급습이 아니라 완습이지.(웃음)

지 _ 옮기고 수리하는 데 두 달 정도 걸렸단 얘기네.(웃음)

김 _ 그랬겠지. 그리고 고가 미술품 창고가 결국은 언론에 나오니까 수색을 하긴 했지. 그 창고가 거론되니까 삼성에서 처음엔 미술품 없다고 했어. 맹인 안내견 축사라고 했지. 웃기고들 있어, 아주.(웃음) 세계 초일류 기업, 삼성이란 곳이 내놨던 해명이 그 수준이었다고. 검찰은 그림 목록을 받고서도 대체 어떤 자금으로 그 고가의 미술품을 그렇게 대량으로 구입했는지, 반입 시기나 통관 내역 같은 기본적인 것조차 조사하지 않았다고. 조사해서 잡아낼 생각 자체가 애초부터 없었던 거

**닥치고
정 치**

지. 그다음에 삼성 본관, 집무실, 이건희 집, 다 압수 수색을 하긴 했지. 그러면서 당시 언론의 기사 제목이 뭐였냐면, "삼성 망연자실".(웃음)

지 _ 너무도 당연히 이미 준비 끝냈던 거잖아.

김 _ 수사관들 올 거라는 거 미리 알고 직원들이 일사분란하게 안내를 해줬어, 무슨 망연자실이야. 이미 수색 사흘 전에 압수 수색이 들어올 테니 전원 출근해서 이건희, 이재용, 이학수가 들어간 모든 문건을 삭제하라고 했다고. 그리고 임원들 집 컴퓨터를 전부 새 컴퓨터로 바꿔. 그냥 지운 게 아니라. 죽이지.(웃음) 혹시라도 파일이 남을까 봐. 이 세심함.(웃음) 그때 보수 언론들이 뭐라고 했냐면 역시 관리의 삼성이라고 했어. 지랄들을 해요.(웃음) 그게 증거인멸이지, 무슨 관리의 삼성이야. 그리고 검찰은 비밀 금고가 없었다고 발표하지. 아니 두 달 있다가 가서 왜 비밀 금고를 찾아. 공사 업체를 찾아야지.(웃음) 다 짜고 치는 고스톱인 거지, 백 퍼센트.

지랄들을 해요.

지 _ 언론도 굳이 이 비정상적인 사건을 더 이상 파헤치려고 하지 않았잖아.

김 _ 그건 관리의 삼성이지. 정확하게는 무마 관리의 삼성.(웃음) 언론들을 광고로 관리해서 삼성에 불리한 기사가 나서 피해가 오는 걸 미리 무마하는. 왜 대선 해에 태안 기름 유출 사건 있었잖아. 예인선이 회사 크레인을 끌고 가다 일으킨. 그때 그 예인선이 삼성 거였다고. 그게 삼성 예인선이었다는 사실 자체가 거의 부각되지 않았어. 다른 기업이었어 봐. 언론에 의해 초토화됐을 거야. 삼성의 언론 장악이 그 정도인 거지. 결국 다 돈의 힘이지.

지 _ 여태 삼성 출신으로 그 돈의 힘에 정면으로 맞선 유일한 사람이 김용철 변호사인 건데.

김 _ 당시 변호사협회가 나서서 김용철을 징계한다고 했지. 비밀유지 의무를 위반했다고. 이건 뭐 변협이 알아서 나섰다기보다는 삼성쪽에서 손을 쓴 거라고 보이는데. 왜냐면 그 논리가 변호사들이 세웠다고 보기엔 완전 유치뽕짝이었거든. 아니 삼성이 김용철의 의뢰인이었냐고. 삼성은 김용철의 고용주였어. 피고용인이 고용주를 고발한 거야. 의뢰인의 비밀을 폭로한 게 아니라. 이건 내부 고발이고 공익 제보이고 휘슬블로어지. 그리고 연이어 삼성 법무실장도 파렴치한 행위를 하는 사람이 변호사라는 사실에 자괴감을 느낀다고 했다고. 그 외에도 노래방을 불법 영업했다느니 하는 뉴스가 조중동 따위를 통해 갑자기 톱뉴스로 쏟아졌지. 이런 건 전부 삼성이 김용철을 부도덕한 인물로 몰아가기 위해 여론 작업을 한 걸로 추정이, 간만에, 졸라 되지.(웃음)
　　김용철 변호사 이야기하니까 또 생각나는 게, 삼성에는 회장 지침서라는 게 있다는 거지. 교주의 교시지.(웃음) 그 내부 문건을 아예 공개

했다고. 거기 그런 내용이 있어. "호텔 할인권을 발행해서 돈 안 받는 사람에게 주면 부담 없지 않을까. 금융 관계, 변호사, 검사, 판사, 국회의원 등 현금을 주기는 곤란하지만 주면 효과가 있는 사람들에게 적용하면 좋을 것."이라고. 추미애가 돈을 받지 않아서 나온 말인데. 이건희가 직접 한 말이야. '회장 지시 사항'이라고 되어 있고 이건희가 언제 어디서 지시했는지까지 기록되어 있거든. 이건 뭐 빼도 박도 못하는 거잖아. 삼성 구조본이 만든 문서에 그렇게 되어 있으니까. 이렇게 확실한 문건이 있으니 삼성이 해명을 해야 하잖아.

그때 삼성이 뭐라고 해명했냐면, "돈을 주라는 얘기가 없지 않느냐, 불법적으로 돈으로 로비를 하라는 얘기가 아니라 마음의 정표가 담긴 작은 선물을 주라는 얘기다."라고 했어. 귀여운 것들.(웃음) 내가 그랬잖아. 삼성은 이명박에게 마음을 줬을 거라고.(웃음) 이 해명은 정말 귀여운 게, 아니 그 사람이 돈을 받는지 안 받는지 어떻게 알아. 일단 돈을 줘 봐야 돈을 안 받는지 알지.(웃음) 이 말 자체가 이미 로비를 인정하는 건데도 검찰은 이 결정적 물증을 무시한다고. 그리고 당연히 추미애를 조사하면 금방 드러나잖아. 그런데 그 중요한 참고인인 추미애를 소환 조사하지도 않는다고. 서면조사도 안 해. 비자금 수사를 할 생각 자체가 없었다니까.

그리고 김용철 변호사가 했던 이야기 중에 또 웃긴 게, 이건희 집에 〈행복한 눈물〉이라고 600억짜리 그림이 걸려 있다고 했잖아. 이게 뭐가 문제가 되냐면 1, 2억도 아니고 600억짜리 그림이면 그 돈의 출처가 분명해야 하는 거거든. 그런데 삼성은 이걸 어떻게 해결했냐면, '갤

러리 서미' 대표 홍송원 씨를 내세워 "그 그림을 내가 87억에 샀다."고 했다고. 그리고 그걸 이건희 집에 걸어두라고 빌려줬다는 거야.(웃음)

지 _ 그림 좋아하니까 잠깐 보시라고?(웃음)

김 _ 잠깐이 아니라 몇 달이나. 600억이라고 하면 홍송원 씨가 또 그 돈을 어떻게 마련했는지 해명해야 하는데, 너무 액수가 크니까 87억에 샀다고 하면서 그 비싼 걸 남의 집에 빌려줬다는 거 아냐. 당시 화랑계에서 나왔던 이야기가, 어떤 중간상도 87억짜리 그림을 자기 돈으로 사는 사람은 없다는 거야. 당연하지. 팔릴지 안 팔릴지도 모르는 그림을 일단 자기 돈 87억에 사서, 그 비싼 그림을 대한민국 최고 부자한테 그냥 빌려주는 사람이 어디 있겠냐고. 지상에선 발견할 수 없는 천상의 상인이라고 봐야지.(웃음)

이따위 수준의 해명을 삼성이 하는데도 검찰은 문제 삼지 않지. 그 후로 그 그림은 한 번도 발견되지 않았고. 오히려 검찰은 수사 기간 동안 홍송원 씨가 세 번이나 국외로 출국하는 걸 허가한다고. 아예 검찰이 나서서 증거 조작을 도와준 셈이지. 이 양반은 삼성이 그림을 통해 만드는 비자금의 실체에 깊숙이 관여해 알고 있다고 심하게 추정돼.(웃음) 그래서 난 이 양반이 언젠가는 터질 거라고 본다.(웃음) 아 참, 홍송원 씨는 한상률과도 연결돼. 한상률이 기소된 로비 건의 그 〈학동마을〉 그림을 판매한 사람이 바로 홍송원 씨야. 어찌나 서로들 연결이 되는지.(웃음)

그런데 보통 비자금이라고 하면 일반인들은 기업이 번 돈을 장부

닥치고
정 치

에 잡히지 않게 따로 빼서 정치권에 로비를 하거나 계약을 따내기 위해 쓰는 블랙 머니 정도로 여긴다고. 어차피 기업의 돈을 기업의 이익을 위해 음성적으로 쓸 뿐이라는 수준으로 이해

한다고. 하지만 삼성의 비자금은 그런 게 아 니. 삼성의 비자금은 이건희 일가의 사금고 야. 한마디로 이건희의 개인적인 용돈이라

이건희 일가의 사금고.

고. 이건희 혼자만 그 사용을 결정해 쓸 수 있는 돈이야. 음성적인데 회사를 위해 쓰는 돈이 아니라, 이건희 개인이 이건희 개인의 영달을 위해 쓰는 돈이라고.

마사 스튜어트.

지 _ 그런데 삼성이 잘돼야 나라가 잘된다고들 하잖아. 이건희 일가를 건드리지 못하는 건 그런 이유가 아닐까. 자칫 대한민국이 피해를 입을까 봐.

김 _ 이제 그 이야기를 해보자고. 마사 스튜어트라는 여자가 있어. 미국에서 아주 유명한 여자지. 그 여자가 5개월을 복역했어. 내부자 거래로. 그 거래로 번 돈이 큰 것도 아냐. 겨우 2억 원 수준이야. 그 여자 재산이 엄청나다고. 2억은 그 여자 재산에 비하면 아무것도 아냐. 전 세계 최고 갑부 명단에 들어가는 여자니까. 그런데 결국 그 정도 액수 때

문에 실형을 살아. 마사 스튜어트의 '리빙옴니버스' 그룹은 오로지 마사 스튜어트 혼자의 힘으로 일궈낸 제국이야. 마사 스튜어트가 곧 그 회사의 이미지 자체야.

지 _ 삼성 이건희의 존재보다 훨씬 큰 거네. 이를테면 오프라 윈프리처럼?

김 _ 상징 그 자체지. 그런데 이 여자에게 실형이 선고되는 당일 그 회사 주가가 폭등한다고. 그전에는 계속 떨어지고 있었거든. 그런데 실형이 선고되자마자 주가가 40퍼센트나 뛰어요. 위험 요인이 사라진 거니까. 미래에 대한 리스크가 현재의 주가에 반영되는 거잖아. 이 여자에게 선고가 떨어지는 순간 그 리스크가 사라진 거지. 우리나라에서는 이건희가 감옥 가면 삼성 망한다고 하잖아. 거짓말이야. 이건희가 감옥 가면 이건희가 망하는 거지.(웃음)

지 _ 미국 카지노 자본주의에서도 마사 스튜어트를 감옥에 보내는 게 자본주의를 유지하는 데 필요한 최소한의 룰이라고 사회가 동의한다는 거잖아. 재계 6위였던 '엔론'을 분식회계를 했다는 이유로 날려버리고, 80대 노인인 회장한테 징역 수십 년 때리고.

김 _ 그러니까 우리나라에서 삼성이 하고 있는 건 자본주의도 아닌 거라고. 우리나라 보수 우파가 만날 좌파들이 자본주의를 부정하느니 어쩌느니 하잖아. 하지만 걔들이야말로 최소한의 자본주의 룰도 지키지 않는다고. 지금 이건희가 하고 있는 게 바로 자본주의를 부정하는 거라고. 이건희의 비자금은 삼성의 주주들에게 엄청난 불이익을 끼치는 거니까. 삼성의 주주들에게 돌아갔어야 할 이익을 자기가 개인 용돈으로 훔쳐 가는 거니까. 그러면서 삼성 까면 자본주의를 부정한다 하고, 이건희 감옥 가면 삼성 망하고 삼성 망하면 대한민국 망한다는 식의 대국민 협박을 하지.

지 _ 마사 스튜어트의 경우로 보자면 이건희가 오히려 리스크네.

김 _ 리스크지. 우리 사회의 리스크지. 그걸 우리만 똑바로 인식하지 못할 뿐. 예를 들어 삼성전자는 이미 글로벌 기업이야. 주주를 보면. 그들 외국 주주들 입장에서 보면, 이건희 하나 잘못된다고 삼성전자가 무너진다는 주장을 한다면 간단하게 말도 안 되는 주장이라고 치부할 거라고. 스티브 잡스같이 그 기업의 기술이자 영혼이자 상징처럼 받아들여지는 사람조차 그럴 순 없는 거거든. 삼성전자가 무슨 구멍가겐가.

> 아니 씨바,
> 대법원 판결이 났는데
> 뭐하러 소환을 해.

그런데 우린 지금 이건희 일가족 하나 보호하느라 온 나라가 이 지랄을 하잖아. 검찰이고 사법부고 대통령이고 모두들. 에버랜드 때 이재용은 세 번 소환됐어. 그런데 왜 이건희는 소환하지 않느냐고 사람들이 뭐라고 하니까 당시 검찰이 뭐라고 했냐면, 대법원 판결 이후 소환하겠

재벌, 자본주의 아니다

다고 했어. 아니 씨바, 대법원 판결이 났는데 뭐하러 소환을 해.(웃음)

협박과 회유.

지 _ 왜 우린 똑바로 인식을 못하는 거야? 언론들도 이건희가 돌아오면 한국 경제가 엄청나게 좋아질 것처럼 쓰잖아.

김 _ 그건 삼성이 만들어낸 프로파간다. 권력을 회유하고 대중을 협박하고 언론을 통제해 만든 그 프로파간다에 우리 사회가 먹혔다는 소리지. 이명박이 이건희 깨끗하게 털어주고 회장직에 복귀시키던 날, 삼성 내부 게시판에 왕의 귀환을 찬양하는 글이 도배가 됐다고. 읽어보면 오글거려서 아주 미쳐버릴 수준이야.(웃음) 이건 뭐 사이비 종교의 레벨이라고.(웃음) 그런데 그들을 보고 있으면 이 프로파간다가 어떤 식으로 작동하는지 알 수가 있어. 이건희는 그냥 돈 많은 노인네야. 법정에 가서 울고 그러는.(웃음) 무슨 천리안과 예지력을 가진 신비의 도인이 아니라고. 그런데 이건희가 미래에 대해 한마디 하면 온 언론이 난리가 나잖아. 웃기고들 있어.(웃음) 자기가 뭔데 미래를 알아. 몰라 절대.(웃음)

자기가 뭔데
미래를 알아.

지 _ 그래도 많은 사람들이 이건희를 존경한다잖아.

닥치고
정 치

김 _ 우리 모두의 마음 한구석에 노예근성이 있다고. 원래 우리 인간의 삶이란 게 불확실하잖아. 사람들은 이 불확실성을 제거해주는 자기보다 큰 존재에게 기대고 싶어 해. 위대한 선지자가 나를 인도해주면, 난 그의 뒤를 따르기만 하면, 삶의 불확실성 앞에서 선택이란 위험 행위를 하지 않아도 되잖아. 그래서 종교도 있는 거잖아. 삼성은 돈의 종교가 지배하는 대한민국에서 경제적 메시아로 스스로를 포지셔닝하는 데 성공한 거지. 그 과정에서 삼성은 곧 이건희라는 상징화 역시 성공시킨 거고. 그 상징화에 사람들이 넘어간 거고. 마치 종교에 넘어가듯. 그래서 그가 우리를 번영으로 인도하실 것이기 때문에, 그가 설혹 실수들을 한다손 치더라도, 우리 스스로 못 본 척하도록 만들어버린 거지. 사실상 정신적 노예지.

지 _ 2000년 전 사마천이 그런 말을 했잖아. "보통 사람은 자기보다 열 배 부자에 대해서는 욕을 하고, 백 배가 되면 무서워하고, 천 배가 되면 그 사람 일을 해주고, 만 배가 되면 그 사람의 노예가 된다." 딱 그거네. 그래서 저 기업인이 사회에 해악을 끼쳤다는데도 "그들이 없으면 우리는 뭘 먹고 살아? 경제를 위해서 사면해줘야지. 무슨 대안이 있어? 너 빨갱이지?"라는 말을 서슴없이 하는 사회가 된 거네. 그러니까 삼성＝이건희, 이 부분을 깨뜨려야 하는 거네.

김 _ 지금과 같은 정권과 체제에선 사실상 불가능한 지경에 이르렀지. 이미 아들에게 상속은 끝났어. 법적으로 완벽하게 정리됐다고. 지금까지 얘기한 과정을 통해 비자금에도 면죄부가 확실하게 주어졌고. 그렇게 이건희 일가의 지배가 지속되는 것과 함께 우리 공적 시스템을 망가뜨려왔던 돈의 지배 역시 지속되게 됐다고. 국가가 그걸 막는 데 실패했다고. 아니 지금 정권은 그걸 방조하는 수준이 아니라 적극 협조한다고. 같이 먹자는 거지.(웃음) 지금 현재 삼성을 견제할 수 있는 수준의 권력은 대한민국에 없어. 이건희가 망한다고 해서 삼성이 망하는 게 아니라는 걸 이해하는 정치권력이 반드시 집권해야 하는 이유야.

지 _ 그러려면 문재인밖에 없다고 결론을 내리려는 거지?(웃음)

김 _ 그렇지.(웃음)

지 _ 그럼 조국은 어떡해? 조국 때문에 시작해놓고.(웃음)

김 _ 조국한테 감사하면서, 그리고 미안하면서.(웃음) 아직은 정치인으로의 삶을 그리고 있지 않으시잖은가.(웃음)

지 _ 삼성 제품 불매운동 같은 것은 어떻게 생각해?

김 _ 이건희를 제외하고 삼성이라는 기업 자체만 본다면 경쟁력 있는 기업도 많아. 삼성전자만 봐도 글로벌한 경쟁력이 있다고. 영업이익도 엄청나고. 이 기업에 대해 불매운동을 하는 건 삼성에 대한 올바른 방식의 투쟁이 아니라고 난 봐. 이건희 일가는 망해도 되지만 이 기업이 망하면 절대 안 되는 거지. 삼성전자 규모의 기업엔 이미 훌륭한 인력과 기술이 무수히 집약되어 있다고. 이건희가 선지자여서 죽어가는 반도체 시장을 혼자 활성화시킨다거나 그럴 수 있는 게 아니잖아. 이건희라는 노인 한 사람이 그 모든 걸 이룩한 게 결코 아니라고.

지 _ 스티브 잡스랑 완전 다른 거잖아. 이건희가 새로운 걸 스스로 만들어낸 것도 없고.

김 _ 스티브 잡스는 아이디어가 자기로부터 나오고 그 구현을 직원들과 함께 하잖아. 이건희 일가가 잘하는 건 그게 아니지. 그 일가가 대한민국에서 가장 잘하는 건 자기 재산을 지키는 거지.(웃음) 그런데 아까 이야기한, 이건희가 곧 삼성이라는 상징화가 워낙 성공적으로 이뤄져서 이건희가 아니면 안 될 것 같은 사회적 불안을 유발하는 거야. 그러니까 삼성을 제대로 문제 삼으려면 삼성이란 기업의 상품에 대해 불매운동을 할 게 아니라 삼성과 이건희를 분리시키는 작업을 해야 한다고.
이건희를 비판하는 사람들도 삼성의 상징화 작업에 자신도 모르게 포섭되어 이건희를 비판해야 할 걸 삼성 제품을 비토하는 걸로 가는 경우가 있다고. 삼성 물건 좋은 거 많아. 왜 기업의 정상적인 제품을 미워해. 물론 삼성 제품을 비판하는 게 상징적으로 이건희를 비판하는 거라 여길 수도 있어. 삼성 문제에 대해 개인이 할 수 있는 게 별로 없으니까. 하지만 그건 그들의 프레임에 넘어가는 거야.

심지어 비판적 시민 단체들까지 이 프레임에 포섭되어 있다고. 그냥 삼성이라고 비판을 한다고. 정확하게 이건희 일가라고 특정해야 해. 삼성을 비판하면 이건희를 비판하는 거라고 부지불식간 인식하는 거지. 그리고 꼭 토를 달아. 이 비판은 다 삼성을 위한 것이라고. 그러다 삼성 망하면 어떻게 하느냐는 주장을 스스로도 의식하는 거지. 아니 조 단위로 돈을 버는 삼성을, 직원들 월급도 제대로 못 주는 시민 단체가 왜 걱정해.(웃음) 삼성 걱정은 삼성이 하면 되는 거야.(웃음) 삼성처럼 거대하고 돈 많은 기업은 지들이 다 알아서 걱정해.(웃음) 잘못을 했으면 정확하게 그 잘못의 주체를 특정해서 비판만 하면 되는 거야.

이게 바로 프레임의 강력한 힘이야. 이 프레임에 대한민국 전체가 먹힌 거지. 그러니까 불매운동 같은 건 필요 없어. 삼성에 대한 모든 비판은 삼성과 이건희를 분리한 뒤, 오로지 이건희 일가에만 집중하면 돼. 이걸 못하면 삼성 문제는 해결이 안 돼. 삼성과 다른 재벌들과의 차이는, 다른 재벌들은 법을 피해 가려고 한다면 삼성은 자신들을 위해 법을 만든다는 거야. 삼성은 이미 국가보다 강한 존재가 되어가고 있다고.

지 _ 사실 불매운동은 효과적이지도 않잖아?

김 _ 그렇지. 그리고 불매운동은 개개인을 딜레마에 빠지게 만들어. 삼성이 나쁘다는 주장을 접하긴 했지만 그래도 난 1위 기업에 입사하고 싶어. 내가 그 거대한 부조리를 직접 어떻게 할 수는 없고 당장 나한테 더 중요한 건 거대 기업에 입사하는 거니까. 삼성이 나쁘다는 주장에 적극 동의하는 사람들조차 품질이 더 우수해서 쓰고 있는 삼성 제품이 분명히 있거든. 그럼 그런 사람들은 죄의식을 느끼거나 자기 합리화에 쓸데없는 에너지를 쓰게 된다고. 삼성과 이건희를 동일시하는 전략의 성공이 사람들에게 그런 딜레마를 안긴 거지. 삼성 제품 불매운동이 효과적이지 않은 요인 중 하나지. 그리고 결정적으로 삼성 물건을 좀 불매한다고 해서 이건희에게는 전혀 타격이 안 가요.

지 _ 삼성 물건을 쓰는 게 〈조선일보〉를 보는 것처럼 자세가 안 나온다고 생각하는 사람들도 있긴 한데, 확실히 옛날 안티조선 운동만큼 확산되지는 않는 것 같아.

김 _ 당연하지. 〈조선일보〉는 나한테 이득을 줄 수 있는 게 없잖아. 그래서 정확히 알면 끊을 수도 있고 반대할 수도 있어. 하지만 삼성은 물건을 만들 뿐만 아니라 나를 취직시켜줄 수도 있고 내 아들이 덕을 볼 수도 있는 대상이라고. 줄 수 있는 게 많아. 삼성은 그걸 명확하게 이해하고 있다고. 그래서 딜레마를 조작해낼 수 있다고.

삼성 ≠ 이건희.

지 _ 삼성 잘하고 있는데 이런 비판을 굳이 해야 하냐고 생각하는 사람도 있잖아.

김 _ 아니지. 아까도 이야기했지만 이건희 일가는 자본주의의 기본 룰까지 무너뜨리고 있다고. 이건희 일가가 그렇게 하면 다른 기업들도 따라 하게 되어 있어. 이건희는 그렇게 세금 안 내고 비자금을 만드는데, 왜 나만 정상적으로 해야 하느냐. 국가도 그래. 이건희 일가가 룰을 지키지 않는 걸 뻔히 보고도 잡아내지 못하는 국가가 어떻게 다른 구성원들에겐 룰을 지키라고 요구할 권위가 생기겠냐고. 나도 어떻게든 잡히지 않고 빠져나가야겠단 생각을 하는 게 당연하지. 아무도 룰을 안 지키면 모두가 피해를 보니까 각자가 최소한의 룰을 지키려고 해야 국가는 정상으로 돌아간다고. 그런데 이건희 일가 하나 살리자고 모두가 도둑 심보가 되는 사회가 되는 거지.

> 이건희 일가 하나 살리자고.

지 _ 이런 상황에서 사람들은 어떻게 해야 하는 거야?

김 _ 개개인이 할 수 있는 건, 일단 이 책을 사서 보는 거고,(웃음) 그리고 이 상황을 개선할 의지와 철학을 가진 권력을 선택하면 돼. 삼성은 개인이 어떻게 할 수준의 상대가 아니야. 국가 수준에서 상대해야 한다고. 그럼 국가를 운영할 권력이 그런 사고를 할 수 있어야 해. 그 권력이 삼성과 이건희를 분리해서 바라봐도 된다는 걸 사람들에게 이해시키고 실제로 분리해내야 해. 그게 성공하면 이건희를 비판하면서도 삼성이란 기업에는 아무런 딜레마를 느끼지 않고 취직할 수도 있게 되는 거지. 삼성에 다니고 있는 사람들도 마찬가지지. 자신이 이건희의

하인은 아니라고 생각할 수 있게 될 테니까. 실제로도 이건희가 지배하고 있는 기업에 자기 노동력을 빌려주고 있을 뿐이지.

지 _ 삼성과 이건희, 그 둘을 분리시키면 된다?

김 _ 삼성이라고 해서 더 나쁜 물건을 더 잘 팔 수는 없잖아. 시장은 냉정하거든. 기업이 좋은 제품 잘 만들어 잘 팔면 기업으로서 할 바를 다한 거야. 삼성의 지배 구조를 떼놓고 기업으로서의 삼성 활동만 보자면, 물론 다른 재벌들이 다 저지르는 수준의 비리는 당연히 있지만, 그리고 이명박 정권 아래에서 더욱 심화되고 있는 국가적 부의 재벌 편중 또한 그것대로 대단히 심각한 문제로 따로 다뤄야 하겠지만, 그게 다른 재벌보다 특별히 더 나쁘다고 말할 수는 없다고.

문제는 이건희 일가가 상속과 지배를 공고히 하는 과정에서 국가 시스템을 자신들 사익을 위해 조작할 정도의 힘을 가져버렸다는 거야. 국가는 이익을 좇는 사조직이 아니잖아. 국가는 공동체를 위한 운영체제잖아. 이게 일개 가족에게만 유리하게 작동해서는 안 되는 거라고. 더구나 그 과정에서 그 가족은 단순히 자신을 보호하는 데 그치지 않고 다른 사람의 이익까지 뺏고 있다고. 그러면서도 자기들 아니면 니들 굶어 죽는다고 협박하고 있다고. 하지만 삼성이란 기업 집단은 그 자체로는 악이 아니라고. 그러니까 삼성과 이건희를 분리해야 한다고. 그건 오로지 법으로만 할 수 있어. 기분 나쁘다고 이건희를 감옥에 보낼 수는 없잖아.

이건희가 가진 의결권 이상의 지배력을 합법적으로 약화시키고 비자금을 철저히 밝혀내서 징계하고 추징해 그 돈의 위력을 제거하고 '삼성=이건희' 프레임의 허구성으로부터 사회를 각성시키면, 이건희의 비자금에 의해 오작동하던 국가 시스템이 최소한의 회복은 하게 되는 거라고. 그게 이건희 인격에 반해 작동했던 게 아니니까.(웃음) 그러려면 이미 국가 수준의 권력을 가진 이건희 일가를 상대할 만한 대통령이 우선 선출되어야 한다고. 물론 대통령 혼자 그 일을 해낼 순 없지. 하지만 대통령부터 반드시 그런 사람이어야 해. 대통령도 막기 힘든 수준의 엄청난 저항이 있을 테니까. 그런데 대통령이 그런 사람이 아니라면 그걸 어떻게 돌파해.

뚜벅뚜벅,
묵묵하게,
반대 방향으로.

이게 바로 대한민국을 대표하는 경제 권력의 실체이고, 우리 보수 우파의 절대 축인 자들의 정체라고. 이런 자들에게 우리가 지배당하고 있다고. 그들이 흘려주는 좆만 한 떡고물이라도 얻어먹기 위해 그들의 회유와 협박에 기꺼이 포로가 되어서. 그렇다고 그들에게 격노하고 고함지르는 사람이 필요한 게 아니야. 그런 분노는 많이들 했어. 그것만 가지고는 변하는 게 없어. 그게 아니라 그들의 회유와 협박에 그저 담담하게, 합리적으로, 아니라고 말할 사람이 필요하다. 그리고 뚜벅뚜벅, 묵묵하게, 반대 방향으로 걸어갈 사람이 필요하다. 거기서부터 시작하면 된다.

지 _ 문재인은 노무현의 전철을 밟지 않을 거라고 생각하는 거야?

닥치고
정 치

김 _ 문재인은 참여정부의 자산과 부채를 정확하게 안다. 그리고 나는 문재인이 노무현보다 훨씬 더 원칙주의자라고 생각해. 청와대 시절 부인 백화점 출입도 못하게 한 사람이야. 괜히 노무현이 노무현의 친구 문재인이 아니라 문재인의 친구 노무현이라고 한 게 아니라고. 문재인이면 돼.

4장

2011. 5. 25. 녹취

정치는 연애다.

최초의

최초의 **비명.**

지 _ 여태 보수의 정체에 대해 이야기했다면, 이번에는 진보에 대해 이야기해보자. 진보 진영 인물들을 중심으로 구체적으로. 지난 6·2 지방선거부터 해보자고. 다음 대선 정국을 예측할 수 있는 매우 중요한 의미의 선거였다고 생각하거든.

김 _ 지난 6·2 지방선거는 역대 지방선거 중 가장 드라마틱했지. 노무현이 평생 이루지 못한 것들이, 노무현이 목숨을 던지고서야 그 적자들에 의해 성취되는 장면들은 참 짠했지. 그 과정에서 보수가 어떻게 선거를 조작하는지는 물론 진보 진영의 한계와 가능성까지 아주 적나라하게 노출되기도 했고. 그래서 6·2 지방선거는 진보 진영 이야기의 시작점으로 매우 적합하다고 생각해.

그리고 인물에 관한 구체적인 이야기를 하기에도 훌륭한 출발점이지. 심상정의 사퇴, 유시민의 실패, 노회찬의 완주, 한명숙의 분패, 이정희의 부상, 안희정, 이광재, 김두관의 등장까지 출연 인물들이 매우 다양했고, 그 의미 또한 따로 짚어둬야 할 정도의 중요성이 있는, 아주 이례적인 지방선거였으니까. 지방선거에서 대선 규모의 감정이입이 있었다는 점 또한 전례가 없는 것이고. 사람들이 이명박을 표로 직접 비토한 첫 번째 선거였으니까.

지 _ 천안함 정도의 사건이 선거 직전에 있었다는 것도 보통 일이 아니었잖아.

김 _ 그 정도로 본격적, 전면적, 장기적, 국제적으로 대놓고 때린 북풍은 전무후무하다고 봐. 그리고 이명박이 심혈을 기울인 또 하나의 작전이 바로 여론조사 선전전이지. 실제 투표 결과와 여론조사 결과의 격차가 어마어마했잖아. 그 정도 격차는 비상식적이라고. 나중에야 조사 기법의 한계를 이야기했지만, 사실 그 한계를 여론조사 기관들이 사전에 몰랐던 게 아니라고.

보수의 작전이야 큰 격차를 기정사실로 확대재생산해 진보적 유권자들이 아예 투표장에 나오지도 않게 만들려고 한 거지만, 그 수작에 여론조사 기관들이 최소한 수동적 공범이 되었단 사실은 기억해둬야지. 여론조사 기관들이 그런 격차를 발생시키는 기술적 요인을 몰랐던 게 아니고, 그걸 보정할 수단과 방법이 없었던 게 아니라고. 그들의 주요 고객인 여러 기관과의 거래 때문에 굳이 그런 노력을 하지 않았던 거라고, 나는 생각해. 이명박 정권 하에서는 여론조사도 필터링해서 받아들여야 해.

지 _ 그럼 북풍과 여론조사까지 이용해 여론을 선동하고 왜곡시켰는데도 한나라당이 참패한 결과가 나온 거네?

김 _ 무슨 말만 하면 퇴출시키고 소송해서 경제적 부담을 안기고 생계를 협박하는 밥줄공안을 겪으며 일상의 자기 검열을 겪어내던 사람들이 마침내 투표용지에 대고 비명을 내지른 거라고. 이명박 죽어라, 죽어라.(웃음) 선거가 아니라 비명이었다고. 오로지 이명박한테다 대고 지른. 천안함은 그런 사람들을 오히려 더 자극한 것이고. 이것들이 또 날 속이려고 하는구나.(웃음)

지 _ 정부 발표에도 불구하고 많은 이들이 천안함이 북한 소행이 아닐 수도 있다고 생각했다는 거지?

김 _ 천안함은, 정보를 취합해보면, 결국 북한의 어뢰 공격이 아니라 좌초 혹은 좌초에 이은 기뢰 정도가 원인이 아니었을까 개인적으로는 생각하는데, 아, 미 잠수함과의 충돌설도 배제할 수 없는 가설이기도 하고. 그러니까 이게 격침된 게 아니라 사고였을 거라고 추정이 되거든. 사고 자체는 자작극이 아니었지만 그걸 숨기면서 북한의 소행으

**닥치고
정 치**

로 만들어가는 과정이 자작극으로 졸라 추정되지.(웃음) 그에 동참하는 과정에서 등장했던 〈조선일보〉의 '인간 어뢰' 같은 건 정말 기념비적이지.(웃음) 그 차갑고 어두운 바다 깊은 곳에서 그 말 없는 쇳덩이 어뢰를 홀로 부여안고 오로지 남조선 해방을 위해 한 목숨 던져야만 했던 북한 수병의 애잔한 고뇌를 담담한 붓 터치로 그려낸 북풍 예술의 꽃이라고 단언하는 바이다. 미친 새끼들.(웃음)

그런데 천안함 사건에서 가장 중요한 건 그 원인이 아니라고. 원인은, 정권 바뀌면, 그 원인대로 밝혀내야 하겠지만 정말 중요한 건 그런 사건의 실체를 규명하는 데 총력을 기울인 게 아니라, 지방선거를 위해 어떻게든 사건을 북한 소행으로 몰아갔던 이명박의 수작을 잊지 않고 기억하는 거라고. 이 사건은 절대 잊지 말아야 해. 국군통수권자가 군이 사고를 당해 수많은 인명이 죽고 다쳤는데 겨우 생각한다는 게 그걸 어떻게 자기 이익에 이용할 것인가밖에 없었다는 거. 이건 아무리 시간이 지나도 반드시 단죄되어야 한다고 생각해.

> 정말 중요한 건
> 수작을 잊지
> 않고 기억하는
> 거라고.

지 _ 정부는 억울해하잖아. 자기네들의 과학적인 증거를 국민들이 안 믿어준다고.

김 _ 과학적으로는 결론이 났지. 걔들이 결정적 증거라고 주장하는 '1번 어뢰'라는 괴물체에(웃음) 의해 침몰한 게 아니라는 건. 이건 조금만 관심을 가지고 찾아보면 과학적으론 이미 끝난 논란이야. 다른 거다 필요 없고 버지니아 대학 이승헌 교수와 존스홉킨스 대학 서재정 교수가 그날 천안함을 절단한 폭발은 없었다며 제시한 근거만 정확하게 이해하면 돼. 국방부는 그들의 주장을 단박에 뒤집을 수 있어. 공개 실험 한 번만 하면. 그럼 그들 주장을 박살 낼 수 있다고. 하지만 안 해. 못해. 데이터를 조작했다고 졸라 추정되는 상황이거든. 아, 추정이 넘치는 아름다운 세상.(웃음)

이건 이것대로 또 책 한 권은 나올 만큼의 이야깃거리니까, 불법이 워낙 성실하다 보니까 우리가 웬만큼 부지런하지 않으면 도저히 따라잡을 수가 없어요.(웃음) 검색 한 번만 제대로 해보라고. 1번 어뢰의 허구성에 대해 논쟁하는 양쪽의 주장이 비슷한 정도의 과학적 정합성을 다투기라도 하는 듯이 일반인들에게 비치는 건, 비겁한 언론의 책임이 결정적이지. 대단히 명백해. 한쪽이 거짓말하는 게. 어쨌건 그 버라이어티했던 선거에서 개인적으로 가장 인상적인 장면은 바로 심상정의 사퇴야.

심상정의 반역.

지 _ 지방선거에서 심상정과 노회찬이 갈라지는 지점이 있었지.

김 _ 노회찬은 완주하고 심상정만 마지막 순간에 사퇴를 했잖아.

**닥치고
정 치**

난 그게 진보 진영의 한계와 미래를 동시에 상징하는 사건이라고 생각해. 해서 이 사건을 자세히 들여다볼 필요가 있어. 자, 가보자고.

당시 심상정이 사퇴하자 진보신당 게시판에는 난리가 났었어. 심상정이 전두환과 동급 혹은 그 이상이 된 찰나였지.(웃음) 심상정은 평생 노동운동만 한 사람이야. 다른 길은 쳐다본 적도 없다고. 평생을. 그러다 민주노동당에서 국회의원 됐고, 국회의원으로도 제 역할 충분히 해내면서 진보 정당의 대중적 에이스로 통하던 사람이었다고. 누구도 그 진정성을 의심할 수 없는 사람이었는데, 그런데도 진보신당 게시판은 심상정은 아가리 닥치라는 글로 도배됐어.

지 _ 상대가 유시민이었기에 당 내부에서 어떤 반응이 나올 거란 걸 모르진 않았을 거야.

김 _ 물론 그 상대가 유시민이란 점도 컸지. 진보 진영에선 노무현 정권이 저지른 최대 과오 중 하나가 신자유주의를 공고히 한 것이고 그중 핵심은 한미 FTA라 여기는데, 유시민은 그 정권의 경호실장이었을 뿐 아니라 2004년 총선에서 진보 정당에게 주는 표는 사표란 주장까지 한 인물이니 심상정은 단순히 사퇴를 한 게 아니라 사악한 적에게 투항한 게 된 거지. 유시민 주장의 실제 내막은 비례는 진보 정당 찍고 지역구는 열린우리당 찍자는 것이었지만. 어쨌든 사퇴가 아니라 변절이 된 거라고. 그럼에도 불구하고 심

왜 사퇴를 했는가.
왜 완주해야만 했는가.

178
179

상정은 왜 사퇴를 했는가. 그리고 진보 진영 최고의 스타이자 심상정의 동지, 노회찬은 그럼 왜 완주해야만 했는가. 진보 진영을 대표하는 두 정치인의 갈림길에 진보 진영이 당면하고 있는 딜레마가 고스란히 담겨 있어.

나중에 이야기를 들어보면 둘 다 출마할 때부터 이미 후보직을 던지는 상황에 대해 논의했다고 해. 그런 순간이 올 수 있다고. 이명박 심판이 급선무라 사람들이 진보신당 따로 챙길 여유가 없을 거란 상황 판단 자체가 없었던 건 아닌 거지. 그럼 왜 심상정만 던질 수 있었는가. 심상정은 당시 당 대표가 아니었기 때문에 가능했던 점도 있지만, 뜬금없이 들리겠으나, 심상정이 여자였기 때문에 가능했던 지점이 분명히 있다고 난 생각해.

어떤 사회든 소수자가 단독으로 행동하면 바로 죽는 거니까.

둘 다 정치적 식견이나 포지션, 경험은 크게 다르지 않은 사람들이라고. 하지만 결정적 순간에 달랐던 건 감성의 영역이었다고 생각해. 사람들이 무엇을 원하는지, 직관적으로 훨씬 더 강하게 인지하고 또 그걸 스스로 인정한 거지. 이건 여성적 감수성의 힘이라고 생각해. 물론 논리적 합리적 정치적 사유가 없었다는 이야기는 아니야. 하지만 최후의 결단은 감성과 직관이 담당했다고 생각해. 그리고 바로 그 대목이 현재 진보 진영이 가진 한계와 밀접하게 연관되어 있다고 생각하고. 왜 이런 소리를 하느냐.

심상정의 직관과 감성을 왜 주목해야 하는지 알려면 먼저 진보 진

닥치고
정 치

영의 사고 체계를 이해해야 해. 진보 진영은 기본적으로 조직적 사고를 한다고. 진보의 뇌가 애초부터 시스템적이긴 하지만, 이건 타고난 뇌가 그렇다는 정도를 넘어 정치적 소수자로 독립운동 하듯 운동을 할 수밖에 없었던 역사가 후천적으로 보다 강화시킨 사고 양식이라고 봐야겠지. 어떤 사회든 소수자가 단독으로 행동하면 바로 죽는 거니까. 어쨌건 그 경향을 보여주는 일화로 이런 게 있어. 민주노동당이 17대 국회의원을 대거 배출하자 내린 결정 중 하나가 국회의원 세비를 걷어 일정 금액을 제한다는 거였어.

지 _ 당시 아마 노동자 평균 월급인 230만 원인가를 받고 나머지는 당에 다시 내놨을 거야.

김 _ 당의 승리이지 개인의 승리가 아니라는 거지. 국회 입성하는 당사자들 역시 함께 투쟁해온 동지들 두고 자기만 출세한 것 같아 미안했던 게고. 당직자들은 여전히 최저임금으로 살아가는데 말이지. 하지만 난 말도 안 되는 결정이었다고 생각해. 정당이 무슨 구호단체고 동호회인가. 그 세비로 어떻게든 일을 더 잘할 수 있도록 해줘야지. 어떻게 하면 덜 미안할까, 어떻게 하면 공평할까를 생각할 게 아니라. 그건 표를 준 일반 국민에 대한 배임이기도 해. 일반 국민에게, 국회의원들이 자당 당원들에게 덜 미안한 게 뭐가 중요해. 일을 더 잘하는 게 중요하지. 그런 도덕적 조직적 강박이 진보 정당을 이해하는 중요한 키워드 중 하나야.

그런 유의 조직 사고를 하는 게 진보 정당 사람들인데, 그걸 평생 이행하던 심상정이, 진보 정당의 에이스가, 생애 최초로 당의 방침을 정면으로 거부한 거라고. 이건 사건이 맞지. 그래서 진보신당의 당원들은 당의 방침을 반역한 그녀에게 정치적 사망 선고를 내렸던 거고. 그러나 난 그 장면에서 사망이 아니라 탄생을 봤다고. 대중정치인으로서 심상정의 각성을 봤다고. 심상정에게 나중에 직접 물어본 적이 있어. 그때 왜 결국 사퇴했냐고. 국민이 원하고, 지금 상황에서 조연 역할밖에 안 된다면, 그럼 사퇴를 하는 게 더 큰 가치가 있다고 생각했다는 거야.

물론 지지율이 의미 있는 수치에 도달했다면 사퇴하지 않았을 수도 있겠지. 하지만 그런 조건에 미달한다면 조직 방침보다 더 중요한 게 국민의 요구를 직접 받아안는 거라 생각했다는 거거든. 이명박의 면상에다 대고 'NO'라고 외치고 싶은 국민들의 간절한 열망, 그 요구를 당내 다른 인사들은 몰랐던 것인가. 아니지. 알고는 있었지. 하지만 그들은 이명박과 노무현을 동시에 넘어서야 한다고 말하고 있었다고. 그래서 한나라당과 민주당이 다를 바가 없다고 한다고. 그게 대중의 평균 인식과 얼마만큼의 간극이 있는지 몰랐던 거지. 알면서도 부인하고 싶었거나.

자신들에겐 독자적 진보 정치 세력화라는 조직적 우선순위, 진보적 대의 가치가 따로 있으니까. 대중이 원한다는 이유만으로 그런 대의를 포기하고 물러서는 건 일종의 포퓰리즘이고 대중추수이자 진보적 가치를 배신하는 거라고 여기는 거지. 대중을 계급적 각성으로 이끌어야 할 역사적 소명을 띤 자신들이 말이야. 진보신당 내의 이른바 선도탈당파라고 불리는 이들 혹은 그들과 인식의 궤를 같이하는 이들의 전반적인 사고방식이지.

콜래트럴 데미지.

지 _ 선도탈당파가 나온 김에 진보 진영 내의 분파를 정리해보는 것도 좋을 것 같아.

김 _ 그 연원을 따지면 아마도 70년대까지도 거슬러 올라가는 장구한 진보 운동의 역사를 이야기해야 할 텐데 그건 또 다른 책 한 권이니까, 간략하게 현 상황 중심으로 핵심 정리만 하자고.

노회찬, 심상정으로 대표되는 진보신당은 사실 그 두 사람이 아니라 조승수 현 대표를 위시한 일부 PD 계열 활동가들이 민주노동당에서 자신들 분파를 이끌고 나와 독립한 정당이라고. 그 독립을 주도한 이들을 선도탈당파라고 하는데 심상정도 PD 계열이긴 하지만 분당하지 말자, 하더라도 지금 하지 말자는 온건파였고, 노회찬도 마찬가지였다고.

당시 선도탈당파가 내세운 분당의 이유는 종북이었는데, 무슨 말이냐면, 민주노동당에서 주류는 한반도가 미제국주의 식민지라는 논리를 근거로 하는, 민족주의적 색채가 강한 NL이라는 분파거든. 때문에 민족이나 통일 같은 구호가 자주 등장하고 같은 민족인 북한에 대해 유화적이야. 반면 계급 이론에 기반해 자본주의 모순에 집중하는 PD는 노동과 평등이란 구호에 익숙하고, NL의 대북관에는 동의하지 않거든. 그 갈등의 역사는 족히 30년에 가까워.

80년대 학생운동만 놓고 단편적으로 말해보자면, 학생 신분으로 노동자 집회 다니고 방학 때 공장 다니고 87년 대선 때 백기완 지지하던 사람들과, 집회 때 '우리의 소원은 통일' 부르고 농활 다니고 87년 대선 때 김대중 지지했던 사람들의 대립이라고 보면 대략 맞아. 전자는 PD이고 후자는 NL이라고 보면 대략 맞는 거고. 근데 뭐 이런 건 중요한 게 아니고.

어쨌든 단일 정당 아래 잠복해 있던 이 갈등이 급격히 비등하게 된 건 민주노동당이 2007년 대선에서 지난 대선보다 24만여 표 줄어든 성적표를 받아 들자 비주류 PD들이 주류 NL을 정면으로 비판하면서부터야. 그 과정에서 구체적 도화선 역할을 한 게, 소위 '일심회' 간첩 사건에 연루되어 국가보안법으로 구속된 민주노동당 당직자 두 사람을 당에서 제명하자는 당 혁신안이었어. 그러면서 2007 대선의 책임을 지고 NL 대의원들은 2선으로 물러나라고 했다고. 한마디로 NL의 종북주의가 원흉이란 지적인 거지. 그 혁신안을 제출한 게 바로 심상정이고. 이 혁신안이 부결됐어. 분당을 향한 총성이 이때 울린 거라고 봐야지.

사실 2007 대선에서 민주노동당의 저조한 득표는 종북주의 때문이 아니라 자신의 욕망에 투표하게 된 시대성, 노무현 정부로 인한 피로감, 민주당의 탁월한 등신 인증(웃음)에 따른 콜래트럴 데미지였다고.(웃음) 진보 정당은 선거에서 그렇게 민주당의 종속변수라고. 탄핵 정국처럼, 한나라당이 완전히 찌그러져서, 진보를 폭넓게 받아들일 여력이 생기고 그래서 두 번째 선택까지 고려할 수 있는 특수한 상황에서야 별도로, 추가 배려를 받는. 이거 무척이나 잔인한 소린데, 그리고 내가 욕 엄청 처먹을 소린데 씨바,(웃음) 그게 옳다거나 그래야 한다는 게 아니라, 현실이 그러하다는 거야. 자신들 스스로가 뭘 잘하고 못하고 하는 게 자신들 생각만큼 득표에 영향을 주지 않아.

진보 정당은
선거에서 민주당의
종속변수.

자신들의 지성과 자신들의 노력과 자신들의 헌신에 비해 가혹하기 짝이 없는 이 현실을 정면으로 대면하기 힘든 게 이해가 가지 않는 건 아니지만, 그들이 때론 민주당을 한나라당 이상으로 자신들의 주적으로 설정하는 걸 보면 참 헛똑똑이들이란 생각을 하지 않을 수 없어. 민주당을 건드리면 안 된다는 게 아냐. 개네들은, 특히 요즘은, 멍청한 게 맞아. 아, 등신들.(웃음)

하지만 자기들이 때릴 대상이 민주당이어선 안 된다는 거야. 그건 민주당을 때리는 게 아니라 자기 자신을 때리는 거니까. 그나마 자기들과 가까이 있는 민주당 표는 자신들이 조금만 분발하면 가져올 수 있다고 믿어서 그러는 건데, 실제로는 민주당이 표를 얻을 수 있는 정치적 상황이 되어야 그들도 표를 덤으로 얻을 수가 있다고. 그래서 종속변수라고 한 거라고.

이걸 이해 못하면 진보 정당은 성장 못해. 이명박과 이건희가 욕망과 공포로 지배하는 이 땅의 대중들더러 민주당과 진보 정당을 정교하게 구분해달란 요구는 그것이 논리적이지 않아서가 아니라, 지나치게 논리적이기만 해서 실패하게 되어 있다고. 대중에게 그건 우선순위가 아니라고. 게다가 그 구분은 상당한 노고를 요하는 일인데 재미까지 졸라 없어.(웃음) 정치는 결국 자원분배의 우선순위를 정하는 건데, 자기 과업의 우선순위를 정하는 단계부터 실패하는 거지.

마음은 대단히
제한된 자원이라고.

사람들에게 그 정도의 정신노동을 요구하는 건, 실은 스스로를 그만큼 똑똑하고 정당하다고 여겨서야. 그 정도는, 나처럼, 당연히, 구분할 수 있고, 또 구분해야만 하는 거 아니냐고 말하고 있는 거거든. 그래서 내가 헛똑똑이들이라고 하는 거야. 자기들이 똑똑하고 정당한 게 뭐가 그렇게 중요해. 정치에서 중요한 건 사람들 마음을 얻는 건데, 마음은 대단히 제한된 자원이라고. 비슷하다고 생각되는 곳에 여러 번 나눠줄 만큼 많지가 않아.

그런데 이렇게 말하면, 그들은 마음은 제한된 자원이란 말보다 비슷하다는 말을 더 거슬려 하지.(웃음) 그래서 다르다는 말부터 한다.(웃음) FTA가 첫 단어다.(웃음) 노무현은 부르주아 민주주의, 감상적 자유주의의 한계를 극명하게 드러냈다. 신자유주의에 포박된 노무현은 이명박과 구조적으로, 본질적으로 같다. 그러므로 이명박과 노무현 모두 극복 대상이다. 거칠게 정리하면 이 정도. 절대 다수가 벙찌는 이야기지.(웃음)

지 _ 그럼 PD의 종북주의 논란과 분당 과정으로 되돌아가보면.

**닥치고
정 치**

김 _ 그래서 2007 대선의 저조한 성적에 대한 원인 분석으로서의 종북주의 논란은 사실 의미도, 실효도 없는 것이었다고 난 생각해. 하지만 그동안 주류 NL의 세계관과 당 주도권을 못마땅해하던 비주류 PD들에게는 찬스였겠지. 처음부터 분당을 목표로 한 것까지는 아니었던 것 같은데 어쨌든 찬스는 온 거야. 더구나 심상정, 노회찬이 자기들 편이라면 독자 PD 정당은 당연히 흥행에 성공할 수밖에 없다고 낙관했을 게고. 그렇게 선도탈당파가 독립해 출범시킨 게 진보신당이고, 이들의 얼굴마담으로 추대 혹은 초빙 혹은 징발 혹은 억류(웃음)된 사람들이 바로 심상정, 노회찬이었던 거야.

그런데 노회찬은 당시 대표였기에 진보신당의 지도부를 장악하고 있던 선도탈당파의 논리와 정서를 외면하긴 무척 어려웠을 거야. 더구나 당 대표가 선거에서 사퇴한다는 건 공당으로서 존립 이유를 스스로 부정하는 행위라 여겼을 거고. 그리고 이건 당시 한명숙 선대본부의 잘못도 있었다고 해야 공평해. 그쪽에서 적극적인 단일화 제스처가 안 들어갔던 걸로 보여. 그런데 노회찬이 먼저 무릎 꿇고 기어들어갈 수 있었겠나, 공당의 대표가. 그래서 노회찬은 선거가 끝난 직후 한명숙의 지지율이 낮은 것이 자신의 책임은 아니지 않냐고 항변할 수밖에 없었고. 그건 단순히 자기를 변호한 게 아니라 자신을 사퇴하지 못하도록 만든 정황과 그 세력 전체를 대변했던 거라고 봐야지. 그리고 형식논리로는 틀린 이야기도 아니고.

하지만 오세훈의 지지율이 높은 게 한명숙 혼자만의 책임도 아니거든. 한명숙의 경쟁력이 그것밖에 안 되는 게 바로 패배의 이유라고 말하는 건, 대단히 수세적이고 방어적인, 그래서 못난 논거지. 그 부족한 2퍼센트를 바로 내가 메워서 이명박을 단죄하겠다고 말하는 게, 대중정치인으로서 당시에 던질 승부수였지. 그럼 2퍼센트가 아니라 20퍼센트의 지분은 족히 가져갈 수 있었다고. 그래서 난 당시 6·2 지방선거는 진보 정당에 매우 드문 찬스라고 주장했다고. 기여도의 몇 배를 회수할 수 있는.

**이념이고 나발이고
사람들은 미안하다고.**

선거에서 당선이란 정치인이 대중들 마음속에 차곡차곡 쌓아왔던 부채 의식, 그 빚을 한 번에 찾아가는 거니까. 노무현이 갑자기 부상해 결국 대통령까지 됐던 건, 노무현이 오랜 세월 차곡차곡 사람들 마음에 예치해뒀던 마음의 빚을 한 번에 인출해 간 거라고. 그 관점에서 보자면, 6·2 지방선거는 진보신당이 사람들 마음에 결코 잊을 수 없는 부채를 안길 수 있는 절호의 기회였다고. 심상정과 노회찬 둘 다 특정 시점에 동반 사퇴를 선언했다고 생각해봐. 이념이고 나발이고(웃음) 사람들은 미안하다고. 그랬다면 지금쯤 불어난 이자가 엄청났을 거야.

그런 기억은 매우 큰 잔상을 남기거든. 그건 반드시 인출 가능하다고. 사람의 마음은 그런 식으로 작동해. 그런 마음의 빚을 먹고 정치인은 성장하는 거고. 그러니까 진보신당의 가장 큰 오산은 자신들의 최대 자산이 선명하고 차별화된 정책과 노선이라 여기는 거야. 실은 그들이 옳은 일로 고생하고 있는 건 맞다 여기는 대중의 부채 의식인데. 그러니까 6·2 지방선거로 인해 진보신당이 입은 가장 큰 피해는 낙선이 아니라 바로 그 부채 의식을 스스로 다 까먹었다는 거지. 더 큰 문제는 진보신당의 소위 선도탈당파, 혹은 앞으로 진보 대통합 논의가 본격화되면 아마도 독자파라고 불릴, 그들은 그걸 아직도 모른다는 거고.(웃음)

죄의식 마케팅.

지 _ 진보신당이 지난 지방선거에서 몰락한 이유가 당내 여론을 따르다가 오히려 대중과 멀어졌기 때문이라는 거네.

김 _ 당내 여론 전체가 사퇴를 결사 저지했던 건 아니야. 왜냐면 당시 진보신당은 선도탈당파로 지칭되는 세력만으로 구성되었던 게 아니거든. 핵심 간부 대부분이 그들이긴 했지만 촛불 집회 때 진중권의 훌륭한 활약 덕에 자유주의적인, 소위 촛불 당원들이 꽤 입당했었다고. 선거 직후 당내 여론조사에선 심상정의 사퇴가 옳았다는 의견이 다수였고. 오히려 선도탈당파들이 당심을 과잉 대표한 거라고 볼 수 있는 거지. 노회찬은 거기 붙잡힌 거고. 수컷들이 원래 그래.(웃음) 조직을 못 버려. 그런데 심상정은 자신의 결정이 일으킬 거대한 분란을 알면서도, 혼자서, 그들의 손목을 떨쳐버렸던 거고. 논리가 아니라 마음으로.

난 그때가 바로 대중정치인 심상정이 탄생한 첫 순간이라고 생각해. 진보 진영의 정치인들에게 결여된 게 바로 그거거든. 조직의 논리와 정서에 매몰되어 정작 조직 바깥의 대중이 원하는 것과는 광년 단위로 멀어져갈 때, 그래서 조직의 요구와 대중의 필요 사이에 엄청난 괴리가 있을 때, 조직의 이념이나 정파의 노선보다 대중의 마음을 우선으로 읽어낼 줄 아는 정서적 통찰력. 그 감성과 직관의 대중적 소통 능력. 그리고 그걸 스스로 결정하는, 단독자로서의 정치적 에고. 그런 게 절대 부족하다고.

진보 진영의 집권 전략을 듣고 있으면 항상 맥이 빠지는 게, 그들은 내가 집권한다고 하지 않고 진보 세력이 집권해야 한다고 말한다고. 마치 언제까지고 부모의 기대를 저버리지 못하는 아이처럼, 조직의 부름과 사명을 먼저 이야기한다고. 스스로 권력의지를 가진 정치적 욕망의 주체가 아니라 정치적 소명을 조직과 조직의 합의로부터 할당받아서는 자발적 권력의지가 거세된 조직원으로서 활동한다고.

그렇게 조직으로부터 여의도에서의 정치 근로를 할당받은 파견 조합원처럼 행동한다고. 국회의원 세비를 반납하고 노동자 평균임금이라며 활동비를 배당받는 발상을 그래서 할 수 있는 거야. 그리고 그게 자랑인 줄 알아. 애정이 있는 나 같은 놈은 그런 아마추어적인 '나 착해요' 결정을 지켜보는 게 아주 마음이 아파.(웃음) 내가 심상정의 사퇴를 사망이 아니라 탄생이라고 한 건 그래서야. 25년 노동운동 끝에 조직의 조합원이 아니라 정치적 단독자를 선언한 최초의 순간이었으니까.

그래서 내가 항상 진보 정당을 종교 단체에 비유한다고. 자신의 권력의지는 어떠하고, 정치적 욕망은 무엇이며, 그것을 어떻게 달성할 것인가, 그리고 그 욕망과 조직의 목표를 어떻게 합치시킬 것인가. 그렇게 정치적 단독자이자 주체로서 사고하지 않는다고. 이념적 책무와 조직적 사명이 먼저라고. 그건 종교 단체의 사제들이나 가질 태도지.(웃음) 아니 이념이 무슨 하느님 말씀이냐고.(웃음) 그냥 인간의 이론이잖아. 사람보다 이론이 먼저면 안 되는 거잖아. 그건 교리나 누릴 위상이 잖아. 정치조직이 무슨 가브리엘의 십자군이 냐고.(웃음) 왜 절대선인 양 행세하느냐고. 불완전한 인간들의 집합이. 그러면서 왜 선명성과 차별성만 강조하냐고. 그게 바로 종교의 자세 아니고 뭐냐고.

> 아니 이념이 무슨 하느님 말씀이냐고.

지 _ 진보신당이 불편한 지점이 분명 있거든. 그 존재 가치는 지지하면서도. 그게 대중의 욕망을 받아들이기보다 내부의 신념을 더 중시하는 엄격한 종교처럼 여겨져서 그렇다는 건가?

김 _ 종교가 유지되는 근본적인 힘이 결국 죄의식이거든. 누구도 그 율법을 다 지키고 살 순 없다고. 교리는 언제나 아무도 완벽하게 도달할 수 없는 절대적 지점에 있어. 어느 누가 그 교리가 정한 죄악을 단 한 번도 범하지 않고 살아갈 수 있냐고. 불완전한 인간이. 결국 그 죄로 인해 다시 한 번 율법 앞에서 참회할 수밖에 없게 되는 거지. 종교의 속박은 그렇게 완성된다고.
그것이 도달 불가능한 것인 한, 아무도 그 사이클에서 벗어날 수가 없어. 모두가 쉽게 구원에 도달할 수 있다면 아무도 그 종교에 목 매달 이유가 없어지지. 왜 매달려. 언제든 원하면 구원되는데. 그게 종교의 역설이지. 죄인이 되지 말라고 요구하지만, 아무도 도달할 수 없기에 모두가 죄인이 되고, 모두가 죄인이기에 종교가 유지되는 거라고.

진보 진영이 대중을 상대하는 자세를 보면 딱 사제야. 자신들의 율법이 절대선인데 왜 너희는 그렇게 살지 않느냐. 자기들은 그걸 이미 알고 믿고 실천하건만 너희는 왜 이렇게 올바르고 참된 가치를 좇지 아니하느냐. 그러면서 외치지. 회개하라, 그러면 구원을 얻을 것이니.(웃음)

그 절대 가치의 전도를 위해 헌신하는 자신들의 노고가 어쩌면 당대는 아니더라도 먼 훗날 진짜 진보 정권의 탄생으로, 그 구원으로 보상받을 거라고 서로서로 위로하면서. 그렇게 그들의 주장은 말씀이고, 그들의 언어는 방언이며,(웃음) 그들의 희생은 순교가 되는 거지.(웃음) 그렇게 모두를 절대적인 진보 가치를 외면한 죄인으로 만들어버리지. 그래서 불편한 거야. 그 죄의식 마케팅이. 그래서 듣기 싫다고.(웃음)

지 _ 그럼 그건 네거티브 마케팅인 거네.

김 _ 그렇지. 밝고 명랑한 얼굴로 이게 얼마나 더 쿨하고 더 편하고 더 유리한지에 대해선 마케팅하지 않은 채, 비장하고 우울한 얼굴로 그게 왜 올바른지, 왜 정당한지, 왜 가치 있는지만 포교한다고. 그럼 그건 내 이익의 문제가 아니라 보편 윤리의 문제가 되어버린다고. 윤리의 문제는 결국 얼마나 선명한가의 문제로 이어지지. 그건 정치가 아니라 종교의 영역이라고. 그럼 모든 게 도덕과 죄의식의 차원에서 다뤄지게 되는 거거든.

지 _ 우리는 올바르기 위해 사는 건 아닌데.

김 _ 정당이란 기본적으로 내 욕망을 어떻게 수용하고 대리하고 구현할 것인지가 굉장히 중요한 조직인데, 우리 진보는 내 욕망을 어떻게 통제하고 절제할 것인가에 대한 요구만 있다고. 성리학의 영향으로 우리가 관념적 원리적 규범이 워낙 잘 먹히는 사회이긴 해. 제 몸으로 직접 겪어 자기 이론을 세우는 경험주의적 지적 전통이 미약하긴 하다고.
게다가 우리 좌파는 식민과 분단과 독재를 겪어내며 코민테른 시대의 좌파에서 크게 진보하지 못한 채, 독재에 저항하는 민주주의적 과제조차 자본주의를 극복해가는 좌파만의 단계적 과업으로 해석하는 착시가 유지되면서, 그 내용이 지체됐다고. 이건 탓하려는 건 아니야. 역동하는 세계사로부터 단절되고 고립된 채 문서와 관념과 토론에 의지할 수밖에 없었으니까. 다만 이렇게는 말할 수 있다고 생각해. 우리 진보는, 압축성장하지 않았다.

한마디로 총괄해서 정리하자면, 이념은 서구의 것이되, 그걸 수행하고 주장하는 방식은 여전히 성리학자의 그것과 크게 다를 바가 없다는 거지.

지 _ 그런데 이상한 건, 진보신당이 민주노동당보다 더 유연한 정당일 것 같은데, 선거 연합이나 이런 면에서 볼 때는 진보신당이 훨씬 더 강경하단 말이지.

김 _ 그건 왜 PD는 항상 소수파였고 NL이 다수파였는지, 진보 운동의 역사를 되짚어보면 이해할 수 있어. 사실 이제 NL과 PD도 분화하고 진화해서 80년대 이론 체계에 그대로 갇혀 있는 건 분명 아니야. 하지만 기본 성향은 여전히 유효하지. 그 기본 성향의 차이는 좌우처럼 결국은 타고난 기질의 차이라고 난 생각하고. 동일 사안을, 이성과 감성을 어떤 비율로 섞어 해석하는가 하는.

PD는 이성의 영역이 훨씬 강해서 이론 체계가 상대적으로 더 정교하고 학술적이지. 그래서 그들의 언어는 보다 재수 없고(웃음) 폐쇄적이야. 잘난 척이 훨씬 심하지.(웃음) 확신범의 경향도 더 강해서 더 전투적이고 선각한 혁명가 타입들이시고.(웃음) 반면 NL은 사실 오늘날 적용 가능한 현대적 좌파라고 하기엔 그 이론 체계가 조악하고. 민족주의와 좌파가 대체 어떻게 공존하냐고.(웃음) 주사파 같은 봉건적 사고가 결합된 것만 해도 그래. 이건 우리나라에만 있는 희귀한 형태야.(웃음)

NL은 결국 조금 단순화시켜 말하자면, 우파적 감성에 좌파의 이론이 결합된 거지. 그들의 전략은 그래서 언제나 대중과 현장을 강조하는 것이었어. 감성은 학술이 아니라 현장의 언어니까. 그러니 NL은 '품성'을 항상 거론했던 거고. NL이 진보 정당의 대표 사상 가장 유연한 이정희라는 인물을 대표로 선택할 수 있었던 것도 그런 연유라고 봐야

지. 그렇게 인간적 싸가지는 언제나 NL쪽이 더 있어 왔어.(웃음)

그래서 PD계인 진보신당은 독자성과 선명성을 강조하고 NL계인 민주노동당은 대중성과 확장성을 말하는 거지. 진보신당이 더 유연할 것 같은 느낌이 드는 건 노회찬, 심상정, 진중권이 만든 이미지의 힘이야. 실제 진보신당의 핵심 간부들은 논쟁적이고 강경한 PD계의 활동가이자 이론가들이라고. 그렇게 스스로 고립되는 길을 고고한 선명성을 유지하는 길이라고 합리화하는 사고 체계를 가졌으니 당연히 선거 연합에 부정적이지. 앞으로도 두고 보라고. 통합 논의, 특히 국민참여당의 참여를, 이들은 반대할 테니까.

대남용 제스처.

지 _ 진보신당은 그렇고. 그럼 민주노동당의 대북관은 어떻게 생각해? 민주노동당은 북한 인권 문제에 대해 이야기하는 것조차 조심스러워하는데, 그게 보수의 공격 빌미가 되잖아.

김 _ 보수가 북한 인권에 시비 거는 건 교활한 술책에 불과하지. 북한 인권이 열악하다는 건 자명하거든. 그래서 북한 인권은 자신들이 일방적인 도덕적 우위에 단번에 올라설 수 있는 사안이거든. 다른 정치 사안은 언제나 논란의 여지가 있지만 북한 인권은 절대 아니거든. 그래서 미국 부시가 북한인권법에 그렇게 관심이 많았던 거 아냐. 부시가 자기 인생에서 북한 주민의 복지를 단 한 번이라도 걱정한 순간이 있었겠나.(웃음) 단 한 순간도 없었다는 데 이 책의 인세 전부를 건다.(웃음) 우리 보수도 똑같지. 북한 인권이 그렇게 걱정되면 최소한 쌀은 보내줘야 할 거 아냐. 그렇게 인간으로서의 최소한의 기본권을 걱정해주시는 새끼들이 사람이 굶어 죽고 있다는데도 남아돌아 썩어가는 쌀을 안 보내주나. 좆 같은 새끼들.(웃음) 우리끼리 법을 만들면 북한 인권이 개선되나. 정치적 개수작이지. 인권이 그렇게 걱정되면 인권법을 만들 게 아니라 쌀을 줘야지. 민주노동당은 그 수작에 놀아나지 않겠다는 거지. 다만 거기에 정교한 논리로, 제대로 된 대응을 하지 못해서 속수무책으로 친북 이미지만 강화되고 만 자신들의 무능은 자책해야지. 이건 일종의 트라우마 영향도 있다고 봐야 할 거야. NL 내부 일부 주사파의 전력으로 인한. 자기들 먼저 쪼는 거지.

지 _ 3대 세습은 어떻게 생각해? 이건 진보신당도 비판하잖아. 왜 민주노동당은 북한의 3대 세습을 공개적으로 문제 삼지 않느냐고.

김 _ 난 NL 중 일부의 주사파 전력이, 7~80년대 당시의 대단히 제한된 북한 정보와 폭력적인 군사정권이란 시대적 배경과 한계를 인정하더라도 일종의 허무 개그라고 생각하긴 하지만,(웃음) 3대 세습에 대한 노코멘트는 정치적으로 적절한 태도라고 생각해. 진보신당조차 그렇게 주장하잖아. 3대 세습을 어떻게 비판하지 않을 수 있냐고. 그런데 그런 비판이 대체 정치 논평 이상의 무슨 정치적 실효성이 있냐고.

북한을 앞으로도 한반도 이북에 존속할, 우리와 대등한 정치적 주체로 완전히 인정하고 통일의 대상으로 보지 않는다면, 그렇게 그들을 완전한 남남으로만 본다면, 그들의 권력 세습을 비판하는 거야 얼마든지 가능하지. 그것보다 쉬운 게 어디 있어. 근대 국민국가의 출현 이후 권력 세습이란 말도 안 되는 거니까. 하지만 북한을 수십 년 내에 우리와 통일해야 할 대상으로 본다면, 그들과 우린 별거중이라고. 언제 어떻게 재결합할 것인가를 논의해야 할 파트너라고. 북을 그렇게 재결합의 대상으로 봐야 하는 공당이 북의 구조적 한계만 계속 논평하는 것으로 얻을 수 있는 정치적 이득이 뭐냐는 거지.

그건 순전히 대남용 제스처일 뿐이지. 우린 북한에 대해서도 얼마든지 비판할 수 있습니다, 하는. 일반인들이야, 시사평론가야, 개별 정치인이야 얼마든지 3대 세습에 대해 비판적 논평을 할 수 있지만, 그리고 그게 옳지만, 정당 차원에서는 그게 옳기만 해서 대체 무슨 소용이 있냐는 거지. 이러저러해서 나는 옳다는 소리는 인터넷 게시판에 널렸어. 통일을 염두에 두는 공당으로서는 그런 대남 제스처로 북한과의 관계에서 얻을 수 있는 게 없다는 거지. 그런 제스처는 결국 북한인권법과 본질적으로 다를 바가 없다는 말이지.

그래서 진보신당의 개별 당원들은 그런 소리를 얼마든지 해도 되지만 진보신당이 당 대 당으로 민주노동당에 그런 공식 논평을 요구하는 건 그저 민주노동당의 주사파적 멍청함을 강조해 불리한 포지션으로 끌어내리고. 동시에 자신의 지적 우월성을 드러내고자 하는 정치적 수작 그 이상도 이하도 아니라고 나는 보는 거지.

천안함.

지 _ 그럼 한나라당은 통일을 하고 싶은 걸까?

김 _ 아니 한나라당에 북한이 얼마나 요긴한데 통일을 해.(웃음) 곤란한 건 전부 북한이 처리해주는데.(웃음) 농협 사태까지 처리해주잖아.(웃음) 가카도 봐. 얼마나 북한을 사랑하셔.(웃음) 가카에 의해 북한은 군함을 박살 내는 대폭발에도 절대 지워지지 않는 도료를 개발한 도료 강성 대국으로서의 명성을 세계 만방에 떨쳤잖아.(웃음) 우리 우파는 통일을 원하지 않지. 보수 우파와 북한은 적대적 공생관계야. 북한이 불러일으키는 공포로 인해 자기들이 얻는 이득이 곧 표야. 통일이 왜 필요하겠어.

> 아니 한나라당에
> 북한이 얼마나
> 요긴한데 통일을 해.

지 _ 이명박은 왜 그런 북한과 정상회담을 꼭 하려고 하는 거야?

김 _ 그 이야기를 하기 전에 정상회담을 하자는 말을 왜 베를린 가서 했느냐부터. 아니 그 말을 들을 대상인 남북한 모두 한반도에 있는

데 그 한국말을 왜 독일 가서 하냐고.(웃음) 이유는 하나야. 베를린 선언이라고 하려고.(웃음) 아우, 유치해.(웃음) 그 외에는 그걸 군이 베를린까지 가서 말해야 할 단 하나의 이유도 없거든.(웃음) 독일에 통일 문제를 의논하러 간 것도 아니고, 비핵화 국제회의에 참석한 것도 아니고, 2000년 3월 김대중의 베를린 대학에서의 그 유명한 햇빛정책 천명 연설처럼, 이게 진짜 베를린 선언이지, 역사적 선언을 한 것도 아니고, 그냥 뜬금없이 자기 혼자 말한 거야. "북한이 천안함 사건 등 일련의 사건에 대해 공식 사과한다면, 내년 핵 정상 회의에 서울로 초대할 용의가 있다."고.

북한 인권이니 통일이니 아무 관심 없는 이명박이 북한을 우호적으로 호출할 때의 목적은 하나지. 자신에게 명백한 이용 가치가 있을 때. 대통령으로서의 업적을 남기고 싶어서, 라는 관점 역시 불완전한 이해라고 난 봐. 4대강을 초기엔 그렇게들 봤잖아. 권력자들은 업적을 남기고 싶어 해서 그러는 거라고. 하지만 4대강의 진짜 본질은 이권이거든. 마찬가지야. 업적 과시 목적이야 당연히 포함되는 거지만, 더 본질적인 건 정상회담이 이명박에게 어떤 구체적 이익을 주기 때문인 거지. 그렇다면 그게 뭐냐. 내년 총선에 영향을 주겠다는 게 목적의 일부인 거야 총선 직전 잡힌 정상회담 일정만 봐도 명백하니까 넘어가자고.

그럼 숨어 있는 목적은 뭐냐. 정상회담을 선언하면서 전면에 내건 첫 번째 조건이 천안함에 대한 사과라는 거 아냐. 가장 첫 번째 조건이 그거라는 소리는 이렇게 생각하면 되는 거지. 아, 천안함에 대해 북한이 사과하는 것이 이명박의 이익과 매우 직접적으로 연결되어 있구나.

물론 그렇게 자신들이 비난하던 북한과 다시 관계를 맺자면, 북한이 사과하며 굽히는 자세를 취해줘야 자기 모양새가 나오지. 하지만 천안함은 남한의 자작극이라고 펄펄 뛰던 북한이 정상회담 한번 해보겠다고 천안함에 대한 국제적 사과를 할 확률은 완전 제로잖아.

외교적 관점에서 보자면 상대국이 절대 취할 수 없는 스탠스를 협상의 첫 번째 조건으로, 그것도 공개적으로 내세운다는 건 그 협상을 아예 하지 않겠다는 거거든. 협상을 아예 할 생각이 없으면서 그 책임을 상대에게 떠넘길 때나 쓰는 고전적인 수법이라고. 외교를 들먹일 것도 없이 이건 상식적으로도 말이 안 되잖아. 사과하면 초대한다는 말은 반성하면 불러줄게, 이런 말이잖아. 이런 건 친구 사이에도 불가능한 거라고.

그런데 이명박은 그걸 공개적으로 요구했어. 아니 하는 척했어. 베를린에서. 여기서 잠깐 웃긴 포인트. 그 말을 베를린에 있을 때 해야 베를린 선언이 되잖아. 그 시간 못 맞춰서 돌아오는 비행기 안에서 하면 기내 선언이 되잖아.(웃음) 그래서 이명박이 베를린에 있는 동안, 청와대 대외협력비서관이 잽싸게 베이징에 가서 북한과 접촉을 해요. 그러면서 이런 이야기를 했다는 거 아냐. 조선중앙TV의 표현에 따르면 북한이 "북측에서 볼 때는 사과가 아니지만, 남측에서 볼 때는 사과처럼 보이는 안."을 발표해주면 안 되겠냐고.(웃음)

북한으로선 그 초대에 응할 하등의 이유가 없지. 북한은 러시아와 중국, 두 강대국 사이의 등거리외교로 미국의 위협으로부터 지난 60년간 살아남은 곳이야. 외교전으로 미국과 대등하게 노는 거의 유일한 깡

다구 국가가 북한이라고. 외교 노하우로는 이명박이 북한에 게임도 안된다고. 남한이 자기들 급해서 요청한 일에 북한이 응해주려면 당연히 그에 상응하는 대가가 있어야지. 아마 뭔가 경제적 제안, 지원 이야기도 있었을 거라고 강력하게 추정되지.(웃음) 아마 올 하반기쯤이면 북한과 관련해 뭔가 큰 프로젝트가 발표될 거라고 본다.

어쨌건 지금 이명박이 북한에, 천안함에 대해 사과는 아니지만 사과처럼 보이는 형식이라도 취해달라고 하는 건, 너한테 돈 줄 테니까 나 좀 때렸다고 해줘, 이거거든.(웃음) 이렇게까지 절박하게 북한의 천안함 사과를 요구하는 건 그저 모양새를 갖추기 위한 요식행위의 의미를 넘어서는 거라고, 나는 봐.

지 _ 그렇게 무리해서라도 천안함 사과를 받아서 이명박이 얻는 게 뭐야?

김 _ 왜 사과의 형식이라도 갖춰달라고 비굴하게 요구를 하느냐. 그게 이명박에게 왜 그렇게까지 중요한가. 이명박은 북한의 사과까지도 받아내는 당당한 보수라는 걸 선전하고 싶어서냐. 그건 피상적인 분석이고. 이명박은 자신의 손익과 결정적인 관계가 있는 일엔 수단과 방법을 가리지 않는다고. 이건 자신의 손익과 매우 밀접한 사안이라고 이해해야 해. 내 추정은 그래.

천안함은 정권 교체되면 그 실체적 진실

돈 줄 테니까
니가 날 때렸다고
제발 말 좀 해줘.

을 놓고 틀림없이 청문회를 하게 될 사안 중 하나야. 너무나 감춰진 게 많다고. 그런데 만약 북한이 사과한다면 그 순간부터 어떤 의혹 제기도 무의미한 것이 된다고. 청문회로 끌고 갈 근거가 사라지는 거지. 범인이 자기 혐의를 인정하고 자백해버렸는데 더 이상 수사가 필요한가, 하는 상황이 되는 거지. 어떤 의혹 제기도, 아니 북한이 인정했잖아, 가 되는 거라고. 그래서 돈 줄 테니까 니가 날 때렸다고 제발 말 좀 해줘.(웃음) 빌게 된 게 아니겠는가, 소설 써본다.(웃음)

코리아디스카운트.

지 _ 보수는 그렇다 치면 민주당은 통일이 하고 싶을까?

김 _ 정말 통일을 원하는 사람이 우리 현실 정치인 중에 과연 얼마나 되는지 모르겠어. 정말 통일을 구체적이고 현실적인 과제로 믿고 실행에 옮긴 첫 번째 정치인은 김대중이었어. 중국, 러시아와의 관계를 국제적 시각에서 조망하고 통일이 가져올 정치적 효과 역시 분석했을 뿐 아니라 실제 통일을 이루기 위해 구체적으로 어떤 단계를 밟아가야 하는지 고심했으며 그걸 실제로 추진하기까지 한 첫 번째 정치인이지. 한국 현대사에서도 첫 번째로 평가되어야 할 위대한 정치인이지. 자연인으론 노무현을 더 좋아하지만 정치인으론 김대중이 첫째간다고 난 생각해.

닥치고 정치

지 _ 그럼 총수가 보기에 국민의 입장에서 통일이 유리해?

김 _ 내가 정치인도 아니고 통일 문제에 대한 정견을 발표하는 건 웃기긴 한데,(웃음) 기왕 말 나온 김에 한 사람의 시민으로 말해보자면, 통독 이후 독일이 지불해야 했던 비용이 상당했단 말이지. 우린 아마 더 큰 사회경제적 비용을 치러야겠지. 서독과 동독이 경쟁하는 관계이긴 했어도 서로 전쟁을 치른 사이는 아니었잖아. 연합군과 소련이 그렇게 나눠 먹은 거지.

어쨌든 우리가 통일을 하려면, 세금은 물론 사회적, 경제적, 정치적 혼란이 대단할 거라고. 결국 통일에 대해 정치인이 아닌 일반인들이 가장 먼저 결정해야 할 자세는 그

> 내가 치를 것이냐, 아니면 내 자식이 치르게 할 것이냐.

거라고 봐. 반드시 지불해야 할 그 비용을, 내가 살아 있는 동안 내가 치를 것이냐, 아니면 내 자식이 치르게 할 것이냐. 그런데 그런 걸 진지하게 고민하며 사는 일반 시민은 없다고. 다들 생활인이잖아. 그러니까 그건 정치가 대신 구체적으로 고민해줘야 할 영역이야. 그런 거 대신하라고 정치인 뽑아서 세비까지 주는 거 아냐.

그런 비용을 다 치른 후에는 당연히 플러스지. 인구도 국토도 늘고 우리의 지정학적 위치 역시 외교적 레버리지로 기능할 수 있고. 중국과 러시아와 미국과 일본의 균형자가 그때는 가능하겠지. 노무현 시절의 '동북아균형자론'은 북한이란 존재 때문에 사실 우리끼리의 구호에 불과했지.

그런데 난 그런 차원의 실익보다 훨씬 더 큰 이익이 우리의 섬나라 의식 극복이라고 봐. 우린 섬이 아닌데도 섬처럼 사고하잖아. 그럴 수밖에 없어. 삼면이 바다이고 나머지 한 면은 벽이니까. 분명 육지로는 이어져 있는데 '프랑스에 차를 타고 대륙을 횡단해 가봐야겠다.', 이런 상상이 불가능하잖아. 그래서 항상 우린 세계를 우리와 별도의 공간으로 인지하지. 세계는 서울로, 서울은 세계로. 이런 구호, 조금만 생각해보면 웃긴 말이라고. 그럼 우린 화성인인가.(웃음) 우리도 세계 속에 있어. 그런데 자꾸 세계로 가자고 하잖아. 세계가 우리만 달랑 빼놓고 나머지들끼리 모여 따로 특설 링 만들었냐고.(웃음) 그런데 우린 그렇게 생각하거든. 섬나라 의식이지.

세계는 우리 바깥에 존재하는 거야. 예를 들어 북쪽엔 스웨덴·핀란드가 있고, 남쪽엔 벨기에·프랑스, 동쪽엔 룩셈부르크·독일이 있는 네덜란드에서 태어난 아이를 생각해보자고. 걔는 이미 중고생 시절부터 배낭 지고 주변국들을 여행하며 자기의 상대적 위치를 입체적으로 인지하게 된다고. 실제로 내가 몇 년 배낭여행 하며 만나본 그쪽 아이들은 하나같이 그렇더라고. 나는 혼자가 아니라, 세계와 분리된 게 아니라, 그 속에 있다는 의식. 그래서 나로부터 시작해 가족, 지역, 국가, 세계로의 인식 확장에 단절이 없는 거야. 로컬과 글로벌이 자연스럽게 연결되어 있어. 그래서 걔네들은 바이크 타고 북경까지 오는 상상을 할 수가 있는 거야. 땅이 연결되어 있잖아.

지 _ 인식이란 게 물리적 조건이 중요한 거네.

**닥치고
정 치**

김 _ 대단히 중요하지. 우린 나의 확장이 휴전선에서 끝난다고. 파리, 북경, 서울 다 물리적으로 같은 땅 위에 있다고. 그렇잖아. 그런데 머리에선 끊어져 있어. 아프리카 기아에 대한 세계인으로서의 책임을 묻거나 지구적 환경문제를 거론하는 게 우리한테 생뚱맞은 것도 그래서야. 나와 세계는 별개이고 세계는 바깥에 있는 거야. 세계인으로서의 보편 인식이 부족하다고. 난 그런 인식의 확장은 땅을 물리적으로 연결하는 것에서부터 시작된다고 생각해. 물리적 조건은 분명 정신을 한계지어. 태평양 섬의 원주민들이 처음 보는 백인을 신으로 여길 수밖에 없었던 건, 그들의 평균 지능이 여타 지역의 인간들보다 떨어져서가 결코 아니라고.

서울역에서 기차 타고 평양 거쳐 모스크바 지나 파리까지 가는 상상에 단절이 없어야 해. 고삐리들이 여름방학이면 대륙 횡단을 꿈꿀 수 있어야 해. 그게 갇힌 땅이어서 생길 수밖에 없는 폐쇄적인 한국병을 치유하는 첫걸음이라고 생각해. 그리고 그게 통일이 가져다줄 가장 큰 보상이라고 봐. 물론 세상의 모든 작용엔 반작용이 따르는 법이라 세계와의 단절이 역설적 장점이 된 부분도 없었던 건 아니야. 자원 부족한 좁은 땅덩어리에 갇혀 남북으로 대치하며 살다 보니 사회적 긴장도가 매우 높고, 여기 우 편향의 정치 지형과 개발 독재의 트라우마까지 더해져 불안한 생존 본능이 여타 국가의 평균치를 훨씬 상회하는 커뮤니티가 되었지. 그런 무한 경쟁의 폐쇄 공간이 불러일으키는 초조함과 조급함은 '빨리빨리병'을 만들어냈고. 그런데 참 재밌게도 이 빨리빨리병이, 금방 싫증 내고 끊임없이 새로운 것을 찾는 인터넷 시대의 속도감과는 어울려서 인터넷, 모바일 트렌드에 적합한 적응으로 귀결되는 부분이 있지.

또 그런 섬 의식은, 우리는 갇혀 있고 세계가 바깥에 있다는 폐쇄공포와 우린 세계의 구석에 있다는 변방 의식을 낳기도 했지만, 또 다른 측면에선 그러므로 끊임없이 밖으로 진출해야 한다는 위기감으로 연결되기도 했고. 세상에 공짜는 없는 법인 거지. 공짜가 없다는 게 모든 일엔 대가가 있다는 말이기도 하지만, 대가를 지불하면 그로 인한 이득도 반드시 있다는 소리거든.

지 _ 사람들은 남북 분단으로 인한 비용을 늘 치러왔기 때문에 현재 자신이 치르고 있는 비용이 뭔지 인식하지 못하는 것 같아.

김 _ 간단한 예로 흔히 '코리아디스카운트'라고 하는 거. 〈블러드 다이아몬드〉의 시에라리온, 그런 곳에 다이아몬드 광산 말고 무슨 장기 투자를 하겠어. 이스라엘의 팔레스타인 분쟁 지구에 어느 국제 기업이 공장을 세우겠냐고. 그래서 우리 증시는 안정적이고 장기적인 국제 투자의 대상이 되기보다는 언제나 치고 빠지는 국제 헤지펀드의 주요 놀이터가 되곤 하는 거지. 세계적 경기, 특히 미국의 경제적 상황에 가장 큰 영향을 받는 곳이 우리나라인 것도 그래서고.

코리아디스카운트.

그런데 이런 분단으로 인한 디스카운트가 내 생활에 구체적으로 어떤 영향을 직접적으로 주는지 개개인이 설명하기는 쉽지 않다고. 그

**닥치고
정 치**

러니까 정치가 끊임없이 이 코리아디스카운트가 어떻게 내 삶의 기본 조건을 불안정하게 만드는지 설명해줘야 한다고. 그래서 내가 어떤 비용을 지불하고 있는지 인식하게 만들고, 그러지 않기 위해 통일을 하려면 또 지불해야 할 대가는 무엇인지 역시 구체적으로 알게 해줘야 한다고. 그래야 내가 그 비용을 치를 것인지 아니면 내 자식에게 미룰 것인지, 고민도 가능한 거지. 그런데 보수는 그로 인해 생기는 증시의 불안정을 오히려 자기 돈벌이 기회로 여기거나, 그 불안을 이용해 정권을 잡는 데만 혈안이 된 애들이라 그런 건 절대 기대할 수 없다고. 진보의 통일에 관한 주장들은 지금까진 지나치게 관념적이었고.

예를 들어 보수가 투입하는 국방비의 대부분이 국방을 담당하는 절대 다수인 병사들에겐 쓰이지 않는다고. 그 돈의 대부분은 군비 확장에 지출되는데, 그게 결국 미 군수 업체의 수중에 들어가는 거거든. 우리 국방비는 미 군산 복합체의 빨대 대상이지. 그래서 우리나라에서 전쟁 끝난 지가 60년인데 아직도 미국은 북한과 평화협정을 안 맺고 있는 거야. 전쟁 끝나고 60년 지났는데 평화협정 안 맺는 경우 있는지 찾아보라고. 내가 졸라 찾아봤는데 없어.

공포가 있어야 무기가 팔리니까. 평화협정을 맺을 이유가 없지, 미국이. 그리고 그렇게 미국이 심어놓은 공포에 겁먹고 미군에 매달리는 우리 군인들은 군인도 아닌 거고. 노무현 말이 맞아. 부끄러운 줄 알아야 돼. 그런데 그렇게 사라지는 허망한 세금을 우린 정확히 모르잖아. 단가 뽑고 대가 알게 해주고 이익 계산해주고 손해 알려주고 그래서 내가 할 거냐 자식이 할 거냐 판단하게 해주는 거, 그게 정치가 할 일이야.

2,072달러와 84달러.

지 _ 군인들은 그 거대한 국방비와 대규모 군대에도 불구하고, 그리고 전후 60여 년이 지났는데도 여전히 미군에 의존하는 이유가 뭘까? 군 장성들, 예비역 장성들이 다 같이 나서서 전시작전권 환수를 극렬히 반대하는 게 사실 황당하잖아.

김 _ 우리나라하고 직접 비교할 수 있는 게 대만이지. 우리의 군사 문제가 남북 문제 때문이라면 대만은 소위 양안 문제 때문이거든. 양안이란 말은 양쪽 해안을 뜻하는 건데, 중국 해안과 자기들 해안이 마주하고 있으니까 그렇게 부르지. 그런데 대만은 북한보다 훨씬 더 큰 적, 중국과 대치하고 있잖아. 거긴 주한 미군도 없어. 그래서 대만도 우리처럼 징병제야. 미 군사복합체가 대만에도 대형 빨대 꽂으려고 무지하게 노력하고 있지. 군산복합체는 전쟁 위협이 곧 비즈니스 모델이니까. 중국은 대만을 자국 영토의 일부로 간주하고 결사반대하고.

독일 상병 월급이
2,072달러야,
우린 상병 월급이
84달러였고.

그런데 대만 사병 월급은 2002년 기준으로 20만 원이 넘고 곧 모병제로 전환해서 월 급여가 130만 원대가 된다고. 당시 우리나라 사병 월급이 1만 원대였어. 전 세계 징병제를 실시하는 75여 개국 중에서 우리나라가 최저야. 그렇다고 대만이 우리보다 20배 부자였나. 2003년 GDP 보면 대만보다 우리가 더 높아.

닥치고
정 치

우리가 남북 대치 상황과 징병제 때문에 할 수 없이 병사들 월급이 적다는 건 거짓말이야. 대치 상황의 절박함으로 따지자면 이스라엘이 우리보다 훨씬 더하잖아. 사방에 아랍 적국인 데다 최근 50년간 대체 전쟁을 몇 번 했냐고. 여전히 시내에서 폭탄 테러 터지고 있고. 거긴 여자들까지 징병제지. 국민총동원체제라고 봐야지. 그래도 그들 역시 이미 10년 전에 20만 원대야. 우리나라는 이제야 사병 평균 월급이 8만 원대가 됐어. 아직도 10년 전 그들의 절반도 안 돼. 더 놀라운 비교 해볼까. 2007년 기준으로 징병제인 독일 상병 월급이 2,072달러야. 당시 우린 상병 월급이 84달러였고. 비교 자체가 안 된다고.

그 나이대 청년들이 군대 가지 않고 취직해서 받을 평균 급여를 생각해보자고. 아무리 낮게 잡아도 최소 100만 원대는 될 거야. 그러니까 그 나이대 청년들은, 아주 단순하게 생각해도, 월 100만 원씩 나라에 내면서 군 복무를 하는 거라고. 이걸 '신성한 국방의 의무'라는 말 한마디로 다 덮어버리는 건 대국민 사기지. 그렇게 신성한데 왜 거지 대우를 해, 씨바.(웃음)

그래 놓고 청년들에 대한 보상을 민간에 떠넘기는 게 바로 군가산점 제도고. 군 복무에 대한 보상을 해줘야 하는 건 맞아. 그런데 우리나라 보수는 병사들에게 보상을 해줘야 한다는 의식 자체가 없거든. 뭐하러 돈을 들여. 신성한 국방의 의무, 남북 대치 상황만 들이대면 이야기 끝나는데. 그렇게 몇십 년을 세뇌시켜놨는데. 지금 병사들 월급 평균이 8만 원대가 된 것도 그나마 노무현 시절 두 번이나 대폭 인상해서 겨우 그렇게 된 거야. 보수 정권 시절 병사 평균 월급은 몇천 원 수준이었다고. 그러니까 군가산점 문제로 여자들과 싸우는 남자는 스스로의 멍청함을 자백하는 거야. 왜 여자들과 싸워. 정부와 싸워야지.

지 _ 군가산점 문제를 남녀 평등의 차원에서 봐선 안 된다는 거네.

김 _ 그런 물타기가 바로 우리 정치의 특기지. 자신들이 야기한 구조의 문제는 덮어버리고 그 구조에 쏟아져야 할 비난을 엉뚱한 말초적 사안에 돌리는 거. 큰 연예인 사건들이 그런 용도로 많이 쓰여 왔지. 그럼 진짜 눈을 돌려야 할 곳은 어디냐. 2010년 기준으로 우리나라 병사 월급 총액이 약 4,878억이야. 그런데 작년 한 해만 이명박이 4대강에 쏟은 예산이 6조 2,000억이라고. 대한민국에 있는 모든 병사들의 13년치 월급에 해당하는 돈이야. 그런데 지금 국방부가 내놓고 있는 병사들 월급 인상안을 보면 2020년까지 월 20만 원으로 올리겠다는 거야. 미친놈들.(웃음)

그러니까 이건 예산의 문제가 아니야. 돈이 없어서 못 주는 게 아니라고. 먼저 미 군산 복합체의 빨대에 온몸을 대줘왔던 우리 보수와 군 수뇌부의 썩어빠진 정신을 먼저 지적해야 하는 거고, 그로부터 떨어지는 떡고물을 받아 처먹었을 집단들을 철저히 발본색원해서 그 커넥션을 끊어버려야 하는 거고, 그리고 그런 구조가 지난 60년간이나 지속되도록 만든 분단 체제를 극복해야 하는 거야. 이런 이야기를 아주 구체적으로 해주고, 그걸 극복하는 데 들어가는 비용을 자세히 설명해주고, 그리고 그걸 네가 낼래 아니면 자식더러 내게 할래, 물어봐야 하는 거야. 그게 진짜 통일로 가는 첫 번째 걸음이야.

순정 진보와 월드컵.

지 _ 민주노동당 종북 문제 이야기하다가 여기까지 와버렸네.(웃음) 다시 진보신당 이야기로 돌아가보자고. 진보 대통합은 결국 진보신당 독자파의 판단이 관건인 것 같은데, 진보신당의 미래에 대해선 어떻게 생각해?

김 _ 우리 진보가 죄의식을 자극하는 방식으로 움직인다고 했잖아. 그건 종교적인 자세라고 했고. 그걸 좀 더 부연하자면 이런 거야. 2002 년 월드컵을 되돌아보자고. 월드컵 끝나고 나서 K리그 부흥을 이야기 하면서 가장 먼저 튀어나온 게 이런 논리야. 축구가 이렇게 큰 즐거움 을 우리에게 주었으니 우리가 축구에 빚을 갚아야 한다. 모두들 팀을 하나씩 정해 K리그의 서포터스가 되자. 뭐 그런 마케팅이 있었어. 우린 이런 논리에 매우 익숙한 사람들이야. 그런데 이건 조금만 생각해보면 아주 희한한 방식이지. 즐거움을 의무로 만들어버리는 거거든.

당시 월드컵에 대한 열광을 놓고 민족 주의의 위험에 대한 지적도 있었는데 그 선 의는 충분히 이해하지만, 그건 난생처음 연 애에 빠져 정신없는 사람한테 너 그렇게 빠

논리적으로만 맞아서 웃겨.

졌다간 헤어질 때 살인난다고 경고하는 수준의 오버야. 우리 편 이기는 게 좋은 건 좌우를 떠난 본능이야. 그 본능이 위험한 경계를 넘어설 때나 경고가 필요한 거지. 그런 집단 정서를 토양으로 민족주의가 발화한다고 말하는 게 논리적으로는 맞는 지적인데, 논리적으로만 맞아서 웃겨.(웃음) 논리적으로만 맞으면 맞는 줄 알아.(웃음)

그 집단 감정으로 우리가 외국인 노동자들을 집단 린치라도 했나, 전쟁을 하자고 했나. 실제론 그 반대였다고. 오히려 유럽 축구 강국을 이기는 과정에서 편파 판정이니 하는 소리를 외국 언론을 통해 들으며 쪼그라드는 마음으로 인해, 집단적으로 그런 감정 상태가 되어보는 과정을 통해, 우리 포지션을 되레 확인하고 외국인 노동자들의 입장에 대한 감정이입이 일어나 그들에게 잘해줘야겠다는 동변상련, 역지사지의 측은지심을 불러일으킨 측면이 있었어. 실제 그런 연구도 있었지. 그리고 일본과의 축구 대결이 우리 민족의 유전자적 우수성을 입증해낼 절박한 한판 대결이라는, 민족주의와 피해 의식에 기반한 촌스럽고 강박적인 사고에서 벗어나기 시작한 첫 출발점이 되었다고.

그런 소리를 한 사람들은 민족주의라는 단어 자체에 스스로 포박된 거지. 그 현상을 설명할 어휘로 그걸 채택하는 순간, 그 단어의 프레임에 스스로 갇히는 거야. 단어가 뭐가 중요해. 그 본질이 중요하지. 그런 원형질에 해당하는 원시적 감정조차 스스로 즐기지 못하고 불편해서 경계부터 하는 건 강박에 다름 아니지. 그 원시적 감정을 논리로 걸

인간이 없는 진보가 어떻게 진보야. 진보도 강박이 되면 진상 되는 거라고.

러내는 건 비인간적인 거지, 진보가 아니라고. 인간이 없는 진보가 어떻게 진보야. 그건 냉정한 지성이 아니라 강박적 논리라고. 진보도 강박이 되면 진상 되는 거라고.(웃음)

운동회에서 400미터 계주 하고 있는데, 사람들 트랙 옆에서 소리 지르고 있는데 그 사람들을 뒤로 끌어내. 운동회 한다고 해서 가난한 우리 반 불우 학우의 문제가 해결되냐고 윽박지르면 그게 먹히겠냐고. 운동회 할 때는 운동회 하고 학급회의 할 때는 학급회의 해야지. 그런 소리는 그냥 옳기만 한 소리라고. 옳기만 하면 뭐해. 거기에 맥락과 인간과 타이밍이 없잖아. 그런 메시지엔 아무런 힘도 없다고. 자신의 과민과 과잉을 냉철한 지적 과단성이라 오인하는 거라고 봐. 혼자 잘난 사람 되고 마는 거야. 실제 세상을 변화시키지는 못한다고. 논평가들이 자주 하는 실수지.

똑똑한 그들이 그런 실수를 하는 건 그들에게 논리는 지적 에고거든. 이런 말 하면 반지성주의라고 반박한다.(웃음) 하지만 지성이 주로 논리로 구성됐다는 사고 자체가 반지성이라고 난 생각해. 논리적 완결성이 주는 지적 쾌감은 나도 즐기지만, 지성은 결코 논리만으로는 도달할 수 없어. 논리적 균형이 세상의 균형이 아냐. 그 균형이 논리만으로 달성될 수 있는 것이었다면 세상 거의 모든 문제는 갈등 없이 해결될 수 있었을 거다. 그리고 인간 세계에 무오류의 형식논리 따위는 존재할 수 없어. 그건 수학 세계에서나 놀아야 하는 논리 기계의 몫이야.

어쨌거나 그 열광의 바닥엔 오버도 있고 위로도 있고 자긍도 있었겠지만 마케팅과 관련해서 주목해야 할 건 욕망이야. 월드컵이 평소 축구에 전혀 관심 없던 여자들까지도 열광시켰던 건 민족주의 따위가 아냐. 욕망이지. 화면에 등장하는 축구 선수들이 너무 섹시했던 거야. 그 말 근육들이 부딪히고 뒤틀리며 싸우는 광경, 그걸 슈퍼슬로 화면으로 지켜보는데 섹시할 수밖에. 그래서 아줌마들이 최진철 선수까지 섹시하다 했다고. 최진철 선수를.(웃음) 내 비록 최진철 선수를 무척 좋아하지만 그건 너무하잖아.(웃음) 바로 그 욕망이 유지되는 한, 사람들은 오지 말라고 해도 K리그에 자발적으로 가게 되어 있어. K리그에 여자들이 넘치면 그냥 게임 끝나는 거거든.(웃음)

지 _ 그때부터 시작해 이제 여자들도 프리미어리그에 열광하잖아.

김 _ 거기에 욕망을 자극하는 장면들이 펼쳐지니까. 남자들이 축구에 열광하는 건 분석할 필요도 없어. 가장 원시적이니까. 남자들은 단순하고 무식하니까.(웃음) 부족 전쟁에 감정이입하는 것과 유사하지. 선수는 부족의 전사이고, 깃발은 부족의 상징이고, 골대는 상대 진지고. 하지만 여자들이 열광하는 대목은 달라. 유럽에선 젊은 여자들이 축구 선수를 좋아한다고. 그럴 수밖에 없지. 돈 많고 몸 좋고 섹시하니까. 그래서 축구 선수의 아내들이 항상 가십거리고. 여성들에게 선망의 대상이 되니까. 축구 산업이 욕망 마케팅을 하는 방식이지.

그런데 우리나라에선 최고 순도의 집단 욕망이 축구를 통해 폭발

마음은 손해 보는
장사를 하지 않는다.

**닥치고
정 치**

하는 순간조차 죄의식을 자극하는 마케팅을 채택한다고. 축구가 잘해
줬으니까 니들도 축구에 갚아라, 이런 소리. 그런데 이런 소리는 듣기
싫다고. 내가 사정이 있어 축구장 못 갈 수도 있잖아. 그걸 배신으로 만
들어버리면, 그걸 윤리의 문제로 만들어버리면, 불편하다고. 마음은 손
해 보는 장사를 하지 않거든. 그렇게 죄의식이 자극되어야 한다면 차라
리 외면해버리는 게 사람 마음이라고.

당시 했어야 하는 고민은, 그렇게 죄의식에 기댈 게 아니라 어떻
게 욕망을 지속적으로 자극할 것인가, 여야 했어. 그래서 난 가장 먼저
중계 카메라의 대수를 늘렸어야 했다고 봐. 선수들이 누군지 잘 보이지
도 않는 멀뚱멀뚱한 축구 중계 화면 말고, 월드컵이나 프리미어리그 수
준으로 선수들 근육 하나하나가 슈퍼슬로 화면으로 잡히게 만들었어야
했어. 그랬다면 월드컵 때 폭발했던 욕망의
상당 부분이 K리그로 흡수됐을 거야.

그렇게 욕망이 폭발하는 순간조차 죄의
식 마케팅, 윤리적 프로파간다를 하게 되는
건, 우리가 그런 알고리즘에 매우 익숙하단

진보적 이념을
설파하는
방식의 보수성.

소리야. 성리학적, 관념적, 원론적, 그래서 마침내 종교적인 알고리즘
에. 그래서 난 진보 진영의 방식이 보수적이라고 말하는 거야. 진보적
이념을 이야기하면서 자신들의 이념을 설파하는 방식의 보수성은 깨닫
지 못하고 있다고.

메시지는 이미 형식부터가 메시지인 거야. 형식에 먹힌 메시지는
아예 전달조차 되지 않는다고. 그러면서 그 이념이 가진 선명성을 강조

하면 할수록 대중들이 움직일 거라는 어마어마한 착각을 하게 되지. 애정을 가지고 지켜보는 나도, 그런 태도는 비련의 딸딸이라고 하지 않을 수가 없도다.(웃음) 이런 사고 패턴의 진보신당 강경파들이 과연 민주노동당, 국민참여당과의 합당에 찬성할 것인가. 아, 이렇게까지 말하다니. 현장에서 고생하는 진보적 활동가들에게, 너는 한 게 뭐가 있냐며 집단 린치당할 것 같다는 두려움이 순간적으로 등골을 스친다. 에헤라디여.(웃음)

어쨌거나 지금 진보신당이 유시민을 대하는 태도는 순교자의 길을 가고 있던 순정 진보(웃음)가 반쪽 진보에게 부리는 심술이거든. 그들이 보기에 유시민은 자유주의자에 불과하니까. 우리같이 척박한 정치 지형에서 유시민 정도의 자유주의자조차 포용하지 못하는 진보가 대체 무슨 대중운동을 하겠다는 건지 모르겠는데, 이건 내가 보기엔 이념이 아니라 감정의 문제인데, 어쨌든 유시민이 미워, 너무 미워.(웃음)

> 감정으로 꼬인 매듭이 논리로 풀리는 법은 없다.

그래서 유시민에게 FTA에 대해 반성하라는 건, 무릎 꿇고 고해성사 하라는 거라고. 통성기도 하라는 거라고. 니가 그동안 우리 약 올렸으니까. 사상 전향하라는 거지. 그 정도는 하는 꼴을 봐야 속이 풀리겠거든.(웃음) 물론 그렇게 한다고 해서 받아주진 않아.(웃음) 그냥 복수지.(웃음) 이거 참 퇴행적이야. 이건 정치적 토론을 하자거나 정책적 성찰을 하라는 게 아니라니까. 더구나 그들에겐 어떤 우려가 있냐면, 민주노동당이 수적으로도 우세하고 국민참여당 유시민의 지지율

역시 진보신당의 그 누구보다 높기 때문에 자신들이 먹힐 거라는 공포
가 있다고.

예를 들어 자유주의자에 불과한 유시민의 대선 후보 출마에 들러
리 역할이나 하게 된다거나, 아니면 민주노동당 NL에 밀려 다시 한 번
의사결정권도 없는 소수파로 전락하고 만다거나. 그러니까 이건 사실
이념의 문제가 아니라 공포의 문제야. FTA에 대한 반성 요구는 그런
공포가 찾아내는 핑계인 거고. 본질이 그래.

진보신당이 FTA에 대해 갖는 문제의식이 잘못됐다는 게 아니라,
통합하자는 마당에 FTA에 대한 반성에 그렇게까지 집착하는 정서의
본질은 이렇듯 불신과 공포라고. 그래서 난 진보신당의 강경파는 진보
대통합이라 불리는 3당 합당에 끝까지 반대할 거라고 본다. 감정으로
꼬인 매듭이 논리로 풀리는 법은 없다. 진보고 나발이고.(웃음)

단독자.

지 _ 그럼 심상정은 어떻게 할 거라고 봐? 아까 심상정은 단독자가
됐다고 했잖아.

김 _ 단독자라. 내가 한 말이지만, 경기도지사 후보 사퇴 이후 아직
까진 심상정의 결정적 행보를 본 적이 없어서, 현재 기준으론 너무 거
창하군.(웃음) 만약 진보신당의 강경파가 국민참여당과의 통합을 계속

반대한다면, 일차적으로 심상정이 취할 수 있는 태도는 진보신당과 민주노동당만의 선통합 주장이겠지. 노회찬 역시 그 스탠스를 취할 거라고 봐.

하지만 양단간에 결정해야 하는 최후의 순간에는 심상정의 탈당까지도 예상해본다. 지난번 경기도지사 후보 사퇴가 이미 심상정이 지금까지 평생 해왔던 것과는 전혀 다른 종류의 실존적 결단이었다고 했잖아. 같은 맥락에서 이제 심상정의 선택지에는 과거라면 생각할 수 없었을 탈당까지 포함될 거라고 봐.

노회찬 역시 마찬가지 가능성이 있다고 생각해. 6·2 지방선거의 경험이 중대한 성찰의 기회였을 거라고 생각해. 충분히 그럴 만한 지성을 갖춘 양반이니까. 그럴 수밖에 없었던 진영 논리, 그로 인한 한계, 그걸 극복하기 위한 고심이 있을 거라고 생각해. 그리고 두 사람은 이제 현장 활동가가 아니라 대중정치인이야. 크고 넓게 대중을 볼 거라고 생각해.

그래서 난 두 사람은 조직 논리에 함몰되지 않을 거라고 봐. 아니 보다 정확하게 말하면, 그랬으면 좋겠어. 사실 두 사람 다 그 조직에 평생 몸담았던 사람들인지라, 어쩔 수 없이 지고 있을 여러 종류의 부채도 있을 거야. 또 불완전한 인간이 어떤 상황 논리 속에 있으면서 자신을 그 상황으로부터 객관화해서 통시적으로 바라보는 능력, 그건 전지적 작가시점으로 자기 자신을 바라보는 능력이거든. 절대 쉬운 게 아니거든.

더구나 바로 앞에는 전혀 다른 입장을 가진 상대가 존재하잖아. 진보신당과 국민참여당. 전부 다 합치라는 요구까지. 그 당장의 요구들과 맞서며 내리는 결정이란 게, 전방의 소총 공격 피하려다가 측면의 대형 지뢰 밟아 부대 몰살당하는 경우처럼, 결과적으로 파국으로 향하는 결론일 수도 있어.

그럼에도 내가 심상정이란 인물을 빌어 말하고 싶었던 건, 절대 그럴 리가 없다는 확신이라기보다는 제발 그러지 말았으면 하는 간절한 희망이야. 이번에도 진보신당이 독자 노선을 고집한다면, 정치적 잉여가 되고 말 거거든. 진보신당 이념의 진보성을 바로 자신들 존재의 보수성이 좌절시키고 있는 거라는 걸 결코 깨닫지 못한 채.

지 _ 진보신당 내부에서는 그런 우려가 전혀 없을까?

김 _ 보고 싶은 것만 보려는 게 인간의 속성이긴 하지만 그래도 다들 지능은 높은 양반들인데(웃음) 모를 리는 없지. 스스로 그걸 인정하느냐 않느냐는 별개의 문제지만. 하지만 이렇게 조직이 그 근본부터 다시 재편되는 상황 앞에서는 자기 지분을 어떻게 확보할 것인가 하는 헤게모니 다툼이 어느 조직에나 있게 마련인데, 진보는 그런 다툼을 당연한 세력 싸움으로 인정하지 않고 겉으로는 논리 논쟁인 양 진행한다고. 하지만 누가 설득되려고 논쟁을 하나.(웃음) 난 이래서 당신에게 설득당할 생각이 없다는 걸 일방 주장하는 게 논쟁인데.

> 누가 설득되려고
> 논쟁을 하나.

그리고 애초부터 설득될 생각 없이 치르는 그런 식의 논리 논쟁은 각자 앞세운 논리 뒤의 욕망을 서로 비공식적으로 비난하게 되어 있어. 저거 말로는 저러지만 사실은 전부 자기 지분 챙기려고 하는 거다, 이런 소리들. 차라리 보수는 자기 지분 챙기기를 내놓고 하니까, 그리고 힘이 한쪽으로 기울면 바로 복종하니까, 이런 종류의 소모전은 하지 않아.

하지만 진보는 이렇게 헤게모니 다툼이 있을 때, 자기 욕망을 논리와 이념으로 프로세스해야 하는 이중 수고를 하게 되고, 그 과정에서 엄청난 정신적 에너지를 소모할 뿐 아니라 그 결과로 서로에 대한 불신만 강화시킨 채 끝이 나는 경우가 부지기수라고. 아, 보고 있기 괴로워.(웃음) 그래서 난 진보신당의 분열을 예상한다. 안 그랬으면 좋겠지만 그럴 확률이 높다고 본다. 이건 미래 소설이지.(웃음) 안 그러길 진심으로 바래.

혼잣말, 하다.

지 _ 이제 진보 정당들이 처한 현 상황이 어떤지는 어느 정도 알겠어. 그럼 진보 진영은 어떻게 변화해야 대중에게 다가갈 수 있는 거야?

김 _ 우선 짚을 것이, 자신들이 설득할 대상과 가장 먼 언어로 말하는 이들이 진보 정당 사람들이라는 거. 계급을 말하면서 시장통 아줌마들은 결코 이해할 수 없는, 신자유주의를 키워드로 삼는 것 자체가 말이 안 된다고 나는 봐. 진보 정당이 구사하는 언어는 이미 자기들이 설득할 필요가 없는 사람들만 알아먹는 언어라고. 신자유주의가 나쁘다는 건 나 역시 천만 번 동의하는데, 상대가 알아먹어야 메시지인 거지, 상대는 못 알아먹는데 어떻게 메시지냐고. 혼잣말이지. 정치를 혼잣말로 하면 어떡해.

> 정치를 혼잣말로 하면 어떡해.

진보 정당이 주장해온 정책들 대부분은 훌륭해. 세부적인 디테일이야 재원 조달의 문제부터 또 따로 따져봐야겠지만 그 방향성은 항상 훌륭했어. 예를 들어 무상급식 같은 건 이미 10년도 더 전부터 주장해왔던 거고. 훌륭하지. 그런데 진보 정당은 자기들의 언어를 직접적인 수혜 대상자들에게 직관적으로 이해되는 방식으로 전달해본 적이 거의 없어. 그사이 실제로 그들이 대변해야 할 계급은 오히려 이명박의 언어에 반응해 이명박을 지지해버리고.

그게 언론을 장악하고 그 언론을 통해 프레임을 선점하고 그 프레임을 통해 언어를 장악한 보수 때문이라고 말하는 건 절반만 맞는 말이야. 진보 정당에 부재한 대중언어의 문제는 그렇게 우 편향 지배의 메시지 유통 구조, 그 이전의 문제라고. 진보 진영 자신의 문제야. 이 문제는 단순히 언어에서 끝나지 않아. 태도의 문제로 바로 연결돼. 정치는 기본적으로 연애인데, 사람의 마음을 사는 건데, 연애를 하려면 당연히 내가 누구인지부터 제대로 알려야 하잖아.

농담도 하고 술도 마시고 손도 잡고 그러다 점점 서로 매력을 느껴 사랑에 빠지게 되는 건데. 그런데 진보 정당의 방식은 이런 식이야. 처음 만난 상대 앞에 재무 계획서와 신혼방 설계도를 딱 꺼내놔. 그리고 입주할 주택의 입지 조건과 구입할 차량의 대출 조건 및 주변 교육 환경의 우수성에 대해 부동산과 금융, 교육 전문 용어를 섞어 진지하게 프레젠테이션하지. 그런 다음 건조한 표정으로 바로 결혼하재.(웃음) 만약 나와 결혼하지 않는다면 그것은 당신이 속물이라 더 큰 집과 더 큰 자동차에 넘어간 방증이라며.(웃음)

그걸 당한 상대는, 당신이 나쁜 사람 같지는 않은데, 당신 패션부터 좀 후줄근한 것이 촌스러운 데다, 자료는 열심히 준비는 한 것 같지만 뭔 소리인지 알아듣지 못하겠고, 결정적으로 내가 당신에게 매력을 느끼지 못하는 게 왜 내가 죄책감을 느껴야 하는 일이냐며 일어나 떠나버려. 남겨진 진보 군은 자기 프러포즈가 실패한 요인을 열심히 분석하다가 입지 조건과 대출 조건의 우수성을 다른 경쟁자들보다 선명하게 부각시키지 못했기 때문이라고 혼자 결론 내리지.(웃음) 그렇게 연애 한번 못해봤으면서 꼭 결혼할 거라고 혼자 다짐을 하지. 20년 후에. 아, 슬퍼.(웃음)

더 슬픈 건 뭐냐. 욕심 많고 잇속 빠른 보수 군이 옆에서 지켜보고 있다가 진보 군이 책상 위에 남기고 간 계획서와 설계도를 집어 와서는 표지만 엄청 화려하게 바꾸고 총천연색 컬러로 인쇄해서,(웃음) 자리를 박차고 떠난 국민 양을 찾아가 계획서를 다시 내놓는다는 거지. 하지만

연애 한번
못해봤으면서 꼭
결혼할 거라고 혼자
다짐을 하지.
20년 후에, 아 슬퍼.

**닥치고
정 치**

그 내용은 읽어주지 않아. 휘리릭 페이지만 넘기면서 대신 장미 한 송이 안겨주고 레스토랑으로 데려가서 엄청 맛있어 보이는 스테이크를 시키지.(웃음) 그들은 그렇게 연애를 시작해버리네.(웃음) 그런데 레스토랑에서 나올 때에야 국민 양은 알게 되지, 그 장미는 플라스틱이고 그 밥값은 자기가 내는 거였다는 걸.(웃음)

지 _ 노회찬은 "삼겹살 굽는 불판을 갈아야 한다."는, 대중언어를 구사한 진보정치인이었잖아.

김 _ 진보정치인 최초로 대중언어를 구사했고, 그래서 지금의 포지션까지 갔지. 하지만 그가 처음이자 마지막이야. 현재까지는. 진보정치인은 노회찬의 언어를 구사해야

> 빌어먹을
> 엘리트 의식 따위는
> 개나 줘버려야 해.

해. 특히나 진보정치인은. 그들 주장은 현재가 아니라 미래를 이야기하는 거거든. 생경하거든. 본능과 욕망이 아니라 이념과 이상을 이야기하거든. 불편해. 그러니 더더욱 언어부터 대중적이어야 해. 그리고 빌어먹을 엘리트 의식 따위는 개나 줘버려야 해. 정말 집권하고 싶다면 말이야. 그리고 자신들의 눈물겨운 노고가 상대에게 죄의식을 요구할 권리가 될 순 없다는 걸 좀 깨우치셨으면 해. 종교가 아니라 정치 좀 해줬으면 한다고. 포교 말고 연애 좀 하자고, 제발.

심상정.

지 _ 이제 진보 진영의 주요 정치인들을 간단히 총평해보자고. 선수들이 누군지 알아야 지지를 하든 말든 할 테니까. 우선 심상정부터.

김 _ 심상정은 이미 하나의 사례로 길게 언급했으니 한 줄로 총평하자. 종단과 교리에 평생 복종하던 사제 하나가, 신을 떠나지는 않겠으나, 종단과 교리는 불완전하니, 때로 거역하겠다고 선언한다. 하여 진보 정당의 유력한 정치인 중에 정치적 단독자로서의 자기 플랜을 말하는 첫 인물이 된다. 물론 심상정이 진보 정당을 떠나거나 할 리는 없으나 최소한 이제 심상정은 심상정의 정치를 하게 된다. 그래서 심상정은 중요하다. 그러나 아직은 본격적으로 보여준 바가 없다. 여기까지.

지 _ 진보신당 내부에선 자유주의 정치인이니 민주당으로 가라는 식의 비판도 있었잖아.

김 _ 심상정의 선언을 자유주의니 뭐니 하는 언어로밖에 해석할 수 없는 그 견고한 도그마. 심상정이 도대체 뭘 한 건지 이해조차 할 수가 없는 거지. 아, 괴로워.(웃음) 그들의 반응이 전혀 이해가 가지 않는 건 아니야. 매번 이용만 당하고 들러리만 섰다는 생각이 만드는 방어 본능과 깊은 불신이 이해가 가지 않는 건 아니라고. 마땅히 자기들의 표였어야 하는 것을, 민주당 같은, 자기들이 보기엔 한나라당과 크게 다를

닥치고
정 치

바 없는 보수 정당이, 비판적 지지라는 사기를 쳐서 훔쳐 갔다고 하는 피해 의식이 사실 근거가 없는 건 아니거든.

하지만 좀 야박하게 굴자면, 난 그것조차 자신의 실력이라고 말하고 싶어. 더구나 민주당이 자신들을 파트너로 인정하지 않고 그저 이용 대상으로만 본다는 종류의 피해 의식은, 이해는 가지만, 못났다고 말할 수밖에 없는 자세라고. 정치는 상대가 날 인정해주는 게 아냐. 내가 내 존재를 스스로 입증하는 거지.

민주당이 자신들을 이용한다고 생각될 때, 민주당은 물론 언제나 그들을 이용해왔고 그러고 나서는 제대로 챙겨주지도 않았어, 나쁜 놈들이 맞아,(웃음) 민주당의 선의를 기대할 게 아니라, 자신들 역시 민주당을 적극적으로 역이용해야 하는 거라고. 그게 정치적 역량이 아니고 뭐야. 그걸 안 하거나 못하는 건 그 자체로 정치적 역량의 부족이라고. 상대가 사기꾼이었다는 호소는 자기들끼리나 통하는 거라고.

이정희.

지 _ 이번엔 이정희. 지방선거나 보궐선거에서 민주노동당이 상당한 성과를 냈고 그 과정에서의 이정희 역할로 인해, 혹자는 차차기 정도의 대선 후보로까지 평가하는데.

김 _ 나 역시 최근 민주노동당의 성공에는 이정희의 역할이 상당했

다고 생각해. 내가 만나본 이정희의 최대 장점은 낭만성이야. 이데올로
그 타입이 아니라 자연인으로서의 생래적 진보성에 기반한, 소녀같이
유연한 낭만성. 그녀의 강단 역시 그러한 낭만성에 기초한 것인지라 직
관적이고 애잔해. 바로 그 지점에 그녀의 대중성이 있는 거지. 다른 진
보정치인들의 싸움은 머리로 이해하는 거라면, 그녀의 싸움은 감성으
로 다가오거든. 촛불 집회 때 닭장차에 끌려가는 장면이라든지, 미디어
법 난리 때 한나라당 여성 국회의원들에게 팔다리 잡혀 끌려 나가는 장
면의 짠함이 바로 거기서 나오는 거라고. 그래서 대중이 쉽게 감정이입
할 수 있는 거지.

그리고 그 대목에서 노무현과 닮았어. 평생을 업이나 지위와 무관
하게 아무런 연출 없이, 있는 그대로의 자연인으로 살아내는 자는 극히
드물다고. 그건 의지의 문제가 아니야. 타고나야 하는 거야. 가르치거
나 흉내 낼 수가 없다고. 그로 인해 발생하는 비용을 스스로 감당해낼
능력이 있어야 해. 무지 어려워. 대단한 용기와, 그게 그저 곤조에 머물
지 않도록 성찰할 지성까지 요구하거든. 그런 기질을 타고났다고 모두
가 그리 살지는 못하는 이유라고.

노무현은 그 두 가지가 되는, 내가 아는 유일한 정치인이었어. 대
통령 노무현조차 자연인이었으니까. 그게 현실정치인으로서 무조건 옳
거나 항상 바람직하다고까지 말할 순 없어. 하지만 노무현을 만나본 적
도 없는 수많은 이들이 그의 죽음을 그리도 슬퍼했던 건 바로 그 때문
이라고. 평생을 자연인으로 산 그가 어떤 사람인지, 한 번도 만나본 적
없지만, 느껴졌던 거라고. 그게 연출 없이 살아내는 자의 힘이라고. 정

**닥치고
정 치**

치인이 도달할 수 있는 최고 수준의 대중성이지.

진보 진영의 정치인 중 어느 누구도 그 비슷한 지점에도 도달하지 못했다고. 구체적인 사람이 보이지 않았다고. 권영길도, 강기갑도, 노회찬도, 심상정도. 그들은 다 그들의 주장과 동일시되었다고. 사람은 이념이 아닌데. 사람은 논리가 아닌데. 그런데 이정희는 거기에 그나마 근접해가고 있는, 그런 싹수가 보이는 최초의 진보정치인이야. 한마디로 사람이, 보인다. 그게 그녀가 가진 힘이다.

한마디로 사람이, 보인다.

그렇다 보니 친노무현적인 정서 경향을 가진 일반 대중들에게 어필하는 대목이 있어. 노무현에게 표를 던졌던, 노무현의 서거에 통곡했던 평범한 사람들에게. 그들에게 진보 정당의 정치인들은 분명 올바른 것 같긴 한데, 지나치게 이념에 경도된 외골수처럼 보이거든. 그래서 좀 비현실적으로 보인다고. 그런데 이정희는 안 그런 거야. 더구나 운동권의 언어가 아니라 자기 언어를 가졌기에 더욱. 이건 운동권 언어로만 말하는 심상정이 갖지 못한 매우 큰 장점이지.

약점이라면 사회생활 대부분을 변호사로만 보냈기 때문에 운동권 진영 내에서 지분이 없거나 혹은 아주 적다는 거. 이게 운동권 정서에 매몰되지 않고 대중 감각을 유지할 수 있게 해주는 강점으로 작용하기도 하지만, 어쨌든 조직 내에서 자기 분파를 갖지 못했다는 건 당내의 이해가 엇갈릴 때 그 갈등을 타개할 만한 근력을 발휘하지 못하는 약점으로 작용할 수 있거든.

여하간 그녀의 그런 성향으로 볼 때, 유시민 국민참여당과의 통합에 적극적일 거라고. 문제는 진보신당과의 통합인데, 진보신당 입장에선 어쨌거나 복당인지라 그 과정에서 어떤 식으로 그들 자존심을 세워주느냐가 주요한 관건 중 하나가 될 거라고. 대중에겐 하나도 중요하지 않지만.(웃음) 특히 진보신당은 유시민에 대한 불신을 이정희에게까지 투사할 거고. 그래서 우리냐 유시민이냐 따위의 유치한 윽박지르기도 틀림없이 나올 거고.(웃음) 진보 진영 특유의 조또 작은 문구에 조또 큰 의미 부여해 조또 집요하게 파고들기도 당연히 이어질 거고.(웃음) 그 과정에서 진보 정당에 애정을 가진 대중들조차 나가떨어질 거고. 아, 막 그림이 보인다.(웃음)

그나마 다행인 점은 민주노동당이 진보신당에 크게 양보해도 되는 포지션에 와 있다는 것 정도. 진보신당에 비해 가진 게 많으니까. 하지만 그렇게까지 양보하면 또 민주노동당의 내부 인사들이 노회찬, 심상정 지나치게 배려한다고 반발할 것이고, 그게 부족하면 또 진보신당의 인사들이 이렇게까지 굴욕적으로 통합해야 하느냐고 비통해할 거고. 아, 깨작깨작, 내 체질에 안 맞아, 씨바.(웃음) 만약 이정희가 이 과정을 성공적으로 완수한다면 진보 진영 내에서 가장 중요한 인물이 될 수 있을 거라고 생각해. 하지만 절대로 쉽지 않을 거야. 민주노동당 역시 통합 과정에서 내부 갈등이 있을 테니까, 그 갈등이 노선 투쟁으로 보이겠으나 그 본질은 세대 갈등이 될 것이다. 세상사, 쉬운 게 하나도 없다.(웃음)

만약 나한테 어떻게 해야 하냐고 묻는다면, 한없이 꼬인 실타래를 모두 풀어내려고 하지 말고, 일정 시점에 칼을 번쩍 꺼내 들고 확 끊어내야 한다고 말하고 싶다. 분명 남는 쪽이나 잘려나간 쪽 모두에게 상처가 되겠지만 어차피 모두를 만족시키는 해법 따위는 세상에 존재하지 않는다. 그로 인한 정치적 상처를 감당해야 하는 게 바로 정치 지도자의 몫이다. 그걸 최대한 가볍게 만들려다 혹은 양자의 상처를 최소화하려다, 그 정치의 대상인 대중을 다 떨궈버린다. 그런 정치로 대체 뭘 할 수 있겠는가.

노회찬.

지 _ 이제 노회찬을 이야기해보자고.

김 _ 일단 이렇게 말하고 싶다. 우리의 노회찬.(웃음) 원조 진보 스타. 정말 오랜 시간 동안 우리의 회찬 씨였지. 나 역시 열광했던 인물이고 지금도 무척 좋아하는 양반으로 여전히 우리의 회찬 씨라고 불러야 마땅하다고 생각해. 하지만 지난 6·2 지방선거에서 입은 데미지가 커도 너무 컸어. 지금 노회찬에게 가장 먼저 필요한 것은 뭔가 새로운 걸 기획하는 게 아니라 자신이 과거에 누렸던 정치적 영향력을 회복하는 거라고. 일단 다행인 것은 진보 진영의 최대 조력자, M 실장, 이명박이 있다는 거.(웃음) 이명박은 노회찬의 필요성을 깨닫게 해주니까.

노회찬에겐 진보 진영의 그 누구도 갖지 못한 대중적 메시지 전달 능력이 있어. 이건 정말이지 너무도 중요한 자산이야. 그동안 진보 진영의 언어는 방언이었으니까.(웃음) 자기들끼리나 통하는 암구호를 대중이 해독하지 못한다고 투덜대던 진보 진영에서 최초로 등장한 동시통역사였지. 물론 현재까지도 최고의 동시통역사고. 게다가 대중의 정서를 간파하고 상황을 판단하는 능력도 발군이라고. 이런 진보정치인, 아니 이런 대중정치인 자체가 우리 정치판에서 거의 없어. 대한민국 정치 현장에서 이만한 양반 찾기 진짜 힘들다고. 지난 6·2 지방선거만 아니었다면 지금 훨씬 더 큰 목소리로 정치 현안들에 개입할 타이밍인데, 정말 안타까워.

지 _ 6·2 지방선거에선 질 걸 뻔히 알면서도 갈 수밖에 없었다고 얘기했잖아.

김 _ 질 거야 알았지, 당연히. 하지만 질 걸 뻔히 아는 건 전혀 중요하지 않아. 그걸 모르는 사람이 세상에 어디 있나. 그로 인해 야기될 정치적 데미지를 제대로 측정하지 못한 거, 그게 바로 그 진영의 문제지. 완주해서 얻을 정치적 이익과 그로 인한 비용, 혹은 사퇴해서 얻을 것과 그 때문에 잃게 될 것을 따지는 셈법이 정치적이지도 대중적이지도 않았다는 소리니까. 어느 쪽으로도 남는 장사가 아니었으니까. 정치적 선명성을 지켜냈다는 소리 따위를 누가 한다면 일단 그 사람부터 내다버려야 해.(웃음) 그런 가치는 수도사들의 가치라고 몇 번을 이야기했으니 동어반복은 그만하자. 아니다, 씨바. 딱 한 번만 더 하자.(웃음) 그럴 거면 대중 정당이 아니라 학술 단체나 수도승 모임을 만들었어야지.(웃음)

당시 진보신당 진영은 어차피 한명숙이 오세훈에게 이기지는 못할 거란 전제 아래 움직인 건데, 그러니까 파장이 있다손 치더라도 이미 자신들이 익숙한, 결과적으로 표를 갈라 먹었다는 수준의 파장, 안 그랬으면 어땠을까 하는 미련이 남는 수준의 파장, 자신들이 감당해낼 수 있는 수준의 파장일 거라 예상한 거라고 봐야지. 그게 아니라 파장의 크기를 충분히 예상했지만 자기들을 바라보고 있는 내부 당원들을 설득할 자신이 없어서 그냥 끝까지 가고 만 거라면 무능한 지도력의 문제가 되는 거고. 물론 그 엇나간 예상을 그 진영만의 책임이라고 떠넘기는 건 비열한 부분이 있어. 당시 모든 여론조사가 그렇게 말하고 있었으니까.

그런데 한명숙과 오세훈의 표차가 박빙이 아니었다 해도 진보신당이 완주함으로써 얻을 수 있는 이득은 극히 미미했다고. 뭐가 있어. 선명성? 당시 이명박에게 괴롭힘을 당하던 대중 일반의 요구가, 그 우선순위가, 진보신당의 선명성을 보여 제발 우선 증명해달라는 거였나. 그건 그들만의 절박함이지. 자기들끼리 아무리 절박해도 보편성을 확보하지 못하면 그 대중 정당의 존립 근거가 무너지는 거라고. 아무리 진심이면 뭐해. 남들은 그렇게 생각하지 않는데. 도를 믿느냐는 사람들도 진심이야.(웃음) 노회찬의 최대 리스크는 바로 그 진영의 오류와 한계를 모두 끌어안아야 하는, 진영의 대표 주자라는 점이지. 최근의 민주당이 범진보 진영에 자산이 아니라 리스크인 것처럼.(웃음)

정치는 연애다

에드먼드 버크.

지 _ 그럼 민주당에서 현재 지지율 1위인 손학규에 대해 이야기해 보자고. 현재 1위이긴 하지만 손학규로는 절대 안 된다고 불안해하는 사람도 많잖아.

김 _ 손학규의 1위는 문재인의 부상과 함께 끝난다.(웃음) 그리고 손학규는 한나라당에선 대통령 못 될 것 같아 민주당으로 넘어온 사람이다. 끝.(웃음)

지 _ 그게 다야?

김 _ 그게 다야.(웃음) 그 양반이라고 해서 왜 진심과 비전이 없겠어. 하지만 언급하는 정책과 지향을 통해 드러나는 그 진심과 비전의 보수성은 한나라당에 적합한 수준이라고 난 봐. 그리고 손학규가 민주당을 통해 대통령이 될 확률은 김문수가 한나라당을 통해 대통령이 될 확률보다도 낮다고 봐.(웃음) 대통령이 정말 되고 싶었다면 한나라당에 그대로 있었어야 했다고. 그게 훨씬 더 확률이 높았을 거야. 한나라당에서 빌려온 대표에게 민주당의 전통적인 지지자들은, 시간이 지나도, 마음을 다 열어주지 못한다.

만약 대선 레이스에서 손학규가 야권의 단일 주자가 된다면, 지난 대선에서의 정동영 코스를 그대로 탄다. 필패다. 그럴 경우 야권 성향의 유권자들은 손학규의 정치적 정체성에 설득당해서가 아니라 한나라당에 다시 정권을 줄 순 없다는 전략적 결정을 해야 한다는 건데, 그런 표의 힘은 약하다. 야권 성향의 유권자들은 자신이 마음을 다 줄 수 없는 후보를, 전략적이란 이유만으로 다 몰려나와 찍지는 않는다.

지금의 손학규는 왠지 산업스파이 같은 느낌이 나지.(웃음) 그래서 자신의 정치적 미래를 위해선 한나라당에 그대로 있었어야 했다고 결론 낸다. 본인에겐 무척 안타까운 일이나 그렇다. 그리고 그가 지금까지 보여준 정치적 보수성이란 관점에서 봐도 그렇다. 하긴 한나라당은 보수도 아니구나.(웃음) 돌아갈 데가 없구나.(웃음) 말 나온 김에 손학규 말고 그 이야기나 한번 해보자.(웃음) 뭐 민주당도 서구의 좌우 개념으로 보자면 중도우파의 보수 정당이라고 부르는 게 맞지만, 우리 사회가 워낙 우 편향이다 보니 민주당이 좌파라 불리는 세상인데, 그럼에도 한나라당은 아예 보수라고 불러주면 안 된다는 게 내 생각이야. 보수라면서, 보수라는 게 지킨다는 건데, 대체 지키고자 하는 가치가 없잖아. 돈만 지키고 있지.(웃음)

손학규가 독재 정권에 저항했다고 하는 게, 그 저항의 정도를 떠나, 그를 진보적으로 보이게 하는 거의 유일한 요인인데, 그러한 과거는 사실 진보, 보수 혹은 좌우를 나누는 기준이 전혀 아니거든. 우리나라에서 진보, 보수가 헷갈리는 이유 중 하나가, 독재 정권 시절 상식적인 인간들이 모여 같이 독재에 저항한 역사 때문이야. 거기엔 진보, 보수가 다 섞여 있었거든. 김영삼으로 대변되는 보수와 김대중으로 대변되는 상대적 진보가 민주화 세력이란 틀 속에서 한 묶음으로 이해됐었다고. 그 속에 진보, 보수를 떠나 정상적인 사고를 하는, 모든 정파가 다 섞여 있었던 거지.

한나라당을 보수라고 할 수 없는 이유도 바로 거기서부터 비롯돼. 한나라당은 독재 정권에 부역했던 인물 혹은 그 후신들의 정당이라고. 그런 자들이 자신을 보수라고 칭하는 건 말이 안 되지. 18세기 영국에 에드먼드 버크란 양반이 있었어. 우리나라에선 게나 고동이나 자신의 정치적 정체성이라 주장하는 보수에게, 내가 니 애비다 이 자슥들아,(웃음) 할 자격 있는 보수주의 정치 철학의 원조지. 이 양반이 소싯적에 식민 본국 영국의 입장에서 보자면 법치에 대한 도전이요 체제에 대한 모반에 해당될, 미국의 독립전쟁을 대놓고 지지했다고. 그러면서 반란은 오히려 영국 국왕이 저질렀다고 했다고. 뭔가 직관적으로 좀 안 맞지. 보수는 기존 질서를 옹호해야 할 것 같은데 말이야.

그 이유는 이래. 과거로부터 누적된 '전통'의 귀납이자 공동체가 축적한 역사의 산물로서의, '자유'와 '원칙'이 당장의 왕 하나보다 중요하다는 거지. 그래서 '자유'라는 '원칙'을 억압하는 왕이 오히려 영국의 '전통'에 반란을 일으킨 거란 주장이야. 그렇기 때문에 보수의 원칙에 맞지 않는다는 거야. 원래 보수란 이런 거거든. 전통, 원칙, 자유에 목숨까지 거는 기개, 거기에 어긋나면 왕과도 한판 뜨는 곤조. 그래서 내가 자존심 빠지면 보수는 동물이라고 한 거야.

그래서 헌정 질서라는 '원칙'을 파괴하고 기본권인 '자유'를 속박

내가 니 애비다,
이 자슥들아.

닥치고
정 치

하는 독재 권력에 그렇게 오랫동안 부역하며 '전통'은커녕 미국적 질서에만 복속해온 한나라당이 스스로를 보수라고 말하는 건, 물 먹는 하마 습기 뿜는 소리라고 말하는 거지. 그렇게 욕망이 이념 행세하며 보신이 신념 구실하고 반북이 마치 철학이라도 되는 줄 아는 자들이 스스로를 보수라 자처해온 게 우리네 형편이야. 보수라서 문제가 아니라 보수 아닌 자들이 보수 노릇 해온 게 문제였다고.

> 한나라당이 스스로를 보수라 말하는 건, 물 먹는 하마 습기 뿜는 소리.

'영삼'과 3당 합당.

지 _ 왜 가짜 보수만 남게 된 거야?

김 _ 과거의 민주화 세력 중 합리적 보수 성향의 인물들이 지금의 민주당으로, 그리고 진보적 성향의 인물들이 지금의 진보 정당으로 이어졌다면 지금과 같이 한나라당을 보수라고 말하는 어처구니없는 뒤죽박죽 사태는 없었을 거야. 그들은 그냥 독재 정권의 후신, 극우정당 정도로 남았을 거야. 그러나 우리에겐 김영삼이라고 하는, 역사에 길이 남을 '영삼'한 캐릭터가 있었거든.(웃음)

김영삼이 노태우와 3당 합당이란 걸 하면서 그 모든 걸 마구 뒤섞어 잡탕을 만들어버렸네.(웃음) 독재 권력과 민주화 세력 중 일부가 하루아침에 같은 편이 되어버렸네. 세상에 이런 일이.(웃음) 그러면서 한나라당은, 당시엔 신한국당이었지, 역사적 물타기에 성공했던 거고. 그 파도에 휩쓸려 떠내려간 사람이 바로 김문수, 이재오 그리고 손학규 같은 인물들이지. 그 외에도 많았어. 그때 그 파도를 단호하게 거부한 대표적인 인물이 바로 노무현인 거고. 그 파도에 올라타 한동안 서핑을 실컷 즐기다가 나중에 빠져 죽은 인물이 바로 이인제인 거고.(웃음)

> '영삼'한 캐릭터가 있었거든. 잡탕을 만들어버렸네. 세상에 이런 일이.

그러니까 손학규는 민주화에 기여했다고 할 수는 있어도, 그것도 유학 가서 별반 한 게 없다고 시비 거는 사람들이 있긴 하지만, 진보 인사라고는 할 수 없다고 나는 주장하는 바이다. 대북관도 보수적이고 진보적 정책을 주장한 적도 없고. 좋게 이야기하자면 합리적인 보수 정도. 물론 민주당도 한나라당만큼 보수적이라고 할 면이 한두 가지가 아니지만 적어도 독재 정권과 몸을 섞지는 않았다고. 아무리 민주당이 멍청한 짓을 하고 있다 해도 그것만큼은 따로 인정해줘야지. 그게 결코 쉬운 일이 아니었으니까. 그러니까 한나라당과 다를 바 없다고 해버리는 건 지나치게 가혹한 평가야. 요즘 특히 멍청하다고 하는 건 지나치게 정확한 평가고.(웃음)

어쨌거나 손학규를 마무리하자면, 김영삼이 아니었더라면, 김영삼이 탄생시킨 짬뽕 역사만 없었더라면, 그래서 한나라당 전력만 없었더라면 지금보다는 훨씬 더 높은 평가를 받았을 인물인 건 맞지. 하지만 어쩌겠어. 자신의 선택이었는데. 자신의 역사의식 결여를 탓할 수밖에.

**닥치고
정 치**

하지만 인간적으로는 싫지 않은 캐릭터야. 왜냐면 귀엽거든.(웃음) 예를 들어 한나라당 탈당 직전에 고뇌하는 모습을 보여주느라 강원도 산사에 칩거한 적 있잖아. 무슨 놈의 칩거가 그렇게 정확하게 사전 고지되나 몰라.(웃음) 기자들이 칩거하시며 고뇌하시는 장소를 너무도 정확하게 알고 있네.(웃음) 사진으로 다 찍혀. 그런 연출이 너무 귀여워.(웃음)

그리고 민심 대장정 이런 거. 아, 웃겨.(웃음) 그 진심과 그 물리적 고생을 비웃는 건 아니야. 그래도 웃겨.(웃음) 왜 웃긴진 설명하지 않겠어. 하지만 웃겨.(웃음) 이런 건 기본적으로 연예인 마인드인데, 원래 정치인이 연예인과 통하는 지점이 있으니까, 문제는 그런 종류의 연출을 사람들이 귀신같이 알아본다는 거. 본인만 모르지.(웃음) 그나마 그런 연출이 먹힌 부분으로 지지도를 끌고 가는 건데, 그런 연출을 넘어서는 본격적인 실력을 보여준 적이 없다는 것도 약점이지.

지 _ 정치적 스탠스가 중도도 아냐?

김 _ 흔히 말하는 중도라고는 할 수 있지. 우리나라 정치 지형에선 흔히 중도라는 사람들은 합리적인 보수 정도이니까. 한나라당의 원희룡, 남경필 정도. 좀 재밌는 나만의 기준으론 홍준표까지.(웃음) 자연인 홍준표는 매력 있어. 정치인 홍준표도 따로 다뤄야 할 만큼 재미있고. 그리고 여의도연구소 소장 출신의 윤여준, 서울대 교수 박세일 정도가 생각나네. 민주당의 한화갑도 합리적 보수라고 생각해. 내 기준으론 김대중도 합리적 보수야. 물론 윤여준, 박세일을 언급하면서 같이 언급할 맥락은 아니지만, 엄격하게 따지자면 그렇다고 생각해.

> 김대중은 너무 늦게
> 대통령이 됐고,
> 노무현은 너무 일찍
> 대통령이 됐어.

아, 김대중 얘기하니까 가슴이 아프다. 대한민국 정치사에서 그 이상의 정치인이 없었다. 탁월했다. 김대중은 너무 늦게 대통령이 됐고, 노무현은 너무 일찍 대통령이 됐어. 그리고 노무현은 너무 일찍 가버렸고, 김대중은 너무 기력이 없었어. 그리고 그 둘을 다 이명박이 죽였다. 씨바. 열불 나. 어쨌거나 결론은 첫 문장으로 충분하다. 손학규의 1위는 문재인의 부상과 함께 끝난다. 끝.(웃음)

그 외 양반들.

지 _ 말 나온 김에, 범진보 진영의 다른 주자들도 이야기해보자고. 예를 들어 정동영은 왜 그렇게 존재감이 없어진 거야?

김 _ 사람들 판단이 끝난 거지.

지 _ 대선 후보감이 아니다?

김 _ 투표장으로 사람들을 불러내지 못한다는 게 입증된 거지.

지 _ 그래도 후보로 나오긴 할 거잖아.

김 _ 진보 정당의 정치인들이야 워낙 노출 빈도가 없는 사람들이라 따로 다뤘지만 이 책에서 모든 정치인을 다루자면 한도 끝도 없으니 이번 대선에서 중요한 혹은 유의미한 역할을 할 사람들 중심으로만 이야기하자고. 그 이외의 양반들도 따로 다루면 각각 책 한 권씩은 나오지만 그럴 순 없잖아. 그래서 잘라 말하자면, 이번 대선에서 정동영은 중요한 변수가 안 될 거야. 정세균도 안 되고, 그리고 개인적으로 안타깝지만 그건 유시민도 마찬가지야. 다들 보조적이고 제한적인 역할에 머물 거야.

지 _ 안희정, 김두관, 이광재, 송영길, 이런 사람들은?

김 _ 이번 대선에선 그들이 직접 할 수 있는 게 별로 없잖아. 다들 현직 지자체장인데. 아, 이광재는 아니구나.(웃음) 이광재는 현실론자니까 손학규와 문재인의 연결 고리를 만들려고 하겠지. 아마도. 나머지는 공개적으로 개입할 수도 없고, 개입한다고 해도 할 수 있는 게 별로 없어. 김두관의 파괴력을 이야기하면서 이번 대선에 나와야 한다는 사람들도 있는데, 착각이라고 봐. 김두관 지사가 자질이 없다는 게 아냐. 나도 그 양반 좋아해. 하지만 그건 대단히 정치공학적 판단이야. 지역과 표를 계산한 끝에 귀납적으로 도출된.

문재인이 어디 영남 출신이라서 사람들이 마음을 주나. 문재인의 부상을 두고 영남 패권주의 어쩌고 하는 분석이야말로 헛똑똑이 정치 공학이지. 그건 정치분석가들의 끼워 맞추기일 뿐이야. 이명박에게 지친 사람들이 마음 줄 곳을 찾다가 그를 발견하고 마음을 줬는데 알고 보니 영남일 뿐인 거지. 영남이라서가 아니라. 오히려 영남 출신이라는 게 그 마음을 바꿀 이유가 되지 않았을 뿐이다, 라고 분석하는 게 정확한 거지.

지 _ 안철수, 박경철이 전국 강연을 다니잖아. 현실정치에 뛰어들겠다는 의지는 아니더라도 사회에 좋은 역할을 하겠다는 의지는 읽히던데, 그런 것에 대해서는 관심 있어?

김 _ 그 양반들과 대선은 상관없지. 그 양반들을 정치적 관점에서 바라보는 건, 이런 이유라고 봐. 난 이명박이 역사적으로 굉장한 일을 해내고 있다고 생각하는데,(웃음) 어찌나 시대를 거꾸로 돌리고 있는지, 정치에 전혀 관심 없던 일반인들까지 정치가 얼마나 중요한지 온몸으로 자각하게 해준 공로를 따로 기록해서 역사에 길이 남겨야 마땅하다고 봐.(웃음) 난 이명박 퇴임 후에는 동상 세워줘야 한다고 봐.(웃음) 정치사에서 전무후무한 안티히어로로.(웃음)

이명박 퇴임 후에는
동상 세워줘야 한다.

일이 그 지경이 되다 보니까 안철수, 박경철 정도 되는 인물들이 정치의 전면에 나서주기를 바라는 사회적 열망이 생기는 거지. 그렇기 때문에, 아주 특수하고 예외적인 상황이 아니라면 그럴 일은 없다고 생각하지만, 만약 안철수 정도 되는 인물이 정치 전면에 나서겠다고 선언하기만 하면 기존 정치권으로선 도저히 이해할 수 없는 수준의 거대한 회오리가 일어날 거야. 지금 정치인들은 이명박으로 인해 대중들이 느끼는 이 거대한 결핍의 정체를 전혀, 제대로 이해하지 못하고 있거든. 그건 정말 특수하고 예외적인 상황이 되겠지.

지 _ 문성근의 '백만민란' 있잖아. 문성근이라는 캐릭터도 굉장히 매력적이잖아.

김 _ 문성근, 매력적이지. 문성근은 이번 대선에서 역할이 있지. 그러니까 언급하자고. 난 그가 이제 정치에 본격적으로 나서야 한다고 생각하는 사람 중 하나야. 도덕적 자격은 물론이고 역사적 자격, 현실적 역량 모두 된다고 생각해. 문성근을 한마디로 정의하자면, 스토리가 되는 양반이지. 정치인은 스토리가 있어야 하거든. 그에겐 아버지와 김대중과 노무현으로 이어지는 스토리가 있어.

그것과 별개로 내가 개인적으로 그 양반을 왜 높이 사냐면, 어느 날 자신이 왜 백만민란을 시작했느냐를 설명하면서 그런 말을 내게 사석에서 한 적이 있어. 여태까지 자신은 배우가 천직이라고 생각하고 언제든지 배우로 돌아갈 준비를 하며 매사에 임했다는 거야. 노무현 시절 수많은 제안을 거절한 것도, 자신은 배우로 돌아갈 사람인지라 그 귀환에 방해가 될 일은 하고 싶지 않았다는 거야. 떡고물이나 얻어먹으려고 노무현을 도왔다는 오해도 받기 싫고.

그런데 노무현이 세상을 떠난 후 어느 날 갑자기 이런 생각이 들더라는 거야. 조또 배우가 뭐라고, 그까짓 직업 하나 때문에 지금 내 인생에서 당장 해야만 할 일을 주저하고 있다는 사실이 부끄러웠다는 거야. 그래서 에라이 뒷일은 모르겠고 당장 지금 내가 할 수 있고 해야만 할 일을 하겠다며 시작한 게 바로 백만민란이란 거지. 혼자서. 어우, 감동 먹었어.(웃음) 좋은 정치인의 자질을 갖췄어. 여자를 좋아하는 것만 봐도.(웃음)

지 _ 연설 능력도 탁월하잖아. 문익환 목사의 아우라도 있고. 사리사욕 채울 기회가 지난 정권에서 충분히 있었음에도 근처도 안 갔던 사람이잖아. 그렇지만 올인하는 것에 비해서는 백만민란의 성과가 가시적이지 않은 것 같은데.

김 _ 백만민란의 문제는 이런 거야. 그걸 정당이 주도하지 않아서 생기는 힘과 정당이 주도하지 않아서 생기는 한계가 동시에 상존하고 부딪친다는 거. 그래서 정당의 욕망을 꺾을 만큼의 힘을 정당 바깥에서 모아내야 하는 딜레마가 있지. 민주당과 진보 정당 모두가 각자의 지분과 역할을 인정해주는 제도 아래에서 단일 정당 체제로 대선을 맞이해야 한다는 백만민란의 방안보다 더 좋은 방안, 현재 없어. 앞으로도 없을 거야. 그건 확실해. 나도 백만민란의 문제의식엔 완전히 동의해. 하지만 민주당의 욕심과 멍청함, 민주노동당, 진보신당, 국민참여당의 민주당에 대한 불신의 깊이가 문제지.

닥치고
정 치

지 _ 어떤 이들은 문성근이 대선에 출마해 흥행의 불쏘시개 역할을 해야 한다고도 하던데.

김 _ 누가 그래, 문성근이 대선출마하면 흥행이 된다고.(웃음) 그럴 사람도 아니고. 스스로 역할을 그렇게 잡고 있지도 않고. 여자를 좋아하기 때문에(웃음) 설사 기회가 와도 그러지 않을 양반이라는 데 이 책의 인세 전부와 500원을 추가로 건다.(웃음) 문성근의 정치를 막고자 하는 보수는, 다른 거 필요 없다. 솔로의 외로움에 몸부림치는 밤들을 몇 년째 겪고 있는 그에게 여자를 소개시켜주라.(웃음) 그는 모든 것을 초개와 같이 버리고 그녀 품으로 떠날 것이니.(웃음) 반대로 그의 정계 진출을 바라는 제 세력은, 그를 여자로부터 철저히 격리시키라. 밤에 혼자 울부짖다 지쳐 정치의 품에서 잠들 것이니.(웃음) 이것이 바로 성적 억압의 혁명도구화다.(웃음)

지 _ 그럼 한명숙은? 보수에선 한명숙을 민감해하는 것 같은데. 계속 괴롭히는 걸 보면.

김 _ 노무현의 이미지를 고스란히 안고 있는 데다 이명박에게 계속 괴롭힘을 당해왔기에 박근혜의 대항마가 될 수 있다 생각하는 거겠지. 생물학적 여성이란 공통점을 제외하곤 박근혜와 모든 면에서 대척점에 있으니까. 인생 전체가. 그 이미지 역시 박근혜와는 다르게 대단히 여성적인, 모성 본능을 떠올리게 하고. 실제 그런 양반이고. 참 좋은 분이지. 개인적으로 무척 좋아해. 하지만 대선 후보로서의 파괴력은 부족하다고 생각해. 박근혜와의 맞대결에서 이길 수 없다고. 이번 대선에서 필요한 건 여러 번 이야기했지만, 이명박과 대척점에 있으면서 박근혜와 같은 지점에 있어야 해. 그러면서 박근혜보다 강해야 해. 그런데 한명숙의 포지션은 그렇지가 않다고. 그래서 한명숙은 여기까지만.

지 _ 이회창은 어떻게 될 거라고 생각해?

김 _ 이회창이 야당인가.(웃음) 여당이 못 된 자투리지.(웃음) 다음 대선으로 역할 끝. 박근혜와 어떻게 합칠 것인가의 문제만 남은.

지 _ 과거 DJP 연합 때의 JP 존재감 정도도 안 되는 거잖아.

김 _ 그런데 문제는 이회창은 박근혜를 필요로 하지만 박근혜는 이회창을 필요로 하지 않는다는 거.(웃음) 박근혜는 권력을 나누는 사람이 아니야. 안희정의 정치적 가능성이 그 지점에서 출발한다고 생각해. 지방 정치 정서라는 게 기본적으로 정치적 박탈감에 근거하는 거거든. 자기들을 대변할 사람이 없다는. 강원도에서 이광재가 부상한 이유지.

박근혜는 권력을 나누는 사람이 아니야.

지 _ 미래의 대통령으로 자기 동네 인물을 키우고 싶은 거로군.

**닥치고
정 치**

김 _ 그건 자연스러운 감정이지. 영남 이외의 인물은 김대중 딱 한 번이었으니까. 그래서 강원도에서 이광재를 찾는 거고, 충청도는 JP, 이회창 하면서 자꾸 기대를 하는 거지. 제주도라고 해서 다르지 않아. 이회창이 이번 대선 이후 역할이 사라지면 그 공백을 안희정이 어떻게 메울 것인가, 그게 이번 대선과 이회창 관련 관전 포인트지. 그 여부에 따라 차차기 대선에서의 가능성이 열리겠지. 그때부터는 안희정의 역량에 달린 거지.

5장

2011. 5. 27. 녹취

공주와 동물원.

한나라당

한나라당.

지 _ 이번에는 현재 한나라당 돌아가는 모습도 한번 살펴보면 재밌
을 것 같아.

김 _ 물론 재밌지. 진보 정당이 수도원 이야기라면, 한나라당은 동
물원 이야기거든.(웃음) 하지만 난 이 책을 통해서는 한나라당의 인물들
을 길게 이야기할 필요를 못 느껴. 보수의 본
질에 대해서는 이미 이야기했고. 그들의 에
이스, 이명박과 삼성의 구체적 사건을 통해
그게 어떤 식으로 현실 세계에서 작동하는지
도 설명했고.

보수 진영에도 합리적인 인사들 있어.

진보 정당이
수도원 이야기라면,
한나라당은
동물원 이야기거든.

닥치고
정 치

좋은 품성을 가진 정치인도 있고. 개인적으로 호감 가는 자연인도 있어. 하지만 그들은 지금까지 말한 이명박과 삼성으로 상징되는 프레임과 그 이익 구조에 충실히 복무해왔어. 그럼 더 이상 할 말 없는 거야. 난 좋은 사람이란 소리는, 자기 가족 친지들과 나누라고.(웃음)

자신은 권력이 작아서 부조리한 걸 알고도 침묵할 수밖에 없었다고 한다면 인간적으로는 이해 가. 하지만 그럼 정치하지 말아야지. 좋은 교수, 착한 기업인, 성실한 검찰 해야지. 그런 말은 자신의 정치적 정체성이 국회에 취직한 직장인이란 소리밖에 안 돼. 할 일이 그런데. 해야만 할 말을, 하라고 국회 보냈는데. 그따위 정치인 코스프레는 다 집으로 돌려보내야 해. 물론 그러면 국회가 거의 텅 비겠지만.(웃음)

그게 아니라 '난 그 프레임과 구조가 옳다고 믿는다.'고 한다면. 물론 그들도 그들의 신념을 따를 자유가 있지. 그럼 그렇게 믿으

이익을 보려면
장사를 하지
왜 정치를 해.

며 이명박 시대와 함께 몰락해야지. 하지만 그런 사람치고 기꺼이 함께 가겠단 사람 없다. 그들은 그게 자신에게 어떤 이익이 되는 한도 내에서만 그런 소리 한다. 이익이 사라지면 뿔뿔이 흩어져. 이익을 보려면 장사를 하지 왜 정치를 해. 만약 이명박과 기꺼이 가겠다는 인물이 있으면, 난 인정해. 그리고 친구 먹겠어.(웃음)

그래서 적어도 현재 이 시점의 한나라당 인물들은 다룰 생각이 없다. 정권 교체되고 나면 보수 인물들 종합적으로 한번 다루거나 하지 뭐. 사실 그쪽 인물들이 진보 진영 인물보다 더 입체적이고 재밌긴 해.

그들은 최소한 자기 욕망을 인정하면서 출발하니까. 좋은 보수 정치인은 그 정치적 지향을 떠나서, 사람 같다는 장점이 있어. 지지는 못해도 좋아는 할 수 있는 사람들 있다고.

더구나 이번 대선에서 작동할 두 힘의 축은 결국 이명박과 박근혜거든. 나머지는 그 두 축의 종속변수일 뿐. 두 힘과 무관한, 새로운 누군가가 갑자기 등장한다면, 그건 두 거대한 힘의 격렬한 충돌 과정에서 그 누군가가 로또를 맞은 상황이 되겠지.(웃음) 그럴 확률은 우리 가카께서 진보신당에 입당할 확률 정도다.(웃음) 아, 우리 가카는 이익만 되면 그럴 수도 있는 양반이구나.(웃음) 이제 박근혜를 이야기해보자고.

아, 박근혜 이야기 전에 잠깐 한나라당 원내대표 이야기만 해보자. 이유는 조금 있다 말할게. 황우여가 원내대표가 된 건 의외란 말이지. 아무도 그럴 줄 몰랐으니까. 그럼 존재감 없던 황우여가 어떻게 한나라당 원내대표가 된 건가. 그건 세 갈래 세력의 알력 결과로 보여. 우선 친이. 친이는 다시 두 갈래로 나뉜다. 이재오를 수장으로 하는 정치 친이와 이상득을 정점으로 하는 혈육 친이.(웃음)

이재오계는 약 70여 명으로 주로 이명박, 이재오 줄에 서서 배지를 단 인물들인데 임기 말이 되어가면서 결속력이 약해질 게 불을 보듯 예상되는 그룹이고, 이상득계는 약 20여 명 된다고들 하는데 여긴 좀 달라. 이상득 본인이 오랜 시간 정치를 해왔고 사교 능력이 대단하거든. 예전 열린우리당 소속 의원들과도 우호적으로 지냈다고 할 만큼. 이쪽은 이상득이 직접 관리해온 계보인 만큼 훨씬 더 끈끈하다고 봐야겠지. 그리고 나머지 한 축이 박근혜와 소장파.

첫 투표에서는 다들 친이가 무조건 1등 할 거라고 예상했어. 그런데 처음부터 황우여가 1등을 했네. 이게 잘 이해가 안 가는 게, 이상득은 이명박 형이잖아. 이재오는 당연히 이명박계고. 그럼 이상득, 이재오와 힘을 합할 것 같잖아. 그런데 이상득 쪽은 오히려 박근혜, 소장파 쪽과 붙은 거거든. 그래서 황우여가 당선된 거거든. 이 현상을 어떻게 봐야 하느냐. 두 가지 관전 포인트가 있을 수 있어.

첫 번째는, 이상득은 박근혜와 잘 지내려고 한다.(웃음) 이명박은 여의도 정치를 이해 못하지만, 이상득은 여의도 정치를 완벽하게 이해하는 인물이거든. 동생이야 퇴임하면 끝이지만 자기는 아니잖아. 계속 정치를 해야 한다고. 만약 정치를 하지 않으면, 동생 퇴임 이후 잡혀갈 수도 있는 상황에서 아무런 힘도 커넥션도 없잖아.(웃음) 전직 대통령이야 누가 차기 정권을 잡든 치기가 쉽지 않다고. 어쨌든 전직 대통령이니까. 하지만 대통령 퇴임 이후 친인척 비리는 수위가 다른 문제지. 친인척 하면 가장 먼저 이명박의 형, 이상득을 떠올리는 건 자연스러운 거잖아.

그래서 박근혜와의 관계를 우호적으로 유지하는 것은 이상득 본인으로선 대단히 중요한 보험이라고. 그리고 이런 권력의 향배에 대한 기민한 촉을 유지하며 자신의 이익에 따라 이리저리 옮겨 붙을 수 있는 시정잡배적 태도야말로 진정으로 한나라당적이지.(웃음) 그렇게 박근혜와 관계를 유지해둬야, 이명박이 자신의 퇴임 이후를 보장할 인물을 박근혜 대신 띄우려다 실패할 경우에도, 이상득 본인은 최소한의 안전을 보장받지.

이상득은 한마디로 박근혜에게 이명박과 자신은 다르다고 말하고 있는 거라고, 나는 해석한다. 박근혜 귀에는 전혀 가 닿지 않겠지만.(웃음) 이건 이상득 본인의 뜻이기도 하겠지만 이명박과도 다 이야기가 끝난 걸 거야. 일단 원내대표는 이런 식으로 주고, 대신 다음 당대표는 이재오 없이 친이계로 세우자는 계획을 세웠겠지.

이상득은 박근혜에게 이명박과 자신은 다르다고.

두 번째 관점은 이재오의 용도 폐기야. 이재오는 박근혜를 무지하게 싫어한다고. 독재자의 딸이라고 대놓고 말할 만큼. 이재오가 박정희의 독재와 싸웠던 자신의 과거를 자랑스러워하는 만큼, 박근혜를 인정하는 건 전면적인 자기부정이 되는 거니까. 친박 진영 역시 이재오를 이명박보다 미워해. 그런데 박근혜에게 권력이 넘어가는 이 마당에 이재오를 전면에 내세워 다시 한 번 힘을 실어줘서 박근혜와 갈등하는 건 대단히 위험한 짓이거든. 이제 이재오는 이명박의 자산이 아니라 리스크인 거지. 그래서 이재오는 본인도 모르는 사이 이명박에게 팽을 당한 거라고, 나는 해석한다.(웃음)

역시 이명박이야.(웃음) 아무리 자신을 대통령으로 만든 일등 공신이라 하더라도 효용이 없어지면 가차 없이 버리는 저 단호한 결기.(웃음) 이재오는 자신이 버림받은 다음에야 무슨 일이 벌어진 건지 알겠지. 설혹 미리 알았다고 해도 이재오가 할 수 있는 일은 아무것도 없었겠지. 친이 수장으로서의 이재오 처분이야 이명박 마음대로니까. 이재오가 다시 부활할 수 있는 기회가 과연 있을 것인가. 기회가 주어질 것인

가. 만약 이재오가 이대로 찌그러지면 다음 총선에서 공천조차 못 받고 완전히 정치권에서 사라질 수도 있다고 나는 본다. 아, 인생무상.(웃음)

아수라장.

지 _ 그럼 이제 7월에 있을 당대표 선거는 어떻게 되는 거야?

김 _ 그건 또 완전히 다른 게임이야. 당대표는 원내대표와는 차원이 다른 문제야. 친이계 입장에서 원내대표는 얼마든지 내줄 수 있어. 정치에 관심이 없으면 잘 모를 텐데, 원내대표란 건 간단히 말해 한나라당 국회의원들의 대표이고, 당대표라는 건 한나라당 국회의원은 물론 원외위원장, 당직자, 당원 모두를 포함한 당 전체의 대표야. 비유하자면 원내대표는 반장이고, 당대표는 교장인 거지.

결정적으로 이번 당대표는 19대 총선에서 공천권이라는 어마어마한 힘을 행사한다고. 국회의원들에게 공천권은 생사여탈권이야. 친이계가 이걸 포기할 리가 없지. 그런데 여기서의 관전 포인트는 박근혜쪽 계산이야. 박근혜는 자신이 정말 원하기만 한다면 당대표를 친박 인사로 세울 힘을 이미 가지고 있다고. 하지만 당대표가 친박계 인사가 된다면, 박근혜가 너무 일찍 권력의 전면에 나서는 셈이 되거든. 그럼 대중 노출이 너무 길고 많아. 박근혜에 대한 대중적 피로도가 상승하게 된다고. 대선은 아직도 1년 반이나 남았다고.

그렇다고 친박계 인사를 아예 안 낼 수도 없어. 만약 친이계가 당대표가 된다면, 내년 4월 총선에서 친박계 인사들을 대거 공천 탈락시킬 수도 있으니까. 또는 그걸 빌미로 이명박 쪽에서 협박을 하거나 딜을 하게 될 수도 있고. 그러니까 누군가를 내긴 내되, 아마도 친박계에서 가장 똑똑하다고 정평이 난 유승민 정도를, 당대표는 아니고 가장 높은 득표의 최고위원으로 만드는 게 목표가 될 거야.

반면 친이계는 이재오를 버린 뒤에는, 이재오계와 이상득계가 힘을 합치긴 할 거야. 이상득이 황우여 원내대표를 1위로 만든 것은 이재오를 팽하기 위한 수순으로 그랬던 거라고 보지만, 당대표 문제는 생존의 문제거든. 그렇게 포기할 수 없는 자리라고. 아마 새로운 인물이어야 한다는 포인트와 친박과 소장파를 분리, 견제하는 의미까지 더해서 소장파 인물 하나를 끌어오려고 하겠지. 원희룡을 친이계가 사무총장으로 민 걸 보면, 아마도 원희룡을 당대표 후보로 내세우겠지.

자, 그럼 누가 차기 당대표가 될 것인가. 만약 홍준표가 이번 대표 경선에 나오겠다고만 한다면, 난 홍준표에 건다.(웃음) 그럴 확률이 꽤 높다. 우선 홍준표는 이명박이 법무부 장관 정도는 줄 거라고 생각하고 있었어. 하지만 그게 이젠 물 건너갔지. 내가 아는 홍준표의 성격으로 보자면, 이걸 인간적 배신으로 받아들일 거라고. 그럴 때 이 사람은 찌그러져 자괴하는 스타일이 아니야. 오히려 튀어나가는 성격이지. 좋다, 그럼 독고다이로, 내 힘을 보여주겠다. 그래서 후보로 나올 확률이 있고, 나온다면 당선될 공산이 크다.

왜냐. 이재오계라고 불리던 친이계의 결속력은 결코 예전 같을 수가 없다. 이재오가 팽당하는 것도 목격했을 것이고, 이명박이 다시 한 번 대통령을 할 수 있는 것도 아니고. 조용히 친박계에 줄을 대는 사람이 한둘이 아닐 거야. 소위 월박 하는 거지.(웃음) 소장파나 중립지대에 있던 인물들도 줄을 대면 박근혜에게 대지, 왜 이명박 쪽에 대겠어. 그렇다면 가장 안전한 선택은 홍준표다. 홍준표는 친이로 분류되긴 하지만 그건 홍준표가 미국에 있을 때 이명박과 친했던 사적 친밀도 때문이고, 실제 홍준표는 이명박 정권 내내 별 권력을 못 누렸다고. 이명박이 원래 그런 인간이야.(웃음)

이건 내가 이명박 집권 초기에 홍준표에게 직접 한 말이기도 한데. 이명박한테 기대하지 말라고. 홍준표는 그거 기억하고 있을라나 몰라.(웃음) 어쨌거나 홍준표는 독고다이가 맞아. 친이를 완전히 벗어나지도 못하고 친박에 완전히 합류하지도 못한 엉거주춤 친이계들에겐, 홍준표가 공천권 행사할 때 그나마 중립을 기대해볼 만한 인사가 맞지. 친박 쪽에서도 그나마 부담 없는 게 홍준표가 맞고.

이런 표들이 원희룡을 내세우려는 진성 친이계를 압도한다고 본다. 해서 중립 성향, 친박, 월박 표가 홍준표로 대거 몰려서 홍준표 당대표의 탄생을 예상하는 바이다. 만약 홍준표가 출마하지 않는다면, 그럼 아마도 유승민과 원희룡의 대결이 되겠지. 그렇다면 난 유승민에게 건다. 친이와 친박의 정면충돌은 이제부터는, 최소한 국회에선, 친박의 승리로 귀결될 거다. 당분간은. 왜 당분간이냐. 국회 바깥에서 이명박이 기 보이지 않는 아수라장이 시작될 것이다.

관들을 동원해 행사하는 힘이 있으니까. 그 당분간의 지속 기간은 그 힘이 얼마나 강력하냐에 달렸다. 어느 쪽이든, 한쪽으로 밀리는 순간, 우리 눈에는 보이지 않는, 아수라장이 시작될 것이다.(웃음)

이 대목에서 잠깐 짚어두고 싶은 인물은 원희룡이다. 친이의 끝물에 올라탄. 이 무리수는 오세훈 때문이야. 사실 오세훈과 원희룡을 비교하면, 원희룡이 백 배쯤 나은 인물이다. 여러 차례 만나본 원희룡은. 그 정도 합리적 보수로 한나라당이 채워져 있다면 애초 이런 대화를 나누고 있지도 않았을 거야. 진보가 좋은 것이기만 하고 보수는 나쁜 것이기만 한 게 아니거든. 그런 정도의 보수라면.

이 무리수는 소장파라는 스탠스만으로는 정치적 성장에 한계가 있다는 자탄의 결과로 보여. 특히 지난 서울시장 경선에서 나경원에게까지 밀렸을 뿐 아니라 이미 대선을 향해 저 앞에서 달려가는 오세훈의 뒷모습을 바라보면서 자탄했겠지. 나한테 물어봤으면 그건 결코 앞서 달리는 게 아니라고, 곧 주저앉을 거라고 말해줬을 텐데.(웃음) 그때 느꼈을 박탈감과 위기감과 자괴감, 바로 그 지점에서 그의 판단력이 흐려졌을 거라고 본다. 그러다 보니 처음 한나라당 소장파가 등장했을 때만 해도 가장 나이브해 보였던 남경필만 자기 자리를 지키고 있다. 이 역설. 남경필 뚝심에 박수 친다.

왜 이런 한나라당 내부의 권력투쟁을 이야기했느냐. 지금까지 한 이야기가 어떤 맥락에서 중요하냐면, 사람들은 여의도가 얼마나 치열

사람들은 여의도가 얼마나 치열하고 비정한 욕망의 전장인지 잘 몰라.

하고 비정한 욕망의 전장인지 잘 몰라. 그걸 모르면 그들 행태를 이해할 수가 없다. 그리고 그걸 알아야 좋은 정치인이 얼마나 드물며 그런 정치인을 드물게 발견했을 때 그들을 얼마나 아껴줘야 하는지 비로소 깨닫게 된다. 이 말이 하고 싶었어. 그러니까 진보 정당의 선명성 천착이란 게, 그 심정이 이해되지 않는 건 아니면서도, 얼마나 나이브한 건지도 동시에 말하고 싶었어. 선명하면 권력을 잡는단 발상은 머릿속에서나 가능한 논리 시뮬레이션이야.

박근혜, 과거다.

지 _ 이제 박근혜 이야기로 넘어가는 건가?

김 _ 그전에 대통령의 자질부터 이야기하자. 이유는 나중에 이야기할게. 대통령의 자질, 세세히 따지자면 얼굴부터(웃음) 수만 가지지만 두 가지만 이야기하자. 먼저 좋은 행정가. 결국 행정을 통해 모든 일이 이루어져. 행정을 존중하고 이해해야 해. 그건 기본이야. 이명박처럼 만날 공무원 질타를 자기 인기용으로 써먹는 사고로는 절대 안 되지. 이명박이야 모두가 자기 좋이니까.(웃음)

> 행정은 언제나
> 생활과 관련이 있어.

그러나 가장 중요한 건 균형 감각이야. 행정은 언제나 생활과 관련이 있어. 생활이란 결국 욕망인 거고. 그런데 그 욕망의 주체가 개인

공주와 동물원

만 있는 게 아냐. 기업도 기업의 욕망과 그로 인한 생활이 있거든. 기업뿐이 아니지. 욕망의 주체는 엄청나게 많아. 그래서 욕망과 욕망이 충돌하는 갈등이 반드시 있다고. 이때 절대적으로 필요한 게 균형 감각이야. 행정적 균형 감각이 아니라 철학적 균형 감각. 이번엔 환경부 손을 들어줬으니 다음엔 산자부 편을 들어주자. 저번엔 경상도 편을 들어줬으니 이번엔 전라도 편을 들어주자. 이런 건 행정적 판단만으로도 기계적 균형을 찾을 수 있어. 그건 사실 편익의 관점이거든. 그건 행정가도 할 수 있어.

하지만 행정과 실무의 균형만으로는 세상의 균형을 찾을 수 없어. 사실은 둘 다 옳을 때가 많거든. 둘 다 옳을 때 우선순위의 문제가 생기고 바로 그때 가치의 문제가 발생해. 그럴 때 필요한 게 철학이야. 그래서 대통령은 사상가가 되어야 하는 게 맞아. 지금의 세계가 어떠하고, 어떤 가치가 우선 구현되어야 하는지에 대한 자기 철학과 통찰이 분명하게 있어야 해.

> 철학이란 게
> 이데올로기로 훈련된
> 복잡한 것이어야
> 할 필요 없어.

지 _ 대통령은 행정가이면서 균형 감각도 있는 사상가여야 한다. 너무 어렵지 않아?

김 _ 오해야. 그 철학이란 게 이데올로기로 훈련된 복잡한 것이어야 할 필요가 없어. 결국 철학이라는 게 사람을 어떻게 보느냐의 문제거든. 인간은 어디까지는 감수할 수밖에 없고, 어디서부터는 감수할 수 없다, 더 나아가 감수해서는 안 된다, 그 감각만 확실하면 돼. 이런 건 어차피 책으로 배우거나 가르칠 수 있는 게 아냐. 그럴 수 있었다면 세 상은 벌써 천국이 되어 있게.(웃음) 이건 기본적으로 타고나는 자질에 구체적인 삶이 축적되면서 완성되는 인격의 문제야. 그래서 이건 진보, 보수의 문제도 아니야. 결국 인간에 대한 깊은 이해와 연민과 애정, 그 리고 예의의 문제지. 인간에 대한 이해와 연민과 애정과 예의 없이는, 어떤 이론과 이익으로도, 인간을 위할 수가 없다.

이런 소리 하면 그건 품성환원주의다, 이야기 나온다.(웃음) 누가 품성만 필요하다고 했나. 구조와 프레임을 왜 맨 처음 얘기했겠어. 구 조와 프레임을 이해하고 거기에 맞서는 건 기본 전제야. 하지만 그걸 이해한다는 자체가 인간을 위하는 건 아니다. 구조와 프레임을 이해하 고 그것에 짓눌린 인간을 구하는 건, 결국 인 간의 몫이다.

그리고 좋은 정치가 결국 그거야. 사람 들은 그걸 깨닫고 있다. 다시 한 번 이명박 공 이지.(웃음) 인간에 대한 배려가 없다는 게 뭔지, 그 결과가 어떤 건지 알 게 됐다. 그걸 이념이나 학습이 아니라 내 몸으로, 생활에서, 느끼게 됐 다고. 정치를 이해하지 못하면 내 생활의 스트레스, 그 근본을 이해하 지 못한다는 걸 알게 됐어. 그러니까 투표는 사실 민주주의를 위한 게 아니야. 그런 건 교과서에 있는 이야기야. 투표는 내 스트레스의 근원 을 줄이려는 노력이야. 그게 줄어야 내가 행복해지니까. 내 행복과 정 치의 연결 고리를 처음으로 깨닫게 해준 이명박이 얼마나 고마워.(웃음)

> 투표는 내 스트레스의
> 근원을 줄이려는 노력.

자, 이제 박근혜로 넘어가자.

지 _ 이명박이 고마운 건 절실히 느껴지네.(웃음) 그런데 지금까지 진보 정당이 대중의 욕망을 끌어안지 못한다고 했잖아. 죄의식만 자극하지. 그럼 박근혜가 마케팅하고 있는 건 뭐지?

김 _ 박근혜를 한마디로 정의하자면, 과거. 과거는 고정이지. 원래 과거라는 게 자신이 받아들이기 쉽게 윤색되게 마련인 데다 이미 발생해서 더 이상 변할 수가 없잖아. 그래서 박근혜 하면 대단히 안정적이고, 예측 가능하고, 지속 가능하다는 정서가 느껴진다고. 이게 합리적이지 않은 것이 예측 가능성과 지속 가능성은 미래를 논할 때 동원되는 논리적 가치잖아. 그런 가치는 이성적 판단의 대상이지, '느껴버린다'는 표현의 대상이 될 수가 없는 거거든. 무슨 맛을 느끼는 것도 아니고 말이지.

그래서 논리적으로는 말이 안 되는 표현인데. 그런데 어쩌겠어. 인간의 정서는 합리의 영역이 아닌데. 사람들은 박근혜의 과거 이미지로부터 미래의 안정을 느껴내는데. 사실 뇌 과학의 관점에서 보자면 말이 안 되는 것도 아니야. 아니꼬운 누군가가 잘못되면 고소하다는, 맛에 빗댄 표현을 쓰는 건, 뇌 과학의 관점에서는 비유가 아니라 직설법이야. 실제 그런 감정을 느낄 때 뇌를 찍어보면 맛있는 음식을 먹을 때 뇌가 반응하는 부위와 동일한 지점이 활성화된다고 하거든.

사람들이 그녀를 둘러싼 거대한 과거의 이미지로부터 그런 느낌을

닥치고
정 치

받는 것 역시 비슷한 이유야. 과거는 안정적이니까. 만약 박근혜가 말을 많이 하는 타입이었다면, 아무리 말을 잘한다 해도, 그런 이미지는 진작 흩어졌을 거야. 그리고 박근혜의 힘도 같이 흩어졌을 거야. 그런데 박근혜는 아무것도 하지 않거든. 박근혜는 그냥 존재할 뿐이야.(웃음)

> 과거는 안정적이니까.

　　그래서 그 이미지는 나날이 견고해져가지. 사실 박근혜는 특별히 뭘 잘할 필요가 없는 삶을 살았어. 자수성가한 것도 아니고 특별한 공부를 한 것도 아니고 다양한 인생 경험을 쌓은 것도 아니고 전문 분야가 따로 있는 것도 아니거든. 스물일곱의 나이까지 대통령의 딸로 살았다는 것도 그냥 주어진 거지, 자신이 성취한 게 아니잖아. 그 후로는 돈 많은 자연인으로, 그것도 세상물정 제대로 겪을 수 없는 대단히 폐쇄적인 환경 속에서 세월을 보낸 40대 여인이 어느 날 갑자기 정치 전면에 나선 거야. 이건 그녀를 폄훼하려고 하는 말이 아니야. 그냥 드라이하게 있는 그대로를 말한 거지.

　　그녀가 만 스물한 살 되던 해, 불행히도 그녀 모친이 비명에 가고 이후 영부인 역할을 일정 정도 대신했다는 걸, 제왕 수업 받았다고 여기며 이미 대통령 수업은 끝났다고 말하는 사람들이 있는데, 그건 아버지가 말만 하면 세상만사가 무조건 실현되던 무려 30년 전 독재자 시절, 아버지 사무실에서 겪었던 대단히 제한적이고 구시대적인 경험이라고. 당시와 비교조차 할 수 없이 복잡해지고 민주화된 권력의 작동 방식에, 대체 그 경험이 어떤 식으로 도움이 된다는 건지 나로선 이해할 수가 없어. 이명박과 똑같이 할 거면 몰라도.(웃음)

게다가 겨우 스물한두 살의 대학생이 해낼 수 있는 정치적 역할이란 게 뭐 그리 대단한 거라고. 모친 대신 아버지 옆에 앉고 때로 손님을 접대한 게 어떻게 제왕 수업이야. 가족으로서 대통령 옆에 있는 것만으로도 엄청난 제왕 수업이 되는 것이란 논리라면, 박근혜처럼 어린 나이로 영부인을 대리한 게 아니라 대통령 취임 후 7년 내내 진짜 영부인 역할을 적극 수행했던 전두환의 아내 이순자는, 그럼 정치의 여신이 되었겠네.(웃음) 이순자 여사한테는 왜 정치하라고 안 하나.(웃음) 왜냐. 이미지가 다르거든. 박근혜 파괴력의 본질은 그렇게 이미지의 힘이라고.

효도와 제사.

지 _ 그럼 박근혜는 어떻게 대중에게 마케팅이 되고 있는 거야? 그게 어떻게 작동하는지 알아야 대응을 할 것 아냐.

김 _ 박근혜가 그걸 알고 자기 이미지 마케팅을 하는 건 아니야. 그냥 존재함으로써 정치를 하고 있는 거라니까.(웃음) 박근혜의 한계가 그녀의 타고난 애티튜드와 그것이 강화시키는 이미지로 인해 오히려 장점으로 작용하고 있는, 이 아이러니. 그런데 그렇게 거대한 과거의 이미지 덕에 느껴지는 안정감은 대단히 퇴행적인 거거든. 그래서 박근혜에 대한 대중의 애착은 집단 무의식의 감성적 퇴행이라고 말할 수 있다. 특히 최근엔 이명박으로 인해 불안해진 대중의 정서가, 뭔가 붙들

곳을 찾다가 박근혜가 상징하는 '과거'와 만나 안정을 느껴버리는 양상. 박근혜의 힘은 그걸 베이스로 작동한다.

하지만 그게 이미지에 불과하다고 하는 건, 부연하자면, 이런 소리야. 생각해보자고. 스무 살짜리 그녀가 중요한 정치적 결정을 아버지 대신 직접 내렸을 거라고 상상하거나 혹은 아버지의 진지한 정치적 의논 상대였을 거라고 상상한다면, 그건 정말이지 무협지적 발상이라고.(웃음) 그녀 역시 그녀의 생물학적 나이와 경험에 의해 한계 지어질 수밖에 없는, 그냥 사람이라고. 무슨 하늘에서 내려온 선지자가 아냐. 그녀가 타고난 애티튜드의 힘이나 그녀를 둘러싼 이미지의 힘을 과소평가하겠다는 게 아니야. 그 힘으로 여기까지 온 거니까. 대단한 대중적 파워지. 하지만 그 이미지가 무슨 실체적 실력이라고 생각하는 건 웃긴 일이라고.

진보 진영에서 그건 이미지일 뿐이라고 무시해서는 안 돼. '박근혜는 이미지'라는 분석은, 아무리 정확한 분석이라 할지라도, 그 자체로는 박근혜의 힘을 무력화시킬 수 없다. 진보 진영의 논평가들 중에 그런 실수 하는 사람들 있다. 이미지일 뿐이니 별것 아니라고 결론 내리는 걸 논리적 귀결이라고 생각하는데, 아니다. 그건 논리적 귀결이 아니라 정서적 회피다. 상대를 별것 아닌 것으로 만들고 싶은 두려운 마음이, 작은 논리의 힘을 빌려, 도망가는 거다. 그래서는 이기지 못한다. 이미지일 뿐이라는 분석과는 별개로 그 힘은, 있는 그대로 인정해야 한다. 선거는 논리가 아니라 정서로 결론 나니까.

선거는 논리가 아니라 정서로 결론 나니까.

지 _ 정치는 어차피 이미지 전쟁인 측면이 있는 거잖아.

김 _ 물론. 박정희는 종교의 영역에 들어갔어. 신화가 됐다고. 노무현도 이제 신화의 영역으로 들어가고 있고. 해서 우리나라에서는 당분간, 적어도 10년 이상은, 그 두 망자의 대결이 펼쳐진다. 신화의 대결이 된다고. 여기에 독재고 뭐고 이야기해 봐야 소용없다. 중요한 건 그 신화가 상징하는 것이 무엇인가 하는 걸 정확하게 포착하는 거다. 기억엔 상징만 남으니까.

지 _ 박정희가 상징하는 건, 가난 극복, 승리의 경험, 그런 거잖아.

김 _ 그것만으로는 설명이 완전하지 않아. 사람들은 독재자를 싫어한다고 말하지만 사실 정서적으로 대단히 끌리는 측면이 있어. 독재자는 복잡하고 예측 불가능해서 고단한 삶을, 일정한 삶의 양식만을 허용함으로써 일거에 단순화시키는 미덕(웃음)이 있다. 나보다 큰 존재가 내 삶의 불확실성을 제거해주는 거지. 그리고 내가 먹을 수 있는 것과 없는 것을 정확하게 한계 지어줘. 그럼 내가 현재 어떤 위치에 있는지만 알면 내가 먹을 수 있는 것의 바운더리가 정해지지. 그래서 내가 먹을 수 있는 것에만 집중할 수 있지.

우리나라에서 보수라고 불리는, 실은 겁먹은, 자존심 없는 동물들이 그리로 우르르 몰려가는 게 이해가 가는 거지. 내 위치만 정확히 파악하면 내가 먹을 것의 분량이 딱 나오니까. 그래서 그들은 대가리를 치

닥치고
정 치

지 않아. 대가리가 무너지면 그 위계가 근본부터 흔들리잖아. 그럼 어렵게 확보한 자기 먹을거리의 구획이 불분명해진다고. 어머나, 무서워라.(웃음) 그래서 한나라당은 내부적으로 아무리 싸워도 분당하지 않아. 그렇게 우리 본성에 있는 동물적이고 보수적인 집단 무의식, 예측 가능한 질서에 대한 집착이 박정희가 상징하는 것과 호응하게 되는 거지.

지 _ 하지만 박근혜에게 박정희의 상징이 좋게만 작용하는 건 아니잖아?

김 _ 아니야. 구체적인 팩트를 가지고 논쟁하면 불리하겠지만, 그게 상징으로 작동하는 한, 대체로 긍정적으로 작용하지. 더구나 박근혜는 그 상징에 위배되는 말을 절대 하지 않는다. 그렇게 침묵함으로써 아버지의 상징을 계승하는 거지. 이 구분이 중요해. 박근혜는 아버지 박정희의 정책적, 정치적, 철학적 계승자가 아니야. 박근혜가 무슨 구체적 정책과 정치와 철학을 설파한 게 있다고. 그런 적 없어. 그냥 원칙을 지켜야 한다는 소리만 주야장천 할 뿐이야. 그게 무슨 집권 철학인가. 그건 기본이지.
박근혜는 아버지가 상징하는 것의 계승자야. 단순하고 예측 가능한 삶, 안정적이며 지속되는 성장, 사사롭지 않은 국가. 진보 진영은 그런 상징이 사기라고 말하고 싶겠지만, 사기라고 말한다고 해서 이미 상징이 된 걸 해체할 수는 없다. 이제 보수가 아무리 노무현을 뭐라고 해봐야 노무현의 상징이 해체되지 않는 것처럼. 그래서 그녀를 국가주의

자라고 공격하는 건, 국가주의에 대한 모독이라고 봐.(웃음) 국가주의도 나름의 투철한 철학이 있다고. 그녀의 국가주의는 아버지와 국가를 동일시한다는 점에서 오는 착시야. 그건 국가주의가 아니라 아버지주의지.(웃음) 거기에 일말의 국가주의가 남아 있다면 그건 가훈의 영역이라고 봐야 하고.(웃음)

그건 국가주의가 아니라 아버지주의.

지 _ 그걸 보여주는 게, 지난 17대 총선에서 대전 유세 중 커터 칼로 피습당했을 때 아닌가? 수술 후 첫마디가 "대전은요?" 했다는.(웃음)

김 _ 박정희 서거 후 첫마디가 그거였다고 하잖아. "휴전선은요." (웃음) 어린 시절 아버지가 밥상에서 '가뭄 들면 어느 지역에 양수기를 보내야 하는데.' 하는 소리를 매일 듣고 자랐다고 하잖아. 국가는 엄격하고 자애로운 아버지가 다스리고 보살펴야 하는, 아버지의 소유였다고. 그렇게 스물일곱까지 바깥의 진짜 세상으로부터 차단된 채, 아버지가 구축한 빈틈없는 질서 안의 가짜 세상에 완벽하게 갇혀 자랐다고.

그래서 내가 박근혜에게 국가는 아버지의 유산이라고 하는 거야. 그래서 그녀에게 정치가 제사이자 효도라고 말한 거고. 또 그래서 그녀에게 국가는 곧 아버지라고 말하는 거지. 아버지가 없는 세상에선 아버지가 남기고 간 것이 아버지를 대체하는 법이니까. 사람들은 흔히 먼저 떠난 가족이 남기고 간 유물을 그 가족이라고 여기잖아. 마찬가지야.

이건 전형적인 엘렉트라콤플렉스로 설명할 수도 있어. 아버지로

닥치고
정치

부터 분리되지 못하고 영원히 아버지의 딸로 사는. 정신분석학적으로는 너무 똑 떨어져서 교과서에 실려야 할 정도의 케이스로. 이건 다른 말로 독립된 어른이 되지 못한 것이기도 해. 이런저런 일들을 겪어내며 부모로부터 정서적으로 독립된 인격체가 어른인 건데.

그러고 보니 옆길로 새는 것이긴 하지만, 그 독립으로 가는 여러 경험 중 가장 중요한 것 하나가 바로 연애라는 점도 부가적으로 언급해 두고 싶네.(웃음) 연애를 하기 전에는 모든 사람이 자기가 훌륭한 사람인 줄 알거든.(웃음) 자기 실체와 마주하는 데 연애만 한 게 없거든.

밥상머리 세계관.

지 _ 연애를 하면 자기가 얼마나 찌질한지 알게 되잖아. 오, 내가 이런 행동을 하고 있다고, 맙소사.(웃음)

김 _ 연애는 내가 가장 마음대로 하고 싶은데, 가장 뜻대로 안 되는 상대와 만나는 거거든. 거기에 어떻게 대처하느냐를 통해 자기가 누군지가 드러나지. 그걸 받아들이느냐 못 받아들이느냐는 별개의 문제지만. 그러면서 자신의 하이와 로를 경험하고 바닥과 경계를 확인하게 되지. 그 경계를 이어 붙이면 바로 자신의 실체지.

내가 이런 사람이라고 말하고 싶어 하는 자기가 아니라, 실제 있는 그대로의 자기와 만나는 거지. 자기 대면이지. 그렇게 더 이상 자기기만을 할 수 없는 임계를 지나야 사람은 비로소 성장하지. 합리화로 극복할 수 없는 임계점. 난 그런 맥락에서 박근혜가 자신이 어떤 사람인지 스스로 알지 못한다고 생각해. 결혼도 그런 관점에선 중요한 경험이지. 이혼은 더욱더 중요한 경험이고.(웃음) 결혼은 가짜고, 이혼은 진짜거든.(웃음) 결혼은 수만 가지 이유로 하지만 이혼은 오로지 혼자 하는 결정이거든.

연애와 결혼은 단편적인 예일 뿐이고. 우리가 겪는 무수한 일상과 삶의 갈등에 부딪혀 되돌아오는 자기 바닥을 확인하는 과정, 그건 자신이 구체적으로 어떤 인간인지 받아들이고 하나의 독립적 인격체가 되어가는 데 절대적으로 필요한 절차지. 그리고 그런 과정을 겪고 나서야 자신만의 균형 감각을 획득하는 거다. 내가 대통령에게 절대적으로 필요하다고 한, 삶의 균형 감각. 이런 말 하면 사람이 꼭 겪어야만 알 수 있는 게 아니라고 반론할 수 있어. 아니다, 겪어도 모를 순 있다.(웃음) 하지만 겪지 않은 건 아는 게 아니라 아는 척이다.

예를 들어보자. 이명박의 전설적인(웃음) 기획재정부 장관 강만수가 종부세를 결사적으로(웃음) 없앴잖아. 그 이유가 뭐냐. 강만수가 하도 종부세에 집착하니까 언론들이 취재하다가 기획재정부 간부에게서 이런 이야기가 나와서 보도된 적이 있어. 강만수가 야인으로 있을 때 종부세가 부과됐는데, 돈이 없어서 2,000만 원을 은행에서 대출해 납부한 적이 있다는 거야.(웃음) 당시 공직에서 물러난 뒤 집만 하나 있고 수입은 없는데 세금이 많이 나오자 종부세가 문제가 있다고 생각하게 됐다는 거지.

**닥치고
정 치**

강만수는 그 경험을 바탕으로 기획재정부 장관이 된 뒤, "부자와 서민이 똑같이 재산을 나눠 갖자는 것 아니냐. 소련이 그래서 망했다."고 했어.(웃음) 그래서 강만수는 자신을 기준으로 1,500만 원 정도 내던 걸 300만 원만 내게 만들었지.(웃음) 이런 게 구체적 삶을 통해 축적되는 강만수의 균형 감각이다.(웃음) 종부세 대상이 대한민국 전국 가구의 2퍼센트에 불과한데.(웃음) 그 균형 감각이 자신이 갇힌 구조와 프레임과, 세금 많이 내는 건 사회주의다,(웃음) 와 결합해 그런 결정을 한 거야.

> 어떤 구체적 삶을 살아왔는가가 결국 그의 정치가 된다.

구조와 프레임을 통찰하지 못하고 구체적 삶과 인간이 없는 균형 감각이란 그렇게 허망한 거야. 이건 그나마 숫자로 제시하니까 그의 균형이란 게 얼마나 웃긴 줄 아는 거야. 숫자로 표시되지 않는, 구체적 삶을 충분히 겪지 않아 생기는 한계는 자명해. 그래서 구체적 삶이란 건 절대적으로 중요하다고. 어떤 구체적 삶을 살아왔는가가 결국 그의 정치가 될 수밖에 없다고. 박근혜는 그런 과정이 절대적으로 부족하다.

지 _ 자연인으로서 공감 능력이 떨어진다고 할 사례가 있을까?

김 _ 그런 사례가 겉으로 보이지 않는다는 게 그녀의 장점이지. 아니 작전이지. 꼭 필요한 말을 제외하고는 하지 않잖아. 박근혜의 한계도 따라서 감춰지지.

지 _ 그렇다면 그녀의 세계관은 어떤 거라고 봐야 해?

김 _ 그녀의 세계관은 어릴 때 밥상머리에서 아버지를 통해 구축된 이래 변한 적이 없다고, 나는 봐. 그 세계관을 뛰어넘거나 수정할 만큼 임팩트 있는 삶의 궤적이 없잖아. 밥상머리에서 아버지에게 배운 걸 고스란히 지키고 있다는 게 장점일 수 있다. 물론 독재자 아버지로부터 배운 원리가 무슨 자격으로 원칙의 범주에 들어갈 수 있겠는가, 하는 반론이 가능하겠지만, 독재자 아버지도 어린 딸한테는 원칙의 화신이 될 수 있다. 그런 반론은 진보 진영에 지적 만족을 주는 것 이외엔 별다른 대중적 설득력도 못 가지니까 패스.

어쨌거나 바로 그 장점 덕분에 사사롭지 않다는, 이 시대가 요구하는, 이미지를 선취하게 된 거지. 그래서 난 이 사람이 대통령이 되는 게, 대단히 위험하다고 생각해. 원칙, 좋다 이거지. 그런데 진짜 본질은 어떤 원칙이냐 하는 거거든. 그 원칙의 내용에, 복잡하고 다면적인 삶, 그 구체적 경험과 그로 인해 축적된 균형 감각이 보이지 않는다는 거야. 박근혜에게서 그런 걸 본 적 있나. 있으면 누가 말 좀 해줘.(웃음)

그런 구체적 생활인의 실제적 고민이 있은 다음에야, 거기에 스스로 감정이입해, 그 고민을 해소하기 위해 나는 이러저러한 내용의 원칙을 지킨다 하는 게 정해져야지. 정치의 출발지점이 바로 거기야. 그런데 그녀에게는 원칙의 내용을 채울 구체적이고 절박한 일상과 삶이 없다. 이건 책, 영화 같은 간접경험으로 획득될 수 있는 게 아니야. 그게 가능하다면 좋은 영화만 실컷 보여주면 좋은 대통령 되게.(웃음)

**닥치고
정 치**

반면 진보 진영의 가장 큰 장점은 바로 그거거든. 내가 직접 겪고, 그래서 내가 감정이입해, 같은 처지에 있는 사람들이 애처롭거나, 그들에게 미안하거나, 부채 의식을 느끼거나 해서 만들어지는 게 진보 정당의 정책들이거든. 그걸 제대로 프레젠테이션하지 못한다고 질책할 수 있지만, 그리고 그런 데서 스스로 느껴버리는 도덕적 우월감과 그로부터 출발하는 죄의식 마케팅이 진보 진영의 가장 큰 약점이긴 하지만.

그런데 박근혜의 출발 지점은 구체적 삶이 아니야. 그래서 박근혜의 언어는 언제나 공중에 붕 떠 있어. 지상의 언어가 아니야. 그녀는 일부러 신비주의를 구사하는 게 아니야. 언어에 실체가 없으니까, 경험으로 구체화된 사람이 아니니까, 비현실적인 하나의 캐릭터라서 그런 거지. 그러니까 그녀를 신비롭다고 느끼는 사람들이 있는데, 그 감각은 민속신앙의 영역에 가깝다고 봐야지.(웃음) 절간의 사천왕상이 신비로운 것과 같은 감각이지.(웃음)

지 _ 생활에 대한 구체적 감정이입이 없어서 정치와 정책이 공허할 수 있다는 거야?

김 _ 바로 그게 박근혜의 가장 결정적인 문제지. 아버지의 유산인 추상적인 국가를 위한다는 생각에서 출발해, 그 속에 사는 사람들의 구체적 삶에 대한 이해와 감정이입 없이 정치를 하게 되면, 어떤 정치와 정책이 사람에게 왜 필요하고 그게 실제 인간에게 어떤 실제적 임팩트를 주는지 추론할 능력이 없다. 자기가 하는 일이 사람들에게 미치는 진짜 영향을 자기는 이해를 못한다고.

이명박은 자기가 하는 일이 자기한테 어떤 이익을 주는지 명백하게 알잖아.(웃음) 그로 인한 타인의 피해에 개의치 않는 사이코패스일 뿐.(웃음) 그래서 이명박이 나쁘다는 건 금방 직관적으로 깨닫게 되거든.

그런데 박근혜의 경우는, 자기 스스로는 선의로 점철된 행위를 하는 거거든. 자신과 같이 죄 없이 종부세로 고통 받는 사람들을 위해 분연히 나선 선의의 강만수처럼.(웃음) 하지만 중세의 한 수도승으로부터 비롯된 영국 속담이 있다. "지옥으로 가는 길은 선의로 점철되어 있다."고.

> 자기 스스로는
> 선의로 점철된 행위.

난 박근혜에게서 '예수천국 불신지옥'을 외치는 자들의, 타인에 의해 설득될 수 없는, 스스로는 제 선의를 의심하지 않는, 그래서 폭력적이고 일방적인 선의를 본다. 자기 선의를 부정당하는 순간, 자기 부정이 되고, 아버지에게 드리는 제사의 진심마저 부정되는 정신적 사이클. 아, 위험해.(웃음)

사과, 않다.

지 _ 박근혜 초기 때 보면 '아버지 시대를 어떻게 평가해?'에 대한 대답이, 다른 정치인을 판단하는 기준이었던 것 같은데, 나중에는 DJ에게 "아버지 시대에 고통당한 부분에 대해 사과한다."고 했거든. 진화했다고 볼 수 있는 건가?

김 _ 초기엔 피아를 식별하는 과정이었지. 아버지의 공화당이 이것 저것 덕지덕지 붙어서 신한국당이 되어 있던 상황이잖아. 더구나 그곳 엔 아버지와 대결했던 김영삼의 무리(웃음)도 대거 포함되어 있었다고. 그러니 누가 아군인지 적군인지 구분부터 해야지. 처음엔 그 과정이었 고. 나중에 DJ에게 사과한 것은, 정치적으로는 진화된 제스처라고 할 수 있지.

그런데 그게 아버지 시대를 반성한 것은 아니지. 그랬다면 아버지 시대에 대한 성찰이 있었어야지. 이건 진보 정당이 박근혜더러 정책을 사과하라는 차원이 아니잖아. 박정희 독재로 다치고 고문당하고 죽은 사람이 얼마나 많아. 자신이 아버지의 시대를 자신 있게 긍정한다면 더 욱 사과할 일이야. 아버지의 정치와 아버지의 시대를 반성하면서도 여 전히 자연인 아버지를 존중할 수 있는 거야. 그런데 그게 분리가 안 된 다는 소리지. 이걸 구분하지 못하는 건 지성의 문제이기도 해. 그래서 내가 그녀의 정치를 제사라고 하는 거야. 정치가 효도인 이상 그 구분 이 안 되거든.

만약 인간에 대한 깊은 이해와 연민과 애정과 예의를 가진 사람이 라면, 아버지의 독재로 죄 없이 죽어간 사람들에게 진심의 사과를 하지 않을 수가 없는 거야. 하지만 박근혜는 명백한 사법 살인으로 판명된 인혁당 사건에 대해서조차 사과하지 않아. 증거가 없단 식으로 변명했 어. 인간에 대한 본질적 예의라는 관점 하나만 따져도 낙제다. 만약 이

책이 대박난다면,(웃음) 이 책을 읽고,(웃음) 사과할 수도 있겠지. 하지만 그땐 늦었지. 그건 예의가 아니라 표 관리니까.

더구나 정치는 자신이 대변할 사람들을 어떻게 챙길 것인가에서 출발해, 자신이 대변하지 않는 사람들을 어떻게 상대할 것인가로 마무리된다. 그런데 그녀는 그녀 정치의 출발점인 아버지로부터 꼼짝도 않는다. 아버지를 인정하지 않는 사람들을 상대하지 않는다. 그녀의 정치는 그래서 대단히 위험하다. 다만 아버지가 독재자였다고 딸의 정치적 기회가 자동으로 박탈되어야 한다는 주장엔 난 동의할 수 없어.

지 _ 그것도 일종의 연좌제니까. 박근혜 비판자가 가장 흔히 하는 말이, 박정희가 역사적 심판을 받아야 할 사람인데 어떻게 독재자의 딸이 다시 대통령을 하느냐는 비판이잖아.

김 _ 자동으로 박탈되어선 안 된다는 건 이런 소리야. 정치인이 될 자격은, 공직선거법에 위배되지 않는 한, 선거제도를 통해 그 사회의 구성원이 주는 거다. 기분 좋은 선택이건 화가 나는 선택이건, 그 관문은 누구에게든 열려 있어야 하는 게 민주주의야. 여기까진 당연해. 그런데 독재자의 딸이라면 그 자격부터 제한되어야 하는 게 아니냐.

독재에 대한 단죄는 선거가 아니라 국가내란죄로 하는 거다. 불행히도 그 단죄의 기회를 우린 놓쳐버렸어. 만약 박정희의 독재가 단죄되었더라면, 박근혜에게 누구도 시비 걸 수 없는 정당한 자격이 주어질 수 있었다. 그랬다면 박근혜에게도 구체적 삶이 있었을 거야. 재산을

**닥치고
정 치**

몰수당했을 테니까.(웃음) 조 단위라는 박근혜의 재산은 자신이 일해서 번 게 아니다. 아버지의 독재가 남긴 거지.

하지만 우린 그 기회를 놓쳤어. 그리고 그사이 이미 대중은 박근혜에게 그런 자격을 준 지 오래다. 난 그래서 그 말은 박근혜가 아니라 박근혜에게 그런 자격을 준 사람들에게 해야 하는 거라고 봐. 하지만 이제 독재자의 딸이라는 공격은 마케팅적으로 유효하지도 않고, 무엇보다 역사는 되돌릴 수가 없다.

지 _ 민감한 현안에 언제나 말을 아끼는 건 어떻게 봐?

김 _ 민감한 현안에 대해 말을 아끼는 게 아니라 할 말이 없는 거다.(웃음) 물론 지나친 노출로 피로도를 높이거나 실수를 해선 안 된다는 정치적 관리의 필요성도 인정할 수는 있어. 누구나 그 정도 지지율이면 그렇게 관리하지.

그런데 그렇게만 양해할 순 없어. 예를 들어 이명박의 미국 쇠고기 수입. 그건 국가가 국민의 안전에 대해 어떤 기준을 가져야 하는가를 놓고 벌어진 대단히 중요한 정치적 사건이었어. 그런 거야말로 그녀가 그렇게 마케팅하는, 원칙의 문제지.

그 일은 촛불과 위생 안전과 미국과 FTA와 정권의 안위가 모두 함께 혼재해서, 대단히 복잡한 욕망이 마구 뒤섞여 실시간으로 벌어진 거대한 정치 현안이었어. 그런데 그녀가 그 사건을 통틀어 한 말이라고는 "근본 대책이 나와야 한다."는 원론 하나야. 당시 그녀의 관심은 친

박의 복당 문제였다. 그즈음 내내 복당만 이야기해서 별명이 '복당녀'였어.(웃음)

원칙이란 말은 그렇게 복잡하고 혼란스러운 사안일 때에야말로 자신만의 분명한 철학을 드러내라고 존재하는 단어야. 자신은 다치지 않고 적당히 안전한 스탠스를 취하기 위한 변명으로 쓰일 말이 아니라고. 그건 원칙이 아니야. 하나 마나 한 말이지.

지 _ 박근혜는 내용 있는 원칙을 제시할 리더는 못 되는 거네?

김 _ 난 진보가 10년은 더 집권한 뒤 박근혜가 집권한다면 걱정하지 않겠어. 그렇게 국가의 기본적인 프레임이 건강한 프로세스로 작동하고 있다면. 그런데 진보 진영의 집권은 건국 이래 겨우 10년이었거든. 나머지 모든 세월을 보수가 집권했어. 대한민국의 기본 구조는 그들이 설계했고 그 프레임 위에서 지금도 움직이고 있어. 게다가 이명박이, 겨우 진전됐던 그 10년을 간단히 30년 전으로 되돌리잖아. 다행인 것은 이명박 덕분에 사람들이 자기가 얼마 전까지 당연하게 누리고 있던 것들이 사실은 굉장히 어렵게 획득된 것이었다는 사실을 깨닫게 되었다는 거. 굉장히 고마운 사람이야.(웃음)

지 _ 이명박이 트로이의 목마라는 소리구나.(웃음)

김 _ 정치를 모르면 내가 생활에서 겪는 스트레스의 근원을 모르는

닥치고
정 치

거라는, 어떤 진보 인사도 어떤 이데올로기도 달성하지 못했던, 그 대중적 각성을 이명박이 단독으로 해냈다.(웃음) 이명박에게 역사의 큰 빚을 진 진보 진영은 집권하면 이명박 기념주화를 찍어야 한다.(웃음)

그런데 박근혜는 지금 사람들이 당연하게 누렸던 수많은 것을 일순간 하릴없이 박탈당해, 온몸으로 느끼고 있는 거대한 결핍과 고통이 어떤 것인지, 그 우울하고 패배적인 정서의 실체를 모른다. 그런 일상을 살지 않았기 때문에. 역사가 정상 궤도로부터 얼마나 이탈했는지 그 이탈 거리를 측정할 구체적 생활의 감각이 없다. 그 감각을 정책으로 반영하는 게 정치다. 이것이 없는 사람이 다시 한 번 정권을 잡는다는 건 대단히 위험하다.

그나마 세종시 문제에 대해 분명하게 발언한 것은 정치공학적으로 충청 표심 때문이라고 할 수밖에 없는 것이, 이명박이 약속을 지키지 않았다고 했는데, 이명박이 약속을 지키지 않은 게 얼마나 많은데 그것만 얘기하냐고.(웃음)

진짜 위험하다.

지 _ 정치조직이 팬클럽처럼 만들어지기도 하잖아. 친박연대처럼.(웃음) 친박 세력은 어떻게 봐야 해?

김 _ 박근혜의 정치적 철학과 입장 때문이냐. 그들도 박근혜의 철학이 뭔지는 몰라.(웃음) 뭘 제대로 밝힌 적이 있어야 알든가 말든가 하지.(웃음) 그 사람들 모아놓고 박근혜의 철학이 뭔지 구체적으로 쓰라고 시험 쳐봐. 전원이 한 페이지 못 넘긴다.(웃음) 쓸 게 없어.(웃음) 국민과의 약속은 지켜야 하며, 국가는 번영해야 하고, 외세로부터 우리를 보호해야 한다. 딱 세 줄 쓰면 끝이야. 그거 정말 좀 시켜봤으면 좋겠어.(웃음) 그런데도 왜 친박이 유지되느냐. 우선 지지율이지. 너무도 당연히.

두 번째로는 박근혜의 품성. 만약 자연인 박근혜만을 이야기한다면, 박근혜는 나쁜 사람이 아니다. 동물원 같은 보수의 소굴에서 그 정도면 자연인으로 품격 있다. 그 아저씨들이 좋아할 만하다.(웃음) 일종의 가부장적 판타지지.(웃음) 세 번째로는 과거 주군의 딸이라서.(웃음) 혹은 그런 이미지라서. 마치 유비가 유방의 후손이란 이유 하나만으로 그를 옹립해 그로부터 득을 취하려던, 삼국지 시대에서 한 발짝도 못 나아간 멘탈리티지. 네 번째는 박근혜가 아버지에게 물려받은 것 중 살아남는 데 중요한 역할을 하고 있는 건데, 누구에게도 일방적인 힘을 실어주지 않고, 힘을 항상 자기 중심으로 유지하는 기술.

지 _ 그걸 박정희의 용인술이라고 했잖아.

김 _ 뭐 용인술까지야. 전 세계 독재자들이 다 그래.(웃음) 다 내 맘대로 하면 되는데 미쳤나, 힘을 나눠주게.(웃음) 어쨌거나 그렇게 해서

서로가 서로를 견제하게 하고 경쟁시키고, 그 결과 자신에게만 충성하게 만드는 등거리 인간관계 기술. 이게 아버지에게 물려받은 품성인지, 아버지를 보며 후천적으로 터득한 기술인지 모르겠으나, 어쨌든 그 효과는 동일해.

박정희는 그랬잖아. 어느 누구한테도 힘을 실어주지 않았지. 자신의 권한을 위임하거나 후계자를 양성하거나 민주적 절차에는 관심이 없었으니, 그럴 이유가 없었지. 박근혜도 그 양태가 똑같다. 누구도 박근혜와 특별히 가깝지 않다. 친박계의 불만이기도 하지만 동시에 친박이 살아가는 법이기도 하지. 사실 친박은 그걸로 고민할 이유가 없어. 어차피 구체적 지침이 박근혜한테서 나오지 않아. 박근혜에게서 복잡한 현안의 본질을 실시간으로 간파하는 통찰력을 본 적 있나. 있는 사람 나한테 연락 좀 해줬으면 해.(웃음)

지 _ 친박 진영한테도 결국 집권해서 이권이 나뉘는 것만 중요한 게 되는 건가?

김 _ 모든 보수 권력은 그걸 목표로 하니까, 박근혜의 세력만 그럴 거라고 말하는 건 부당하지. 오히려 박근혜는 4대강 같은 짓은 하지 않을 거야. 4대강은 완전히 이권의 문제니까. 박근혜 개인으로선 돈에 얽매일 이유가 없어. 돈도 이미 충분히 많은 데다 그녀 우주의 중심은 아버지이지 돈이 아니니까.

지 _ 그렇긴 해도 박정희 시대 자체가 재벌들에게 특혜를 줘서 경제를 육성한 거잖아. 그걸 보고 자란 사람이니 한계도 있지 않을까?

김 _ 이명박으로 대표되는 겁먹은 동물들이 그렇게 하는 건 그게 자신들한테 명백한 이익이 되기 때문이라면, 박근혜가 그렇게 한다면 그건 국가를 위한 길이라고 스스로 생각하기 때문이라는 차이가 있겠지. 난 박근혜가 경제 권력에 고개를 숙이지는 않을 거라고 봐. 의식적으로는. 다들 아버지가 키운 장사꾼들이니까.(웃음)

박근혜의 국가엔 내용이 없다.

하지만 결과는 똑같다. 박근혜의 국가엔 내용이 없다. 그런데 재벌은 이미 지난 수십 년간 치밀하게 개발해둔 프레임이 있다. 재벌이 잘돼야 투자가 활성화되고 중소기업이 살아나고 고용이 창출된다는, 재벌경제론. 박근혜에겐 아버지 시대 이래로 지난 수십 년간 정교하게 개발되어온 그 프레임을 스스로 그 근본부터 뒤집을 만한 정치적이고 경제적이며 인문학적인 통찰이 없다. 그런 게 있다면 벌써 아버지 시대를 반성했다.

예를 들어보자고. 이명박은 재벌의 요구로 고환율 정책을 썼어. 물가 올랐어. 사람들 힘들었어. 하지만 수출 잘됐어. 재벌들 돈 벌었고. 경제지표 그 폭만큼 개선됐어. 그리고 재벌은 그 돈을 자기 금고에 쌓아뒀지. 애초의 재벌 논리대로라면 그렇게 벌어서 국가 경제 위해 과감하게 재투자해야 하는데, 거기서부터는 입 싹 씻어. 당연하지. 재벌이 국가 편이라는 건 새빨간 거짓말이니까.

닥치고 정 치

그래서 이명박은 짜증을 냈지. 왜 잘해줬는데 투자 안 하냐고. 아니 재벌이 왜 그래야 해. 잘해주면 땡큐인 거지.(웃음) 그리고 뒷돈은 갔을 거 아냐.(웃음) 이건 이명박 자신이 갇혀 있는 프레임에 스스로 속은 거지. 이명박이 자기가 취임하면 주가가 5,000이 되고 투자가 일어난다고 했었는데, 이명박은 그걸 믿었어. 스스로도 그 프레임에 갇혀 있으니까. 그러나 재벌의 돈은 언제나 자기 금고가 최종 목적지지. 삼성은 이건희 금고.(웃음)

난 사실 재벌들에게 국가 경제를 위해 일하라고 요구하는 것 자체가 어리석다고 생각해. 기업은 시장의 룰을 지키는 한도 내에서 합법적으로 열심히 일해 이윤을 남기면, 그걸로 제 소임을 다한 거라고 생각해. 사회적 책무 언급하면서 기업에 윤리적 요구를 하는 이유를 이해는 하는데, 재벌을 그런 윤리적 요구를 할 수 있는 대상으로 여기는 사고는, 역으로 재벌이 국가 경제를 위해 일하겠다는 논리가 통용될 공간을 만들어준다고. 국가 경제를 위한다는 것 역시 그 자체로는 윤리적 결단이니까. 본질적으로 같은 영역이라고.

기업은 국가를 위해 존재하는 게 아니고, 그걸 요구해서도 안 되고, 다만 그들이 시장의 룰을 지키며 각자의 욕망에 충실한 것이 결과적으로 국가에 이익이 되도록 시스템을 건강하게 만들면 되는 거라고, 난 생각해. 그러니까 특정 기업이, 그 기업의 구성원들에 의해, 자발적으로 사회적 책무를 스스로에게 부과하는 건 대단히 반가운 일이지만, 그걸 국가 단위에서 요구하는 건 그 폐해가 크다, 난 그렇게 생각하는 쪽이야.

어쨌건 다시 박근혜로 돌아와서, 하나의 예로, 박근혜에게 과연 고환율 정책을 써야 한다는 재벌들의 은밀한 요청을 등에 업은 각료와 보좌진의 주장을 자신만의 프레임으로 걸러내서 그것이 갖는 모순과 한계를 깨닫고 그 방향성을 틀어낼 만큼의 지성이 존재하는가. 그녀가 정치를 시작한 게 몇 년인데, 난 단 한 번도 그녀에게서 그러한 기미나 흔적조차 발견한 적이 없다.

그래서 결국 똑같다.

그래서 결국 똑같다. 열심히 재벌들 이용해 자신도 배 불리겠다는 이명박이나, 아버지가 키워준 장사꾼들이라며 심리적 우위에 서서 고고하게 국가를 거론하는 박근혜나, 그들이 결국 도달할 지점은 똑같다. 재벌과 그들이 장악한 언론은 박근혜를 다루는 법을 금방 터득한다. 이명박을 움직인 게 이권이라면, 박근혜를 움직이는 건 국익이란 실체 없는 관념이란 걸. 만약 박근혜가 자신의 재단을 유지해온 경험을 살려 국가와 재벌의 적극적 제휴를 도모한다면, 그 결과가 더 나빠지겠지.

그러므로 부의 편중과 재벌 특혜는—현재 우리나라 10대 재벌이 얼마나 대한민국을 독식하고 있느냐, 10대 재벌의 자산 규모가 국내총생산(GDP)의 76퍼센트 수준이다.—그들이 그걸 관철시키는 문법은 설혹 달라지더라도, 지속 강화될 것이다. 그래서 박근혜가 바꿀 수 있는 기득의 구조는 없다. 박근혜가 구조의 관점에서 이명박 이전의 세상으로 대한민국을 돌려낼 거란 기대는, 그래서 할 수 없다. 그런데 더욱 위험한 것은 그것이 박근혜의 잘못이라는 것을 알아채기가 매우 어렵다는 거다. 그녀는 이명박과는 다르게, 말을 하지 않으니까.(웃음)

**닥치고
정 치**

결론적으로 박근혜가 이명박처럼 엄청나게 예외적으로 나쁜 사람이어서가 아니라,(웃음) 박근혜가 맞부딪혀 개선해야 할 근본 문제들은 결국 구조의 문제이고 프레임의 문제이나, 그건 사회경제적 통찰 없이는 볼 수가 없는 것이고, 자신이 보지 못하는 것과 싸울 수는 없는 법이다. 설사 본다 해도 자기 철학이 없이는 개선할 수가 없다.

그러한 구조가 결국 개개인의 구체적 삶을 옥죄고 괴롭히는 건데, 박근혜에겐 우리네 평균적 일상과 삶에 감정이입할 수 있는 경험이 거의 없고, 그 경험 없이는 인간에 대해 깊이 이해할 수 없고, 그 이해 없이는 내용 있는 자기 철학도 없다. 그런 자기 철학 없이는 인간을 위할 수가 없는 거다.

그러므로 박근혜의 집권은 보수 구조를 더욱 공고히 할 것이다. 앞에 나서지 않는 박근혜의 스타일로 인해 이명박처럼 명백하게 잘못의 책임자로 지목할 사람이 눈에 띄지 않을 테니까 범인 색출이 더욱 어려워질 것이다. 그럴 경우 사람들은 원래 있던 그대로의 구조에 천착하게 된다. 구조란 원래 그렇다. 그러므로 난 대한민국 보수 진영이 온몸으로 박근혜를 얼싸안고, 그녀의 당선을 위해 진심으로 총력전을 펼쳐야 한다고 본다.(웃음)

> 박근혜를 얼싸안고 총력전을 펼쳐야 한다.

비련의 개인사.

지 _ 그런데 진보 진영에선 막상 대선 때가 되면 거품이 빠질 거란 말도 나오잖아.

김 _ 지지율은 높지만 내용이 없어서 토론회 같은 기회를 통해 깨질 거라고 생각하는 건데. 난 그거 착각이라고 본다. 대단히 어려운 상대다. 맨 앞에서 재클린 이야기했잖아. 정말 이기기 어려운 게 그런 정서의 힘이다. 논리는 일개 네티즌이 게시판에서도 완벽하게 깰 수 있다고. 하지만 그게 뭐. 그래서 세상이 바뀌나.

집단 정서는 거의 무의식의 영역이라 그런 식으로 무너뜨릴 수가 없다. 그녀를 지탱하고 있는 정서의 힘은 그녀의 지지율을 최하 15~20 퍼센트대로 유지시킨다. 그 사람들은 안 떠나. 박근혜가 어떻게 하든. 그런데 지금 야권에서 가장 높은 지지율을 보이는 손학규도 거기에 못미쳐. 박근혜를 싫어할 수는 있어. 하지만 무시해서는 안 된다.

지 _ 그럼 대체 박근혜에게 대항하는 쪽은 어떤 수로 싸워야 하는 거야?

김 _ 어려운 일이야. 그녀가 겪지 못한 삶이 그녀 잘못은 아니니까. 거기에 비련의 개인사가 있으니까. 그래서 태도가 중요해. 태도에서 실패하면 실패해. 그리고 독재자 드립, 멍청하다.(웃음) 대통령에게 요구

닥치고
정 치

되는 자질과 경험이 왜 부족한지를 차분한 태도로 설명해야 해. 박근혜 지지자 20퍼센트를 제외한 나머지에게. 박근혜와 싸울 게 아니라.(웃음)

그녀는, 남친 때문에 고민해본 적 없고, 섹스 트러블로 고민해본 적 없고, 결혼 때문에 고민해본 적 없고, 결혼해본 적 없고, 결혼 이후의 애정 문제로 고민해본 적 없고, 아이 낳아본 적 없고, 아이 교육 때문에 고민해본 적 없고, 이혼할까 고민해본 적 없고, 고부 갈등 겪어본 적도 없고, 시댁과 불화 겪어본 적 없고, 전세금 고민해본 적 없고, 대출 상환 고민해본 적 없고, 급여 문제로 고민해본 적 없고, 내 집 마련 고민해본 적 없고, 선생님 촌지 줘본 적 없고, 남편 승진에 스트레스 받아본 적도 없고, 자기 취업 고민해본 적 없고, 자식 취업 고민해본 적도 없고, 자식 결혼 고민해본 적 없다. 그럼 일반적인 삶의 고민 중 최소 90퍼센트는 해보지 않은 거거든.

지 _ 정말 약점이네.

김 _ 약점 정도가 아니지. 대중정치인 자격이 없는 거지. 사실 박근 혜는 공주가 맞거든. 그녀가 공주라는 걸 드러내고 이제 공주를 모시는 시대가 아니라는 점을 대중에게 납득시켜야지. 박근혜는 엄밀히 말해 정치적 보수라고 분류하는 것도 맞지 않아. 흔히 보수의 근본 동력인 집요한 소유욕, 독점욕, 권력욕, 지배욕, 위계와 질서에 대한 열망이 그녀의 핵심 동력이 아니거든. 계속 말하잖아. 아버지의 딸이라고.(웃음) 그게 그녀의 정치적 정체성이야.

또 한 가지 포인트는, 이명박을 심판할 수 있겠는가 하는 점. 이번 대선의 의미는 차기 집권 세력을 선출한다는 것 이상으로 이명박 심판이 키포인트야.(웃음) 통상 과거가 아니라 미래를 이야기하는 쪽이 대선에서 이겨왔으나, 이번에는 아니야. 과거와 미래를 동시에 이야기해야 해. 이명박 심판을 반드시 짚고 가야 해.(웃음) 해소되지 않은 그 거대한 감정을 그냥 덮자는 쪽은 못 이긴다.

그래서 박근혜의 최대 리스크가 바로 이명박이야.(웃음) 이명박은 절대적으로, 압도적으로, 이명박 편이거든.(웃음) 이명박은 보수의 재집권 자체에도 관심 없어. 그것이 자신의 퇴임 이후 안전을 어떤 식으로 보장할 것인가 하는 관점에서만 관심 있지. 그런데 이명박은 박근혜를 믿지 못해. 원래 아무도 믿지 못하지만 집권 내내 박근혜 쪽을 감시해온 전력이 있고, 박근혜 쪽은 이명박의 떡고물을 거부해왔기 때문에 이명박의 영향력이 미치지 않는다고.

이명박은 박근혜를, 자신의 떡고물이 영향력을 미칠 인물로 대체하기 위해 끊임없이 시도할 거라고 나는 예상하는 바이다. 간만에, 미래 소설이지.(웃음) 박근혜와 유화 제스처를 취하면서 동시에 그 압박도 진행할 거야. 그것이 진보 진영 이상으로 박근혜에게 위험 요소가 될 거다. 이명박의 욕망은 인간의 것이라고는 믿어지지 않을 만큼 저열하게 치열하거든.(웃음)

> 박근혜의
> 최대 리스크가
> 바로 이명박.

불쏘시개들.

지 _ 한나라당 내에서 박근혜에 대항할 인물은 없는 건가? 거기도 홍행 메이커가 필요하다고 생각할 것 아냐? 한나라당의 불쏘시개.(웃음)

김 _ 김문수하고 오세훈 정도가 있는데, 우선 김문수는 한나라당 판 손학규야.(웃음) 그래서 김문수가 한나라당의 대선 후보가 되어 대통령이 되는 건 매우, 어렵다. 사실상, 불가능하다.(웃음) 사실 김영삼의 3당 합당이 없었다면 김문수와 이재오는 지금 민주당에 있었을 인물들이지. 그들이 지금 보여주는 정도의 보수성은 지금 민주당 내에선 티도 안 나기도 하고.(웃음) 아니다. 그 성향으로 볼 때, 이재오는 민주노동당, 김문수는 진보신당에 있을 가능성도 있다.

> 대부분의 역사는 찌질한 사감으로 움직인다.

노동운동을 하며 민중당이란 진보 정당을 꿈꾸던 그들이 김영삼의 당에 입당하게 된 건, 구소련 무너지면서 정신적 타격도 물론 받았겠지만, 섭섭해서지. 당시 그들은 쩨쩨한 김대중을 조조, 통 큰 김영삼을 유비 정도로 이해하고 유비에게 몸을 의탁한 거였다고 봐.(웃음) 역사가 대의와 명분으로 움직인다고 생각하면 착각이다.(웃음) 대부분의 역사는 찌질한 개인 사감으로 움직인다.(웃음)

지 _ 그래도 유시민이라는 강력한 라이벌을 7퍼센트 이상의 표 차로 이겼잖아. 한나라당이 참패한 선거에서.

김 _ 상대가 유시민이었으니까. 김진표였으면 김문수가 졌다. 유시민은 드라이브도 강하게 걸리지만, 안티드라이브도 강하게 걸리거든. 물론 심상정과의 단일화가 늦어진 바람에 잃어버린 표도 많았지만, 근본적으로는 유시민 본인의 경쟁력 문제라고 봐. 당시 경기도 지자체장들이 당선된 걸 봐도, 그 표만 그대로 가져왔어도 유시민이 이기는 거였다고. 김진표라면 민주당 표를 고스란히 가져올 수 있었겠지. 그때는 이명박이 미워서 한나라당 아닌 것을 미는 선거였으니까. 적어도 7퍼센트의 인구는 이명박에 대한 반감 이상으로 유시민에 대한 비호감이 강하다, 그렇게 분석하는 게 맞지.

하지만 이건 결과론적인 분석이기도 해. 왜냐면 당시 유시민은 야권 대선후보 지지율 1위야. 유시민 바람이 분 게 사실이야. 그 덕에 존재감 없던 무기력 민주당이, 그 바람을 탄 대중의 열망 위에 업혀 갔거든. 한 것도 없이.(웃음) 그래서 당선된 민주당 지자체장들은 참여당 표를 가져갔어. 유시민 덕이지. 하지만 유시민은 민주당 표를 가져가지 못했지. 민주당은 유시민이 민주당과는 합치지 않을 거라는 걸 안 순간부터 유시민 안티를 시작했거든.

그러니까 유시민이 민주당으로 나왔다면 당선됐을 거라고. 그 점에서 유시민의 개인 경쟁력 탓만 하는 건 불공정하지. 그리고 유시민 비호감 일부는 바로 민주당이 생산해낸 거란 측면에서 민주당은 비열했고. 그 선거를 통해 민주당이 입증하고자 전력을 다했던 건 어쨌거나

**닥치고
정 치**

야당은 민주당 브랜드를 달아야 한다는 거거든. 산전수전 다 겪은 선거 베테랑 민주당의 야비한 전략이 아마추어 정당의 열정을 주저앉힌 거지. 하지만 그것까지 돌파하진 못했으니, 유시민의 경쟁력 문제란 총론은 유효해. 아, 최근 몇 년간 유시민은 억울하구나.(웃음)

지 _ 그럼 오세훈의 행보는 어떻게 봐?(웃음)

김 _ 오세훈은 이명박의 미니미야.(웃음) 잘생긴 이명박.(웃음) 오세훈 행보의 모든 동기는 오로지 자기 자신이야. 그 점에서 완벽하게 이명박 미니미.(웃음)

지 _ 무상급식 관련해 아이가 알몸으로 식판 들고 있었던 광고를 내고 욕먹었었잖아.

김 _ 오세훈이 무상급식을 이슈로 걸고 나온 건, 그걸 통해 이번 대선에서 깜짝 후보로 등장하려는 거야. 무상급식 주민투표 해 봐야 절대 통과될 수 없거든. 그 숫자, 절대 안 나온다. 절대.(웃음) 오세훈도 당연히 그걸 알아. 시나리오는 이런 거야. 최근 보수 진영이 무상급식이란 이슈에 맞서지 못하고 일방적으로 진보 진영에 밀리고 있단 말이지. 보수 진영에서 보기에. 진보 진영이 제기하는 복지 프레임에 지고 있다고 생각하는 거야.
이때 그러한 복지 포퓰리즘에 저항하다가 장렬히 전사하는 보수의 전사가 되는 거지. 오세훈이 그리고 있는 그림은. 그러니까 그 거대한 장벽에 홀로 온몸으로 부딪쳐서는 실패하고, 그 결과에 책임을 지고 사퇴한다고 할 거야. 그럼 사람들이 막 말릴 거라고. 그러나 뿌리치고 홀연히 떠나는 거지.(웃음) 그렇게 멋지게 사퇴했다가 내년 어느 시점쯤, 박근혜가 흔들릴 때, 아니 이명박이 흔들 때,(웃음) 보수 단체들이 나서서 오세훈의 이름을 막 부르는 거지. 그럼 오세훈은 마지못해 끌려 나오는, 역사적 결단을 하는 거지.(웃음)

대충 그런 시나리오라고 본다. 이명박 기획에 오세훈 출연인지, 오세훈 기획에 이명박 출자인지는 모르겠다, 아직.(웃음) 그런데 이거, 실패할 거야.(웃음) 우선 내가 가만히 있지 않을 거야.(웃음) 그리고 오세훈은 똑똑해 보이지만 사실은 제 꾀에 자기가 넘어가는 스타일이야. 욕심 때문에 근시안적이고 잘아.(웃음) 써먹는 프로파간다를 봐도 그래. 대학 등록금 때문에 자기 허리도 휜다고 표현했잖아. 서민들이 자기를 동일시해주길 바라는 건데, 이런 거 나가면 바로 오세훈의 재산 나온다.(웃음) 자녀들이 대학 다니는 기간 동안 재산이 20억 정도 늘었어. 신고 재산만.

이건 뭐, 급속한 재산 증식으로 인한 요통이라고 봐야 하는 거지.(웃음) 이러면 바로 놀림감 되는데, 그걸 못 보고 오로지 자기 생각만 하니까 그런 수준의 선전을 하지. 딱 이명박.(웃음) 세금혁명당 만든 선대인이 그랬잖아. 서울시장 보좌진 시절, 2008년 초 미국발 금융 위기가 커지면서 서울시도 부동산 정책을 잘못하면 힘들어질 수 있으니 내부적으로 대비해야 한다고 말하니까, 오세훈이 듣고 있다가 그랬다는

닥치고
정 치

거 아냐. "그럼 펀드를 들어야 하는 거야."(웃음) 오세훈은 그런 사람이다.(웃음) 그런 이기적인 득실 계산에 매몰된.

얼마나 얄팍하고 이기적이냐. 노무현 영결식 노제 때, 사람들이 서울광장 열라고 난리를 쳤잖아. 서울광장은 서울시가 관리하는 시설물이야. 서울시장이 최종 결정권자야. 그런데 찾아온 시민 단체에게 오세훈이 그랬다고. "열어드리고 싶다. 하지만 경찰에서 반대한다." 말도 안 되는 소리지. 서울시장이 서울경찰청장보다 직급이 높다. 시설 관리 책임자가 열면 여는 거야. 하지만 당시 분위기에서 자기가 그걸 반대한다고 하면 자기만 욕먹잖아. 이명박과 함께 죽긴 싫은 거지.(웃음)

그래서 경찰청에 공을 넘겨버린 거지. 자기가 책임잔데. 이런 비겁한 경우가 있나.(웃음) 그전까지 경찰청은 서울시가 개방을 반대한다고 하고 있었거든. 그런데 서울시장이 경찰이 반대한다고 해버렸으니 결국 그 공이 경찰청 상급 기관인 행안부까지 넘어갔지. 하는 수 없이 행안부 장관이 나서서 변명을 했지. 노제 준비를 해야 하기 때문에 그전엔 광장을 열 수 없다고. 웃기고 있네. 자기들이 무슨 노제 준비를 해.(웃음) 오세훈 자신이 열거나 닫거나 했어야지. 책임자가 불리하다고 남한테 떠넘기면, 그 자리에 있을 자격이 없는 거지. 오세훈은 한마디로 리더의 덕목이 없다. 잔꾀 쓰다가 망한다.(웃음)

결국 이번 대선과 관련해 보수 진영에서 지속적으로 관심을 가지고 지켜봐야 할 인물은 박근혜밖에 없다. 하지만 보이지 않는 곳에, 우리의 이명박이 있다.(웃음) 정확하게는 퇴임 이후 자신의 안전을 보장받기 위한 이명박의 생존 본능이. 이 두 가지의 큰 힘이 앞으로 1년 반 동안 한나라당을 매우 거대한 소용돌이 속에 빠뜨릴 것이다. 특히 이명박의 생존 본능은 정상적으로는 이해할 수 없는 종류의, 한나라당에게조차 해가 되는, 희한한 복마전을 펼쳐낼 것이다. 두고 봐라.(웃음)

아 참, 내가 지금까지 언급한 정치인에 대한 논평은 이명박, 박근혜는 물론이고 대부분 내가 직접 만나서 인터뷰해보고 내린 매우 개인적인 결론이란 걸 부연해둔다.(웃음) 날 만나야, 주요 정치인이다.(웃음) 그리고 한 가지만 더. 자랑한 김에 하나 더 하려고.(웃음) 정치를 이해하려면 결국 인간을 이해해야 하고 인간을 이해하려면 단일 학문으로는 안 된다. 인간은 그렇게 간단하지 않다. 팩트와 가치와 논리와 감성과 무의식과 맥락과 그가 속한 상황과 그 상황을 지배하는 프레임과 그로 인한 이해득실과 그 이해득실에 따른 공포와 욕망, 그 모두를 동시에 같은 크기로 받아들여야 한다. 그리고 그것들을 통섭해야 한다. 나는 통섭한다.(웃음) 오늘 끝.

6장

2011. 6. 2. 녹취

가능, 하다.

조또 어려운 문제다.

지 _ 이번엔 다시 문재인 이야기로 돌아가야 할 것 같은데. 얘기한 것처럼 이미 반MB 시대정신을 박근혜가 선취한 부분이 있는데, 압도적 인지도의 박근혜를, 인지도도 지지도도 낮은 문재인이 어떻게 이길 것인가. 손학규보다도 낮은데.

김 _ 손학규 이야기는 자꾸 할 필요 없어. 문재인은 자기를 불쏘시개라고 생각하는데, 불쏘시개는 손학규야.(웃음) 그 점을 본인이 이해하느냐 못 하느냐에 자신의 정치적 미래가 달렸다. 그걸 이해 못 하면 대선 이후 사라질 수도 있어. 스스로 그걸 볼 줄 아는 게 정치적 지성인데, 그러기 쉽지는 않을 거라고 본다. 손학규도 경기도 분당에서 승리한 저력이 있지 않냐. 손학규가 분당에서 승리한 이유가 뭐냐. 그게 손

학규의 힘이냐. 그런 면이 일부 있다는 건 인정해야지.(웃음) 나머지 대부분은 이명박 덕이야.(웃음) 이명박 때문에 자기가 스스로 생각하던 만큼 부자가 아니라는 걸 비로소 깨달은 거거든, 분당 사람들이.(웃음) 이명박 세상에선 재 | 불쏘시개는 손학규.
벌 이하는 모조리 서민이니까.(웃음) 진보진영이 그렇게 발명해내고자 했던 서민이 이명박에 의해 한 방에 탄생한 거야.(웃음)

그러나 이 책이 나올 때쯤이면 이미 문재인이 야권 지지율 1위를 하고 있을 거야.(웃음) 하지만 혼자서 쭉 앞으로 치고 나가지는 못할 거라고. 당연하지. 누구나 그 양반의 진면목을 나처럼 바로 알아볼 수는 없으니까.(웃음) 먼저 알아보는, 감수성 예민한 사람들의 수가 계속 쌓여가겠지만 문재인은 노출에 익숙한 양반이 아니기 때문에 미디어 앞에서 자기 연출도 약하고 노출되었을 때도 저게 수줍은 건지 뭔지 처음엔 헷갈리게 되어 있다고. 노무현처럼 딱 등장하자마자 자기 포스를 뿜어내서 한 번에 끌어당기는 타입이 아니야. 시간이 걸려.

게다가 문재인의 노출 자체가 제한적일 거라고. 눈치 빠른 보수 진영에서는, 이런 건 보수가 훨씬 더 빨리 알아봐, 이미 가장 두려워하는 존재 중 하나이기 때문에 보수 미디어들은 이미 견제에 들어갔어. 그래서 문재인은 문재인 개인 단위로 접근해서는 풀 수가 없어. 문재인의 정치적 포지션도 그렇고. 출마 선언을 한 것도 아니고. 그렇다고 민주당에 입당하면 그 자체로 출마 선언이 되고. 그럼 나머지 진보 정당들은 그 즉시 민주당 프레임을 통해서만 문재인을 바라볼 테고. 그래서 범진보 진영, 민주당과 진보 정당들, 민주노동당, 진보신당, 국민참여당, 이 모두를 묶어서 그 가운데서 문재인의 포지션과 역할을 생각해야 하는 거지.

그런데 먼저 이 말부터 해놓고 시작해야겠어. 이게 조또 어려운 문제야.(웃음) 얼마나 어렵냐. 내가 방금 말한 첫 문장의 첫 단어, 범진보, 여기서부터 바로 분란이 시작된다고.(웃음) 진보 정당의 지지자들은 작은 논리적 모순도 스스로 견디기 힘들어하는 성향을 타고났어. 이건 뭐 어쩔 수가 없어. 그렇게 타고났으니까. 그렇게 논리적 정합성을 중요하게 여기니까. 그 덕에 보수에 비해 월등한 논리적 완결성을 유지할 수 있으니 어쩔 수 없는 비용이기도 하고.

어쨌거나 이 단어를 접하는 순간, 그 뒤의 문장을 듣기도 전에 진보 정당의 지지자들은 민주당이 어떻게 진보냐는 반론부터 먼저 하게 된다고. 설혹 입 밖으로 내지 않아도 머리에선 이미 윙윙거려.(웃음) 이거 다시 한 번 말하지만 일부러 시비 거는 거 아니야. 그렇게 생겨먹었다니까.(웃음) 이미 첫 문장에서부터 다음 진도가 탁 막히는 거지, 씨바.(웃음) 그래서 난 이 책을 혹시라도 읽을 진보 정당의 지지자들, 스스로 논리력이 다른 사람들보다 상대적 우위에 있다고 믿을, 실제로도 그렇지만, 그 양반들에게 부탁부터 하고 싶어. 논리는 잠시 접어두시라고. 뭐 싫으면 할 수 없고.(웃음)

민주당은 서구 기준의 좌우 개념에선 보수 정당이 맞아. 요즘은 소위 진보 대통합을 하려는 진보 정당들이 천하삼분지계의(웃음) 전략으로 한나라당은 보수, 민주당은 자유주의, 그리고 나머지 진보 정당은 진보라는 구분을 시도하던데, 그래야 나중에 자신들이 연대할 때 보수랑 손잡는 게 아니라는 자기변명도 가능하고,(웃음) 그래서 자유주의라는 용어까지 시장에 유통시키고 있던데, 참으로 멍청한 전략이라고 나는 주장한다.(웃음) 진보 보수도 헷갈리고 그렇게 10년간 떠들어댄 신자유주의가 뭔지도 아직 모르는데, 거기다 자유주의라니. 경제적 자유주의와 정치적 자유주의를 구분하고, 신자유주의는 제국주의적이라 아예 수구적이다, 이런 판단을 즉각 하면서 민주당을 자유주의와 연결해내라는 건가. 미친 거지, 이게.(웃음)

어떻게 이게 대중 정당이 되겠다는 사람들의 전략일 수 있냐고. 그 노력이 처절하다 못해 처연하다고는 내가 해줄 수 있다.(웃음) 하지만 대중 정당이 왜 자꾸 학술원처럼 구냐고.(웃음) 진보 진영이 대중의 모호한 인식 체계를 계몽해서 어떻게든 민주당을 포함한 보수와 자기들을 분리해내겠다는 나홀로 전략, 바로 거기서부터가 거대한 실패의 시작이라는 걸 알아야 해. 내가 한 번 이야기했잖아. 마음은 한정된 자산이라 비슷한 곳에 여러 번 나눠줄 만큼의 여력이 없다고. 게다가 우린 마음을 그렇게 나눠 쓸 만큼 한가로운 정치 지형 속에 있지 않아.

아주 쉬운 예로, 어떤 분야든 업계 1, 2위 정도가 머리에 입력되고 나면 3위부턴 가물가물해지기 시작해서 나머지 모두는 군소 업체로 처리된다고. 기억이 잘 안 나. 정치는 훨씬 더 그렇다고. 내 일상에 매일 직접적 영향을 끼치고 내가 매일 쓰고 있는 상품도 아니기 때문에 큰 덩어리의 이미지로 1차 분리되고 나면, 그 다음부터는 마음을 쓰는 일

> 대중 정당이 왜 자꾸 학술원처럼 구냐.

자체가 대단한 정신노동이야. 그래서 지금 진보 진영이 자신들을 구분시키려는 노력은 인간의 뇌가 작동하는 보편적 방식 자체를 바꾸려는 시도라고. 자기들이 뭔데 그게 가능해. 그게 쉽게 되는 소수의 진보 정당 열성 지지자들은 그런 게 대단한 정신노동이라는 것부터 이해하지 못하지. 속으로 비웃지. 그리고 억울해하지. 우리 가치를 모른다고. 바로 거기서부터 본격적으로 글러먹기 시작한다.(웃음)

지 _ 그걸 못하는 건 지적 수준이 안 되기 때문이라고 생각하잖아.(웃음)

김 _ 그런데 그건 본질적으로 피해 의식이거든. 소수자의 피해 의식. 세상에 정교한 논리력을 갖춘 피해 의식보다 설득하기 힘든 대상도 없다.(웃음) 천재적인 의처증 환자다.(웃음) 사람 환장한다.(웃음) 논리라는 건 어떤 논리로도 반박 가능하다. 끊임없이 돌고 돌아. 인간의 세상에 절대 논리라는 건 없다고. 그래서 그 양반들에게 제발 논리의 틀을 잠시라도 내려놓으라고 먼저 말하고 싶어. 안 되겠지만.(웃음) 내가 이런 말 하면, 천재적인 의처증은, 저 새끼는 노빠라서 결국 민주당으로 사람들을 끌어들이려고 이런 개수작 부리고 있는 거라고 생각하기 십상이라는 데 500원 건다.(웃음)

> 천재적인
> 의처증 환자다.

지 _ 총수가 노빠는 맞잖아.(웃음)

**닥치고
정 치**

김 _ 노빠는 맞지.(웃음) 하지만 내가 지금까지 한 이야기는 나의 그런 사적 감정과는 무관해. 난 내가 못 가진 것 빼고, 가진 것 중에 스스로 가장 괜찮다 생각하는 게, 선천적인 균형 감각이야, 믿든 말든.(웃음) 키 큰 사람이 있듯 그냥 운 좋게 타고났어. 이런 소리 하면 또 황우석 박사 이야기 나온다.(웃음) 황 박사 사건은 인간이 저지른 과오를 악마적 의도라고 단정하는 진영 논리로, 저지른 잘못에 합당한 징벌을 상회하는 결과적 폭력이었다고 여기지만, 그래서 그저 생래적 보수성을 타고났을 뿐인 불완전한 인간 하나를 사회적 걸레로 용도 폐기하는 진보의 잔인한 비인간성을 목격한 것이라 생각하지만, 그 이야기를 하는 순간 또 하나의 책이 만들어져야 하니까, 그건 그냥 내가 욕먹고 말게.(웃음) 다만, 국익 드립.(웃음) 난 황우석이 말한 국익에 전혀 관심 없어. 이해시키기 힘들다. 참. 끝.(웃음)

어쨌든 내가 문재인을 말하는 건, 엄밀히 말해서 노무현과는 독립된 판단이야. 스스로 노빠라고 말하는 내가 이런 말을 하면 아무도 안 믿겠지만 난 그게 구분되는 사람이야. 문재인이 진보 정당의 정치인으로 출현했어도 문재인을 말했을 거야. 그의 출신이 영남이든 호남이든 충청이든 강원이든 제주든, 그 출신 역시 내게 하등의 중요성도 갖지 않아.

내 말을 믿고 말고의 문제가 중요한 게 아니라 문재인이 중요하니까 그건 넘어가자. 그러니까 제발 그 피해 의식 좀 잠시 내려놓으라고. 안 되면 할 수 없고.(웃음) 그리고 말 나온 김에 노빠 이야기 좀 더 하면. 그래, 나 노무현 좋아. 난 자연인 노무현보다 남자다운 남자를 본 적이

없어. 나보다 남자다워.(웃음) 난 서른 중반이 되어서야 비로소 남자가
다 됐어. 그전엔 나도 부분적으로 찌질했어.(웃음) 하여튼 난 그런 사람
처음 봤고 아직까진 마지막으로 봤어.(웃음)

아, 씨바, 노무현 보고 싶다.

이명박 같은 자가 그런 남자를 죽이다니. 도저히 참을 수가 없어.
내가 노무현 노제 때 사람들 쳐다볼까 봐 소방차 뒤에 숨어서 울다가
그 자리에서 혼자 결심한 게 있어. 남은 세상은, 어떻게든 해보겠다고.
그리고 공적 행사에선 검은 넥타이만 맨다. 내가 슬퍼하니까 어떤 새끼
가 아예 삼년상 치르라고 빈정대기에, 그래 치를게 이 새끼야,(웃음) 한
이후로. 봉하도 안 간다. 가서 경건하게 슬퍼하고 그러는 거 싫어. 체질
에 안 맞아.(웃음) 나중에 가서 웃을 거다. 그리고 난 아직, 어떻게든 다
안 했어.

나는 꼼수다.

지 _ 그럼 어떻게 할 계획인데?

김 _ 그래서 어떻게든 하기 위해, 최근 방송 하나 만들었다. 스마트
폰용으로 〈나는 꼼수다〉라고.(웃음) 얼마 전 시작했는데 아직은 사람들

닥치고
정　치

이 몰라. 하지만 이거 대박 난다. 안 나면 말고.(웃음) 현재 진보가 집권하는 데 가장 큰 걸림돌 중 하나가 뭐냐. 메시지 유통 구조를 보수에 의해 장악당했다는 거야. 메시지 유통 구조는 절대적으로 중요해. 그 유통 채널을 타고 프레임이 유포되거든. 머릿속에 한번 세팅된 프레임의 힘은 대단히 강력한 거야. 아무리 정교한 논리도 그 프레임 안에서 노는 한, 절대 기득의 구조를 이길 수가 없다. 그 프레임 안에서 노는 진보는, 거기 등장하는 허접한 미시 논리를 깨는 데서 얻는 지적 쾌감에 도취되기 십상이지. 그런 후 자기가 엄청나게 똑똑한 일을 했다 생각하며 뿌듯하게 잠자리에 들지.(웃음) 하지만 아침에 일어나면 똑같은 세상이야.(웃음) 그건 역설적으로 그 프레임을 강화시킨다. 주어진 세상에서 아무리 잘 놀아 봐야 결국 그 세상 안이다.

프레임 그 자체를 깨야 해.

그런데 조중동+방송 3사면 메이저 유통 구조는 다 넘어간 거라고. 진보 진영이 가진 게 뭐가 있어. 〈한겨레신문〉, 〈경향신문〉, 〈오마이뉴스〉, 〈프레시안〉, 〈시사IN〉, 〈미디어 오늘〉 그리고 〈딴지일보〉.(웃음) 이거 다 합해 봐야 조선일보 하나가 유통시키는 메시지 분량 정도라고 본다. 인정하기 싫어도 그래. 여기에 방송 3사의 뉴스가 다루는 뉴스, 보다 정확하게는 다루지 않는 뉴스를 생각하면 구조는 완전히 장악당한 게 맞지. 뉴스의 진짜 힘은 뭔가를 다루는 데 있는 게 아니라, 다뤄야 마땅한 뉴스를 다루지 않는 데 있는 거거든. 다루지 않으면 아예 존재하지 않는 거라고. 그런 게 진짜 권력이지.

> 다루지 않으면 아예 존재하지 않는 거. 그게 권력.

지 _ 구조가 그렇다면 뭘 어떻게 할 수 있어?

김 _ 그런데 그 거대한 구조에 똑같은 방식으로 대항할 수 있느냐. 불가능해. 내가 혼자 그걸 어떻게 해. 기득권이란 게 그래서 무서운 거야. 보수가 10년을 제외하고는 대한민국을 내리 지배해오면서 구조를 다 장악했다고. 구조를 장악하는 게 기득권이야. 그럼 어떻게 해야 하느냐. 민주당처럼 이명박이 흘린 거 주워 먹어야 하느냐. 진보 정당처럼 광야에서 홀로 외쳐야 하느냐. 아니라는 거지. 그 두 가지 대처 모두 그 거대한 구조에 이미 압도당한 자들의 패배적 반응이라는 거지.

겁먹을 거 없다.
거대 담론에
매몰되면 안 돼.

구조에 저항하는 방법은 두 가지가 있다. 구조에 맞부딪쳐 깨는 방법과 새로운 구조를 만들어버리는 방법. 그런데 첫 번째 방법은 불가능하잖아. 내가 무슨 돈이 있어.(웃음) 자본과 인력과 권력이 게임도 안 되잖아. 승부 자체가 성립되지를 않아. 노무현처럼 사람의 존재 자체가 메시지인 자가 또다시 등장하길 기대하는 것도 종교적 기원에 가깝고. 그래서 과거 고전 좌파들이 단번에 구조를 뒤엎는 혁명을 생각한 거잖아. 하지만 이제 그것도 불가능해. 그럼 방법이 없느냐. 아니다. 난 두 번째 방법은 가능하다고 본다. 새로운 메시지 유통 구조를 만들어내는 거야. 진보의 프레임을 생산해내는.

어떻게 그게 가능하냐. 겁먹을 거 없다. 거대 담론에 매몰되면 안 돼. 물리적인 구조만 구조가 아니야. 그거야말로 보수의 관점이야. 본질만 정확하게 이해하면 그런 기회는 반드시 온다. 그리고 그게 가능한 시점이 다가오고 있다는 걸 나는 본다. 너무 비장한가, 씨바.(웃음) 뭐가 오고 있냐. 인터넷과 SNS와 스마트폰이 급속도로 결합하고 있어. 난 스마트폰도 안 하고 SNS도 안 해. 스마트폰을 쓰지 않아도 스마트폰으로 대박 낼 수 있다.(웃음) 본질만 통찰하면. SNS는 귀찮아.(웃음) 뒤처지는 것도 두렵지 않아. 그리고 이 방송하면서 날 해명하는 데 에너지 쓸 생각 없어. 그건 작아. 난 커.(웃음) 게다가 논리로는 이길 수 없는 대상과 싸우기만도 바쁠 테니까.

자, 보자고. 인터넷은 책상 앞에서 한시적으로 온라인이었어. 하지만 인터넷과 스마트폰의 결합으로 손바닥 위에서 24시간 온라인 상태가 유지되는 시대가 도래하는 중이야. 흔히 인터넷이 능동적인 미디어라고 착각하는데 아니야. 인터넷 홈페이지, 블로그, 게시판의 속성은 정보를 게재하고 방문자를 기다려야 하는 피동적 전파야. 그런데 여기에 SNS가 결합되면서 정보 수용자가 자발적으로 그리고 손쉽게, 이게 중요해 손쉽게, 스스로 능동적 전파자가 될 수 있는 플랫폼이 탄생하는 중이야. 이제 콘텐츠만 좋으면 콘텐츠가 스스로 성장하는, 콘텐츠가 자기 가치를 스스로 입증할 수 있는 물적 토대가 탄생하고 있는 거야. 이 본질을 간파하는 나 같은 사람에게는(웃음) 이거야말로 혁명이야. 탱크로 밀어야만 혁명이 아니야. 기득의 구조가 뒤집힐 수 있으면, 다 혁명이야.

물론 플랫폼만으로는 저절로 그런 일이 벌어지진 않아. 하지만

〈딴지일보〉로 10여 년 전에 입증한 적이 있잖아. 새로운 물적 토대가 탄생할 때 그 본질을 이해하고 제대로 활용하기만 하면 막강한 메시지 유통 구조를 새로 만들 수 있다는 걸. 물론 시작해놓고 내가 돈 버는 재주가 없어서, 아니다, 돈 벌 재주가 아예 없는 건 아닌데 충분히 뻔뻔하지를 못해서,(웃음) 그것도 완전히 맞지는 않구나, 그래 게을러서,(웃음) 비실비실한 세월이 길었지만. 그래도 절대 안 죽잖아.(웃음)

기득의 구조가
뒤집힐 수 있으면,
다 혁명이야.

지 _ 맞아. 〈딴지일보〉의 가장 놀라운 점은 절대 안 죽는다는 거지. 무려 12년이네.(웃음)

김 _ 난 지금 또 다른 방식으로 그게 가능한 물적 토대가 출현하고 있다는 걸, 나의 통섭적 직관으로 알아본다.(웃음) 안 되면 할 수 없고.(웃음) 항상 이 자세가 중요해. 안 되면 할 수 없고.(웃음) 그래야 제대로 놀 수 있거든. 이 물적 토대에 적합한, 좋은 컨텐츠를 유통시키면, 대박 난다. 어떻게 해야 하는지가 보여. 먼저 좋은 전달자가 필요해. 한겨레에서 〈뉴욕타임즈〉 같이 하는, 정봉주와 김용민. 여태 본 무수한 인물들 중 자기 분야에서 단연 발군이야. 정봉주, 경박해 보이나(웃음) 예리하고 진심 있어. 이런 유형의 정치인은 그가 유일해. 김용민, 유머와 시사와 프로듀싱을 동시에 이해해. 역시 시사평론가 중 유일해. 곧 한 명 더 투입한다. 〈시사IN〉 주진우. 제대로 독한 놈이다.(웃음) 진짜 기자야. 이 놈도 특별해. 그런데 주진우는 아직 모른다. 자기가 투입될 거.(웃음) 나만 알아.(웃음) 그리고 이 모두를 알아본, 무학의 통찰, 나.(웃음) 이 조합이면 돼.

그럼 어떤 게 좋은 컨텐츠냐. 컨텐츠는 **태도부터 컨텐츠다.** 풍성하고 재밌어야 한다. 당연하지. 하지만 그런 하나 마나 한 소리보다 훨씬 본질적인 게 있어. 사람들이 흔히 그런 말을 해. 왜 달을 가리키는데 손가락 끝을 보냐고. 논리를 전개하는 데 태도를 문제 삼는 사람들에게 흔히 그런 반론을 하지. 아니야. 달을 자지로 가리키면 자지를 본다.(웃음) 태도부터 컨텐츠다. 그래서 난 좋은 컨텐츠의 가장 첫번째 조건을 애티튜드라고 생각해. 무슨 소리냐. 그리고 앞으로 만들 방송이 취할 애티튜드가 뭐냐.

새로이 등장하는 이 하이브리드 플랫폼의 본질적인 힘은 철저한 자발성에 있어. 뭔가를 만드는 사람들은 자신의 노력이 헛수고가 될까 봐 안달하게 되고, 그럼 나서서 자기가 직접 광고를 하려고 하거든. 일반적으론 당연한데 이 새로운 공간에선, 광고하면 스팸이고 전파되면 정보다. 어차피 나쁜 컨텐츠는 저절로 죽고 좋은 컨텐츠는 혼자 성장한다. 그 본질을 이해하고 컨텐츠가 스스로 성장할 때까지 버티는 배짱이, 첫 번째로 요구되는 애티튜드야. 절대 구걸하면 안 돼. 그래서 난 그 방송을 시작하면서 〈딴지일보〉에 시작한다는 공지조차 올리지 않았어. 이 태도가 이해가 안 가면, 이 플랫폼의 본질을 이해 못하는 거야. 내 통찰이 맞는 거라면, 맞아.(웃음) 이 태도가 옳다. 그리고 이 태도 역시 컨텐츠야.

두 번째는 대중언어로 말하는 자세. 지금 진보 진영에 절대 부족한 거지. 말의 내용 이전에 말의 형식부터가 컨텐츠야. 형식은 내용에 선행해서, 의식이 그 내용을 수용할 자세를 지정해준다. 형식과 내용은 결코 별개일 수가 없어. 이걸 오인하는 경우가 많아. 진보 진영의 차려 자세는 사람의 의식부터 긴장시키고 내용이 들어오기도 전에 피로하게 만든다. 그래서는 소통이 시작조차 될 수가 없어.

광고하면 스팸이고 전파되면 정보다.

세 번째는 쫄지 않는 자세. 과거의 군사정권은 조직폭력단이었어.(웃음) 힘으로 눌렀지. 그런데 이명박은 금융사기단이야.(웃음) 돈으로 누른다. 밥줄 끊고 소송해서 생활을 망가뜨려. 밥줄로부터 자유로운 사람은 없다. 힘으로 때리면 약한 놈은 피해야 해. 그건 부끄러운 게 아니야. 피하고 뒤에서 씨바거리면 돼.(웃음) 그런데 밥줄 때문에 입을 다물면 스스로 자괴감 들어. 우울해져. 자존이 낮아져. 위축돼. 외면하고 싶어. 그러니까 지금 이 시대가 필요로 하는 건, 위로야. 쫄지 마. 떠들어도 돼, 씨바. 그런 자세는 그 자체로 사람들에게 위로가 된다. 위로를 주고 싶어.

마지막으로 덕 볼 생각을 하지 않는 자세. 기득권 구조에 넘어가는 이유는 우리 모두 생활인이기 때문이야. 그 구조에 저항할 생각을 하지 못하는 건 그게 나쁜 걸 몰라서가 아니야. 거기서 자신이 입을 수도 있는 혜택, 그 이익을 잃을지도 모른다는 두려움 때문이야. 기득권은 바로 그 구조를 장악하고 있으니까 줄 게 많아. 그래서 그들이 가장 무서

닥치고 정치

위하는 것은 덕 볼 생각이 없는 사람들이야. 바로 나 같은 사람.(웃음)

그렇다면 〈나는 꼼수다〉의 전달자와 애티튜드와 컨텐츠로 새로운 메시지 유통 구조를 확보해 무엇을 하려는 거냐. 논리적 정합성과 명분, 이념을 중시하는 범진보가, 자주 잊거나 잃곤 하는 감성의 부족분을 보완하고 싶어. 진보의 인간적 면모를 보여주고 싶다고. 그렇게 진보의 프레임을 확장하고 싶어.

쫄지 마.
떠들어도 돼,
씨바.

나더러 우파라고 하는 사람도 있고 좌파라고 하는 사람도 있는데, 난 사실 언젠가부터 그런 거 전혀 관심 없어. 거창하게 제3의 길을 선언하는 건 아냐.(웃음) 인간의 복합성을 그렇게 구분하는 게 부질없다는 생각이 들어서야. 난 그냥 본능주의자.(웃음) 내가 타고난 본능과 직관과 균형 감각으로만 살다가 어느 날 그냥 조용히 갈란다. 그래서 이 일에 내 존재를 그냥 쉽게 걸 수 있다. 무슨 대단한 결단이 아냐. 그냥 하고 싶어서 하는 거야. 내가 해낼 수 있다는 걸 아니까 하는 거야. 그래도 구조가 날 써주면 일해준다.(웃음) 안 써주면 혼자 논다.(웃음)

지금. 당장. 나우.

지 _ 아주 재밌는 이야기인데, 그게 지금 진보 진영의 문제와는 어떻게 연결되는 거야?

김 _ 예리한데.(웃음) 이런 식의 근본적 구조 차원의 접근이 바로 지금의 범진보 진영에 필요하다는 거지. 겨우 스마트폰 방송 하나가 무슨 새로운 구조냐. 뻥을 쳐도 너무 세게 치는 것 아니냐. 말했잖아, 물리적 구조만 구조가 아니며, 탱크로 밀어붙이는 혁명만 혁명이 아니라고. 작은 방송 하나로도 거대한 물리적 구조와 대등하게 싸울 수 있다. 그런 게 프레임을 뒤엎는 구조적 발상의 전환이다.

난 이 방송을, 조중동과 방송 3사와 검찰과 국정원과 청와대와 다이다이로 싸운다는 생각으로 만들 거다.(웃음) 그게 가능하다. 두고 봐.(웃음) 그러니까 내가 진보 진영에 하고 싶은 말은, 자신이 갇혀 있는 프레임이 뭔지 먼저 자각하고 그 프레임을 자기 손으로, 직접, 홀랑, 다 걷어내고 완전히 새로운 공간으로 걸어 나와야 한다는 거야. 그래서 완전히 새로운 구조를 스스로 만들어내야 해.

카테고리를 어떻게 하면 잘 나눠서 입지와 스탠스를 유지할 것인가를 고민할 것이 아니라, 카테고리 자체를 확 갈아엎고 구조 자체를 완전히 새롭게 짜는, 그런 근본적인 고민을 해줬으면 좋겠어. 지금 시대는 바로 그걸 요구하고 있어. 이명박 때문에, 그리고 덕분에, 그런 시대가 도래했다고. 이 찬스를 놓치면 안 돼. 이거 역사적 찬스야. 결핍이 거대한 만큼, 그 크기만큼 거대한 찬스야. 그런데 이런 역사적 찬스에 자기 손으로 그걸 못하잖아, 그럼 시대가 그걸 강제한다. 시대

다이다이로 싸운다는 생각.

에 떠내려간다. 그럼 죽는 거야. 잉여 되는 거야. 아, 그게 막 보여.(웃음) 이 거대한 흐름이 왜 안 보일까. 안타깝다.(웃음) 자신의 입장이나 처지나 이념이나 이런 거 그만 떠들고, 자기 존재 다 걸고, 맞부딪쳐서 미지의 세계로 나아가 │ 이거 역사적 찬스야. 야 해. 그게 진짜 혁명의 자세야.

　이게 쉽다고 말하는 건 아니야. 얼마나 복잡한 욕망이 뒤섞여 있겠어. 그리고 그들에게는 그게 인생이었고, 그래서 자존이고 직업이라고. 너, 니가 창업한 회사 자체를 확 엎어버리고 그 창업 멤버 일부를 자르고 완전히 새로 창업하되, 다른 회사와 합병까지 해, 하면, 그게 말처럼 쉽겠어. 졸라 어렵지. 하지만 기업은 때로 그 이상을 하기도 한다. 살아남으려고. 내 말이 그거야. 살아남으려면 그 이상도 할 수 있어야지. 더구나 기업은 돈으로 하는 거지만, 정치는 가치로 하는 거잖아. 기업한테 돈 벌다가 명예를 벌라고 할 순 없지만, 가치는 시대 상황과 요구에 따라 얼마든지 최우선 순위가 바뀔 수 있는 거라고.

　현재 대중의 거대한 결핍이 뭔지를 봐야지. 그것부터 받아안아야지. 당장의 요구도 받아안지 못하는 주제에 무슨 20년 뒤를 이야기해. 사람들은 당장 죽겠다는데, 20년 뒤를 이야기하는 건 희망이 아니라 절망이야. 두 달 뒤도 모르는 인간이 어떻게 20년 뒤를 이야기해. 그건 사기야. 자신 없는데 딴 길은 안 보이니까 사기 치는 거야. 도망가는 거야, 씨바. 그때는 단순히 생물학적으로만 따져도, 지금 살아 있는 사람들 중 죽어 없어진 사람이 몇백만 명이다. 그 사람들 어쩔 거야. 지금 해야 해. 지금. 당장. 나우. 혁명적으로. 너무 흥분했나.(웃음)

지 _ 당장 해야 한다는 건 알겠어. 그런데 구체적으로 어떤 절차로 해야 하는 거야?

김 _ 그건 나도 모르지.(웃음) 갑자기 무책임한가.(웃음) 농담이 아니라 그 중간 절차는 내가 뭐라고 할 수가 없어. 난 선수가 아니니까. 그건 구체적인 현장 상황이라는 게 존재하니까. 내가 말할 수 있는 건, 그 절대적 방향성이야. 난 결국 다 통합해야 한다고 생각해. 절차적 방법론이야 문성근의 백만민란 방식이든 뭐든 상관없어. 내가 말할 수 있는 건, 민주당과 진보 정당들이 나뉘어 그저 선거 연대하는 방식으로는 박근혜를 이길 수 없다는 거. 이번에 그런 식으로 깨작거리다 박근혜한테 졌잖아. 진보 정당들, 사실상 몰살한다. 지난 6·2 지방선거는 낄 것도 아니야. 내 말이 안 믿어지면 2년 뒤를 두고 보라고. 아니지. 그럼 큰일 나지.(웃음)

왜 안 되느냐. 정당 입장에서의 정치공학 다 빼고 대중적 관점에서 하나만 보자고. 연대하는 방식이면 소위 단일화 과정이란 게 진행될 텐데, 노무현의 단일화 성공에서 영감을 얻은 그 방식, 이미 10년 전 방식이다. 이미 낡았어. 그거 하다가 힘 다 빠진다. 그거 지켜보는 사람들 너무 피곤해. 지금 필요한 건 위로와 열광인데, 걱정과 관전을 요구하면 사람들 다 나가떨어져. 결국 누군가로 결정되어도 그동안의 상처가 너무 커서 힘이 안 나와. 지난 경기도지사 선거를 봐. 그건 낄 것도 아니야.

사람들더러 총선과 대선에서 다시 한 번 그런 과정을 연속으로 지켜보라고 하는 것보다 더한 정치적 고문도 없다. 답답해 미친다. 게다가 우리의 이명박이 가만히 있나.(웃음) 절대 아니지.(웃음) 사건 만들어 내서 졸라 초 친다. 그럼 사람들, 혼란에 빠진다. 그렇게 어떤 임계를 지나고 나면 단일화라는 단어 자체가 졸라 구태의연해 보이게 된다. 그럼 완전히 새로운 걸 찾게 된다. 만에 하나 그게 찾아지면, 지금의 민주당과 진보 정당은 닭 쫓던 개로 남겨지고, 전혀 엉뚱한 곳에서 그거 다 받아간다.

만약 찾아지지 않으면 정치적 허무주의로 빠진다. 그래서 결국 이명박을 그렇게 겪고도 박근혜를 당선시키잖아. 그럼 전두환 겪고 노태우 당선시킨 뒤에 다시 한 번 더 전두환을 당선시키는 정도의 정서적 임팩트가 온다. 진보적 매체에서 그래도 가치가 어쩌고저쩌고 해서 해결될 수준이 아니야. 그 원망과 분노를 어떻게 감당해. 세상 누구도 감당 못해. 전혀 다른 인물들이 전혀 다른 구조의 정당으로 등장하게 되고, 기존 정당들도 그들로 대체되거나 더 분열된다. 그 역시 민주당과 진보 정당이 잉여 되는 코스다. 두고 봐. 아니지, 그럼 박근혜가 당선되어야 하는구나. 큰일 나지.(웃음) 내가 지금 하는 말이 지나치게 부정적이고 암울한 전망이라 여기는 사람들이 적지 않겠지만, 아니야, 난 무지하게 긍정적인 사람이야.(웃음)

'나가수' 1위, 다 맞힌다.

타고난 균형 감각으로, 통섭적 직관으로, 인간에 대한 깊은 이해로, 뭐 더 갖다 붙일 좋은 거 없나,(웃음) 대중의 평균 정서를 기준으로 한 매우 드라이한 정황 판단을 말하는 거야.

나 이런 거 진짜 잘 맞힌다. '나가수' 1위, 다 맞힌다.(웃음) 그래서 단일
화 과정만 잘 진행해서 단일 후보만 내면 반드시 이길 거라고 책상 앞
에서 시뮬레이션 하고 있겠지만, 그 시뮬레이션의 소스 데이터 자체가
10년 전 거라는 거 다시 한 번 말하고 싶다. 10년간 세상이 얼마나 변했
는데. 그걸로 안 돼. 아, 답답해. 내게 보이는 걸 정치인들에게도 보여
줄 수 있는 마법의 슬라이드 없나.(웃음)

유시민과 국민참여당.

지 _ 그 통합으로 가는 길을 막고 있는 걸림돌이 뭐야?

김 _ 물론 각 정당의 욕망과 입장과 처지가 걸림돌이지. 우선 제일
큰 건 민주당.(웃음) 욕심만 많고 욕심의 크기만큼 멍청한 큰형.(웃음) 도
대체 어디서 뭘 하고, 안녕히 잘 살고 계신지 안부를 묻고 싶어.(웃음) 왜
안 싸워. 야당은 싸우라고 있는 거야. 싸우고 있는데 잘 안 보이는 거라
는 말은 웃기지도 말라 그래. 야당이 안 보이게 싸우는 건, 안 싸우는
거야.(웃음)

민주당이 존재감이 없었던 건, 여러 이유가 있지만, 기본적으로 자
신들이 지난 대선에서 왜 패배했는지 스스로 이해를 못했기 때문이야.
그러니까 노무현 시절, 우리가 너무 좌로 갔나, 이제 중도로 가야 하나,
역시 먹고사는 게 중요한가, 그래서 이명박이 이긴 건가, 이러면서 중

도 어쩌고 한 거지. 이명박의 프레임이 완전히 먹힌 거지. 그렇게 쫄아서 갈팡질팡 자기 스탠스를 잃어버렸는데 간지가 나나. 국민참여당이 왜 떨어져 나갔는지 성찰은 못하면서 떨어져 나갔다는 사실 자체만 공격하는 소갈머리로 어떻게 자기 대면을 하겠냐만은.(웃음)

그렇게 어정쩡한 스탠스니까 노무현 서거 후에 나온 첫 반응이라는 게, '이명박은 사과하라.' 아냐. 등신들.(웃음) 유가족이 살인자더러 사과하라니. 차라리 '용서하겠다.'면 모르겠다.(웃음) 이명박한테 사과를 받아서 어따 쓰려고.(웃음) 사과하면, 아, 이제 사과 받았으니까 됐다, 감사합니다, 할 거냐고.(웃음) 이명박이 사과 안 했기에 망정이지.(웃음) 이명박이 사과를 한다고 해도, 사과 따위는 필요 없다고 해야지. 사과는 상처 받은 사람들에게, 자신들이 대변하지 못한 그들에게 자기들이 했어야지. 그리고 다시 일어나 정권을 되찾겠다고 선언했어야지. 결연하게. 아, 등신들.(웃음)

그래도 민주당이 버티는 건, 민주당은 가만히 있어도, 사람들이 헤매다가도, 결국 자기들한테 올 수밖에 없다고 생각하기 때문이지. 과거에도 그래 왔고 이번에도 또 그럴 거라고 생각해. 그래서 한편으론 불안하면서도 한편으론 느긋해. 절반은 맞는 생각이야. 비판적 지지니 뭐니 하는 그런 역사가 정말 장구하게 존재했어. 그런데 이번에는 아니야. 사람들이 그렇게 이명박을 싫어함에도 민주당이 그 반사이익을 얻지 못하는 이유를 민주당은 아직도 이해 못하고 있어. 사람들은 민주당을 못 믿어.

이 대목에서 토론을 시작하면, 민주당이 노무현을 저버렸다고 여기는 노빠들의 배신감부터 열린우리당 창당 이후 영남 정치인을 거의 자동적으로 영남패권주의라고 오인하는 호남 일부의 피해 의식까지, 정서의 문제와 지역주의와 조직 문제까지 정말 광범위하게 이야기할 수 있지만, 그런 건 사실 통합을 이야기할 때 핵심이 아니야. 지금 가장 중요한 건 못 믿는다는 거야. 뭘. 그 역량을. 이명박도 못 이겼는데 박근혜를 이길 거라는 생각이 들지가 않아. 민주당을 보면. 이게 핵심이야. 그래서 마음을 다 줄 수가 없어. 사람들이 대체재를 찾아 헤매게 만들어. 마음을 다 못 준다. 이게 키워드다. 그런데 민주당은 그걸 몰라. 멍청하게도.(웃음) 이게 첫 번째 걸림돌이야.

사람들은 민주당을 못 믿어.

두 번째는 진보 정당. 이건 이미 앞에서 충분히 이야기했으니까, 건너뛰자고.

세 번째는 국민참여당. 이명박을 싫어하는 범진보 진영의 마음 중 가장 큰 덩어리를 차지하는 정서의 속성을 표현할, 가장 적확한 단어가 뭐냐. 노무현이야. 믿건 말건, 이건 내가 노빠인 것과 무관해. 노무현이라고 묶이는 정서는 그런 거야. 논리로 무장한 이념적 진보 말고, 그냥 타고난 경향성, 내가 맨 앞에 이야기했던 기질적이고 정서적인 진보성, 학습의 세례를 받지 않아 정교하진 않지만 인간에 대한 이해가 보수의 그것과는 판이하게 다른 감수성. 그 구분은 쉬워. 그런 감수성을 가진 사람들만 노무현을 잃고 울었다. 노무현 서거에 울지 않은 사람은, 자신의 정치적 정체성을 진보라고 하든 보수라고 하든 상관없이, 이 바운

더리에 들어오지 않는다. 울었어야 옳다는 게 아니야. 감수성이 다르단 거지.

국민참여당은 그중에서도 그 감수성이 가장 예민한 사람들이 모인 곳이야. 그들은 노무현을 잃었을 때 자기 자신의 장례식을 치른 거야. 무슨 소리냐면, 노무현은, 내가 아주 어린 시절 옳다고 배운 모호한 정의에 대한 감각, 우리 편은 이기고 나쁜 놈은 진다는 수준의 정의에 대한 감각, 그래서 나는 나이를 먹어가면서 반드시 그렇진 않다는 걸 어쩔 수 없이 받아들였지만 여전히 그런 게 있다고 믿고 싶은 그 정의에 대한 원형질에 가까운 감각이, 사람으로 체화된 상징이야. 그래서 노무현의 죽음은, 아직도 내 안 어딘가에서 살아 있던, 그런 단순한 정의를 믿었던 어린아이의 동반 죽음이야. 내 안의 어린아이가 죽은 거라고.

씨바, 또 슬프다.

이들이 받은 정서적 상처는 너무 커서 그냥 우는 것만으로는 그 트라우마가 해결이 안 됐어. 그래서 그들끼리 따로 모였다. 상처의 깊이를 말로 설명하지 않아도 서로 이해하는 그들끼리 모였을 때, 그들은 그게 너무 반가워서 크게 웃고 행복해했다. 내가 이해받고 있다는 건 그 자체로 절절한 위로다. 그 기쁨의 애도를 기반으로 탄생한 게 국민참여당이다. 그래서 국민참여당의 창당대회는 기존 정당의 창당대회와 그 분위기가 완전히 달랐어. 잔치였어. 그 잔치를 보고 난 마음이 아팠어. 상처의 깊이가 느껴져서. 나도 그런 종류의 사람이니까. 그러니까 민주당은 국민참여당을 욕할 자격이 없어. 민주당이 그런 위로를 못 준 거니까. 이게 다 민주당 탓이야, 씨바.(웃음)

그래서 난 국민참여당의 창당 자체는 절대 뭐라고 하고 싶지 않아. 그거라도 있어서, 그들이 버틴 거다. 하지만 국민참여당은 창당하고 바로 해체했어야 한다고 난 생각해. 국민참여당 당원들에게 졸라 욕먹겠지만 어떡해, 씨바.(웃음) 애도를 정당으로 해야 하나. 그런 조직은 정당이 아니라 하나의 비영리 재단으로 따로 만들었어야 해. 난 이거, 국민참여당을 처음 추진했던 사람들이 노무현 서거 이후의 거대한 상실감에 무책임하게 올라탄 결과라고 생각해. 애초 국민참여당을 처음 시작한 사람들의 기획과는 다른 정당이 탄생한 거야. 그걸 인정해야 해. 못하겠지만.(웃음) 더구나 그들의 최초 기획은 엉성했다. 오히려 그 이후에 모인 당원들이 그 엉성함을 메워간 거지. 그러나 그 결과, 하나의 괴물이 탄생했다. 잔인한 표현이지만, 사실이다. 이 정당은 이제 누가 어떻게 할 수가 없다.

> 애도를 정당으로
> 해야 하나.

이런 말 하면 그 양반들은 노무현의 서거 이전부터 기획한 거라고 하겠지만, 노무현의 서거가 없었다면 국민참여당은 지금의 크기가 절대 못 됐고 흐지부지됐어. 그러니까 그런 소리 필요 없어. 그리고 진심을 몰라주네 이런 소리도 할 거 없어. 검찰도 진심 있어.(웃음) 정당은 집권을 도모하는 정치적, 정책적 결사체야. 그런데 국민참여당은 정서적 결사체야. 인정 안 하겠지만.(웃음) 그래서 현재의 국민참여당을 설명할 키워드는 '낭만'이야. 애도에서 출발한 정서가 신바람 나서 도달한 낭만. 낭만적 정서 결사체.

그리고 현재 국민참여당을 구성하는 절대 다수의 직업은 정치가 아니야. 그 한계는 대단히 자명해. 정치 현장을 모르면 이게 왜 한계인지 모른다. 정치는 그것대로 대단히 전문적인 직업이다. 이거 인정해줘야 해. 열성적이고 낭만적인 아마추어들의 율동과 운동, 생각보다 실제 선거에 도움 안 된다.(웃음) 그걸 바라보는 평범한 대중들에겐 마치 예수 믿으세요, 하는 거리 전도사들 같다.(웃음) 풀뿌리 민주주의라는 말과 정치가 전문 직업인의 영역이란 게 서로 배치되는 게 아니야. 상향식 조직 원리는 정당의 운영 방식이지 그 자체로 정당의 정치적 정체성일 순 없어. 한나라당도 혁명적인 상향식 공천 할 수 있어.(웃음)

하지만 그것보다 더 근원적인 문제는, 국민참여당의 창당으로 방금 내가 노무현이라고 묶은 정서, 그 정서가 분열하게 됐다는 거야. 국민참여당이 왜 필요한지, 국민참여당이 왜 민주당보다 나은지, 나도 수백 페이지 쓸 수 있어. 그 정당성의 논리는 얼마든지 개발할 수 있어. 그러면서 민주당을 얼마든지 공격할 수 있어. 나도 정서적 정체성으로는 그들과 하나도 다를 바 없는 인간이니까. 하지만 민주당과 구분하려는 시도의 대부분은 정서의 차이를 논리로 설명하려는 거야. 미운 걸 정책과 노선의 차이로 합리화하려는 시도라고. 원래 사람이 그래. 먼저 밉고, 그게 감정 때문이 아니라고 말하려고 논리를 개발하지.

국민참여당과 민주당은 정치적 정체성 면에서는 다르지 않아. 다른 건 감수성이야. 본질이 그래. 국민참여당이 민주당보다 여러 가지 면에서 훨씬 더 민주적이라고 할 수 있고 실제로도 그래. 그 차이점을 설명할 수는 있다고. 정당의 외양을 한, 깨어 있는 시민의 조직이자 가치 지향의 인적 네트워크다. 이런 말들, 나 혼자서도 졸라 만들어낼 수 있어. 하지만 정치조직이 지향하는 정치적 가치, 정책적 결과, 그건 결국 다르지 않아. 그럼 나머지 대중은 설득 안 돼. 감수성의 차이가 다른 정당을 만들 정도의 명분이 되는 건 아니야. 그래서 어떤 논리로도 대중의 마음에 가 닿지를 않아.

**국민참여당과
민주당,
다른 건 감수성.**

국민참여당이 지향하는 가치를 사람들이 아직 잘 몰라서 그렇다고 생각하는 건 착각이야. 사람들은 둘 사이에 사실은 차이가 없다는 본질을 그냥 알아봐. 억울해도 할 수 없어. 그걸 인정하고 싶지 않은 마음이야 백 번 이해하지만, 내가 그들보다 더 나은 사람이라고 믿고 있는 그 마음도 천 번 이해하고, 그래서 그들과 엮이고 싶지 않다는 마음도 만 번 이해하지만, 그걸로는 별도의 정당이 되어야 할 이유를 납득시킬 수가 없어.

국민참여당 지지자들은, 과거에 자신들이 진보 정당을 공격하던 바로 그 논리가 그대로 자신에게 적용되는 상황이 됐다는 걸 보지 못하고 있어. 민주당 지지자 시절, 민주노동당이 민주당과 뭐가 그렇게 다르다고 우리와 척을 지냐고 공격했던 그 논리가 그대로 그들 자신에게 되돌아가고 있어. 그런데 민주노동당과 진보신당의 정치적 지향 차이보다 민주당과 국민참여당의 정치적 지향 차이가 더 적어. 어쩔 거야, 이거.(웃음) 내가 몰라서 그런다고 하겠지만, 아니다.(웃음) 국민참여당 지지자들은 이런 말 들으면 막 승질부터 나겠지만, 그리고 이렇게

**닥치고
정 치**

단순화시키는 건 위험한 요소가 있긴 하지만, 이렇게만 말하고 말자. 더 길게 이야기하고 싶지 않아, 이건. 말하고 있는 나 스스로한테도 상처니까.

지 _ 그럼 유시민의 역할에 대해 이야기할 수밖에 없겠네, 이 대목에서.

김 _ 아, 유시민. 지금 현존하는 정치인 중에 유시민처럼 오해받는 정치인이 또 있을까.(웃음) 유시민은 이제 권력욕에 불타는 권모술수의 화신이 되어버렸잖아.(웃음) 나, 유시민 잘 안다. 정치인 중 가장 많이, 그것도 주기적으로 인터뷰했고, 그 지역구의 주민으로 마실에서 만나던 사이고, 그 누님들도 잘 안다. 그래서 자신 있게 말할 수 있어. 유시민은 권력의지가 졸라, 아주 졸라 없는 사람이야.(웃음) 내가 유시민에 대해 가진 가장 큰 불만이지.(웃음) 그럴 거면 정치를 하지 말든가.(웃음) 시작했으면 불타는 권력의지를 발휘하든가.(웃음)

유시민에 관한 모든 오해는 바로 거기서부터 출발해. 유시민을 어떤 수단을 써서라도 반드시 권력을 쟁취하려는 모사꾼으로 바라보는 그 지점. 정말 그렇게 불타는 권력의지로 잔꾀를 부리다가 지금 그 꼴이 되었으면(웃음) 억울하지나 않지. 그런데 대중의 그런 오해가 이해가 될 만도 한 것이, 유시민의 행보는 기존 정치의 문법으로는 잘 이해되지 않거든. 저 사람이 왜 저러지.(웃음) 그래서 결국 기존 문법 중에서 가장 음흉한 놈을 들이대서 해석할 수밖에 없지. 그걸 여기서 일일이 설명할 순 없으니까 건너뛰자. 여기선 유시민이 주인공이 아니니까.

두 가지만 짚어두자면, 유시민은 그런 사람이 결코 아니다.(웃음) 유시민은 일반적으로 생각하는 것보다 훨씬 순정한 사람이다. 바로 그 순정함 때문에 더 오해를 받는다. 그리고 많은 사람이 유시민이 국민참여당을 이끌고 있다고 착각하고 있지만, 아니다. 국민참여당의 탄생 근거와 목적과 정서를 이해하는 유시민이, 그 놈의 타고난 책임감 때문에,(웃음) 국민참여당에 끌려가고 있는 거다. 유시민을 죽이고 있는 건 바로 국민참여당이다. 이 말의 본질을 이해할 수 있는 국민참여당 지지자가 과연 얼마나 있을까 싶다만. 노발대발하는 국민참여당 당원들의 목소리가 벌써 환청으로 들리는구나.(웃음) 유시민이 작년에 내게 이야기했지. "참여당의 지지율을 내 지지율만큼 끌어올리는 것이 내 소명이라고 생각한다." 내가 대답했지. "유시민의 지지율이 참여당의 지지율만큼 끌려 내려갈 일만 남았다."(웃음)

지 _ 그러니까 유시민은 어쩔 수 없는 일을 할 수 있는 사람이구나. 정치인들은 어쩔 수 없는 일을 안 하거든.

김 _ 유시민은 자기를 도구화하는 사람이거든. 이게 대다수 기성 정치인과의 결정적 차이야. 자기가 여기에 쓰일 도구라는 것을 이해하고, 그것을 거부하지 못하는 사람이지.

지 _ 이제 통합 이야기로 넘어가보자고. 국민참여당과 민주노동당의 통합은 어떻게 봐?

김 _ 민주노동당이 진보 정당 중에서는 상대적으로 감성적인 집단이라고 했잖아. 현재 그 감성을 대표하는 게 이정희이고. 그 관점에서 보자면, 친노의 감성적 진보성도 충분히 민주노동당이 포용할 수 있는 범주 내에 든다고 생각하고, 무엇보다 그 길이야말로 진보 정당이 외연을 확대해 몸집을 키울 절호의 찬스라고 생각해. 이건 민주노동당만의 관점에서 보자면 대단히 올바른 판단이라고 생각해. 내가 민주노동당의 전략가였다면 나라도 이렇게 하겠어. 하지만 그건 민주노동당만 생각했을 때라는 거.(웃음)

이게 성사되면 유시민의 역할은 다시 한 번 제한될 거다. 그 정당과 문재인의 관계가 분명하게 설정되기 전까지는. 유시민

> 유시민은
> 소년가장이야.

의 지지자들과 민주노동당의 지지자들은 생각만큼 유사하지 않거든. 감수성이 다르다.(웃음) 이정희와 유시민이 연애한다고 표현하는데, 틀렸어. 연애는 자기가 스스로를 위해 하는 선택이거든. 유시민은 자신을 위해 그 길을 가는 게 아니야. 유시민은 소년 가장이야.(웃음) 소년 가장이 가족의 생계를 위해 입양되는 거야. 그것도 본인들 재혼 문제가 더 시급한 이혼 가정에.(웃음)

유시민이 민주당에 돌아가지 못하는 게, 민주당 일부 세력의 지역에 기반한 야바위 행태에 대한 거부감도 있고, 자신에 대한 민주당 내

부의 비토 세력이 적지 않아서이기도 하고, 바꿔보겠다는 사람들 두고 혼자 민주당으로 돌아갈 수도 없고, 그 외의 여러 요인이 복합적인데, 민주노동당 내부의 유시민에 대한 정서는 그럼 민주당 내부의 그것보다 호락호락한가. 아니거든. 정치는 사람이 하는 거고, 사람은 마음으로 움직인다. 계속 강조하지만. 유시민이 통합된 정당의 민주노동당 구성원들로부터 마음을 얻어낼 수 있겠는가. 본인의 진심과 입장을 끊임없이 설득하고 입증해내야 하는데, 그게 민주당에서보다 더 힘들면 힘들었지 더 쉽진 않다.

지 _ 그럼 민주당과 유시민의 관계는 어떻게 봐야 해?

김 _ 민주당은 유시민을 싫어해.(웃음) 지금 민주당엔 구심점이 없어. 인물로도 없고 정서로도 없어. 졸라 허약해.(웃음) 그나마 노무현으로 묶을 수 있다고 생각했지. 서거 이후. 특히 6·2 지방선거에서 친노의 직계들이 대거 당선된 후에는. 그런데 유시민이 방해를 하는 거야.(웃음) 유시민은 민주당에 있을 때도, 민주당의 기존 문법 내에 들어오지 않았기 때문에 혼자 잘난 척한다고 싫어했어. 노무현 사랑을 받더니 건방 떠느라 저렇게 하는 거라고.(웃음) 민주당의 유시민 비토 역시 결국 정서의 문제야. 유시민이 하는 발언을 자세히 봐. 별로 틀린 말을 하는 법이 없어. 그게 더 미운 거야.(웃음) 결국 둘 사이 문제의 본질은 정서야. 그게 나머지 문제 모두를 압도해.

사람, 문재인.

지 _ 그럼 이렇게 서로 미워하고 결이 다르고 목표가 다른 정당들의 일대 혼란 속에서 문재인은 도대체 어떻게 해야 하는 거야?

김 _ 이제 마지막 이야기군.(웃음) 이 말부터 해야겠다. 결국 문재인은 출마하지 않을지도 몰라.

지 _ 아니 여태까지 그렇게 문재인을 외쳐놓고 그게 무슨 소리야.(웃음)

김 _ 실컷 문재인이다 문재인이다, 나오면 이긴다 이긴다, 나올 거다 나올 거다, 하다가 미쳤나 싶겠지만,(웃음) 진짜 허무하게 들리겠지만, 이 말부터 해줘야겠다고 생각하는 이유가 뭐냐. 바로 거기에 문재인이 가진 힘의 본질이 있기 때문이야. 나는 물론 문재인이 나와서 대통령이 되면 그 역할을 잘해낼 거라 믿어 의심치 않는 사람이야. 그래서 앞으로도 계속 출마해야 한다고 열심히 떠들어댈 거야.(웃음)
하지만 내가 만나보고 이해한 문재인은 보통 사람들하고는 의사결정의 프로세스 자체가 달라. 어떤 결정이 내게 어떤 이익을 줄 것인가, 이런 건 아예 고려 대상 자체가 안 되는 사람이야. 보통 사람들은 그것이 내게 되돌려줄 이익부터 생각하게 되어 있잖아. 그런데 문재인은 그런 프로세스 자체가 없어. 왜 그런 인간이 되었는지는 나도 몰

라.(웃음) 그냥 그런 사람이 있어. 어쩔 거야. 있는데.(웃음)

문재인은 야권 통합을 위해 열심히 노력할 거야. 사람들은 그걸 보면서 아, 저렇게 해서 그 성과를 기반으로 대선에 출마하려는 거구나, 하는 생각을 할 거고. 자연스러운 추정이지. 내년 총선을 위해서도 아마 열심히 노력할 거고. 이런 말 하는 사람들 있잖아, 문재인이 부산에서 직접 출마해 검증받아야 한다고. 조까는 소리다.(웃음) 문재인을 검증할 자격이 있는 정치 인생 있으면 좀 나와보라고 해.(웃음) 그런 소리 하는 사람 중에는, 특히 민주당 목소리 중에는, 그런 마음 있어. 날로 먹으려고 하지 마라. 부산 같은 곳에서 입증해라. 혹여 그 과정에서 훅 가면 할 수 없고. 그런 마음. 갑자기 뜨는 문재인이 고까운 거지.(웃음) 사돈도 로또 터지면 배 아프다.(웃음) 나라고 대통령 못 되란 법 있냐는 생각으로 뭉친, 사돈조차 아닌 정치인들이야 뭐.

그런 문재인보고 기자들이 출마 의사 물어보면 예전엔 절대 안 한다고 하더니, 최근엔 그 답을 열어놓는다. 지금은 통합의 역할에 충실할 거라며 가능성을 닫지 않는다고. 사람들은 그걸 아, 역시 출마할 거고 지금은 스펙을 쌓는 과정이구나, 이렇게 생각한다고. 다들 그렇게 생각해. 하지만 난 그렇게 생각하지 않아. 내가 아는 문재인은 그런 사람이 아니야. 사실 문재인 같은 사람이 워낙 드무니까 그렇게 생각하는 게 당연해. 하지만 내가 만나보고 이해한 문재인은 그런 방식의 정치적

나도 몰라.
어쩔 거야. 있는데.

**닥치고
정 치**

셈법을 가진 사람이 아니야. 문재인의 셈법은 그 근본부터가 달라.

문재인이 그 대답을 열어놓는 이유는, 그래야 통합에서 역할을 해 낼 수 있기 때문이야. 정치판 사람들은 그 사람의 정치적 미래가 보여 야 움직여. 대중도 마찬가지야. 그 가능성을 완전히 닫아버리면 지지 율로 연결이 안 돼. 그게 없으면 문재인은 그 통합을 조력할 힘을 잃게 돼. 거기에 문재인 자신을 위한 셈법은 없어.

범인들은 믿지 못하겠지만, 그런 사람이 실제로 존재한다. 아무리 지지율이 높게 나와도 그냥 던져버릴 수 있고, 지지율 1위도 역사를 위 해서만 의미가 있다고 생각하는 사람, 실제로 존재한다. 문재인은 그런 사람이다. 이런 게 바로 어떤 이념이나 이익으로도 도달할 수 없는 고 결한 인간의 정신이다. 그리고 바로 그런 게 사람들이 원하는 정치의 본질이다. 모두의 행복을 위해 혼신을 다하되, 그 안에 정작 자기는 없 는 거.

그래서 내가 문재인과 관련해 유일하게 걱정하는 건, 문재인의 자 질이니 검증이니 하는 개소리가 아니야. 내가 걱정하는 건, 문재인을 대통령으로 만들겠다면서 그 주변에서 열심히 구상되고 수립되고 있을 기획들이야. 정치 기획의 속성이 그렇다. 가장 최근에 검증된 성공의 공식을 반복하려고 해. 그러나 그 공식, 무려 10년 전 모델이다. 오래된 드라마 다시 보면 당대 히트작이라도, 촌스럽다. 대사도, 연기도, 플롯 도, 주제도, 패션도. 10여년 전이면 HOT가 염색했다고 출연 금지되던 시절이야. 까마득하지. 지금 범진보 진영이 그리는 모델이 바로 그 시

절 거다. 그런 기획 돌아가는 소리가 막 들릴 것만 같아.(웃음)

이제 그런 시대는 갔다. 사람들은 뭔가를 완전히 잃고 나서야 비로소 그 본연의 가치를 깨닫는다. 어쩔 수 없어. 세상엔 공짜가 없다. 이명박이 만들어낸 어마어마한 상실감은 정치의 본질이 무엇인지 각성하게 만들었어. 그렇게 정치의 문법이 근본적으로 바뀌고 있다. 이 도저한 흐름을 보지 못하면, 어떤 기획도 문재인을 망친다.

어떤 기획도
문재인을 망친다.

그냥 있는 그대로의 문재인만을 드러내야 해. 어떻게 집권해야 하는지, 구체적 작전, 나도 온갖 담론 동원해 책 몇 권 쓸 수 있다. 믿거나 말거나.(웃음) 하지만 고전적 의미의 권력의지 시대가 가고 있다. 작전, 하지 말아야 해. 문재인의 본질이 다치게 해선 안 돼. 그건 우리 모두에게 다시 한 번 상처야.

지 _ 박근혜도 그런 식으로 하고 있는 것 아닌가. 가만히 있잖아.

김 _ 박근혜가 가만히 있는 건, 드러내는 게 아니라 숨기는 거다. 그게 대통령 되는 길이라서. 그건 작전이다. 문재인이 통합한다며 움직이는 건, 대통령이 되기 위해서가 아니다. 그게 근본적인 차이다. 그래서 만약 마지막 순간까지, 문재인 스스로 조력자에 머물겠다고 한다면, 할 수 없다. 물론 난 그가 나서길 원해. 그래서 열심히 부추기겠지만, 그건 내 욕심이니까 뭐라고 하지 마.(웃음) 하지만 거기까지야. 거기까지가 기획의 끝이어야 해.

나머지는 사람들이 스스로 그를 발견해야 해. 사람들을 믿고 그들에게 맡겨야 해. 이런 말 하면 순진한 소리 말라고 할 사람들, 세상에 넘친다. 착각은 그들이 하는 거다. 사람들은 이미 각성했다. 그들이 제 마음을 표현할 구체적 언어와 그 마음을 줄 사람을 아직 찾지 못했을 뿐이다. 그게 이명박의 절망이 우리에게 남긴 희망이다.

지 _ 하지만 문재인 혼자서 그 일을 할 수는 없잖아.

김 _ 그래서 통합을 말하는 거다. 이건 문재인을 위해서가 아니야. 시대다. 이정희와 노회찬과 심상정과 유시민과 손학규, 민주당과 국민참여당과 진보신당과 민주노동당, 그리고 시민사회 모두가 문재인과 함께 손잡고 서 있는 모습을 보고 싶다. 그들이 공동의 정부를 꾸리는 걸 보고 싶다. 그렇게 그들이 서로를 지탱하는 모습만으로도 엄청난 치유다.

이념이 사람을 구하리라. 아니다. 이익이 나라를 구하리니. 아니다. 인간이 모두를 구해야 하는 시대다. 이념과 명분과 논리와 이익과 작전과 조직으로 무장한 정치인이 아니라, 인간을 인간답게 하는 보편준칙을, 담담하게, 자기 없이, 평생 지켜온 사람이 필요하다. 시대정신의 육화가 필요하다. 문재인이란 플랫폼이 필요하다.

문재인은 단순하고 담백하다. 특전사 나오고 사법연수원 차석 했으나 평생 구조와 프레임에 맞서며 인권변호사 하다 청와대까지 운영하고도, 자신은 절대 정치하지 않겠다고 첫사랑인 부인과 시골로 내려간 사람. 그러던 그가 노무현의 운명을, 결국 자신의 운명으로, 역사로 받아들인다. 정치 아니다. 인간 문재인의 도리다.

문재인 정도를 가질 권리가 있다.

오로지 자기 안에 자기만 있는 이명박 덕분에 영화에나 나올 이런 정도의 사람을, 대통령으로 가질 수 있는 찬스가 온 거다. 이게 역사의 반작용이다. 부시에게 학을 뗀 미국인들이 역사상 최초의 흑인 대통령을 만든 것처럼. 그게 그런 거다. 다음 시대엔 또 다음 시대의 자질이 호출될 거다.

하지만 오바마가 천국을 도래시키지 못했듯, 노무현으로 천국이 오지 않았듯, 문재인으로도 천국은 오지 않는다니까. 맞다. 인간 세계에 천국은 없다. 하지만 노무현이 없었다면 이명박이 얼마나 나쁜지 몰랐다. 노무현으로 인해 되돌아갈 지점을 알게 된 것처럼, 문재인은 또다른 기준이 된다. 역사는 그런 거다. 그런 기준을 가져보느냐, 못 가져보느냐.

이때를 놓치면 절대 안 된다. 이명박을 버텨낸 우리에게는 문재인 정도를 가질 권리가 있다. 이명박을 겪어낸 우리에게는 그만한 자격이 있다. 그래서 이 기회를 놓치면 절대 안 된다. 그건 너무도 슬픈 일이다. 좌우를 떠나, 우리 모두에게, 너무 슬픈 일이다.

닥치고 정　치

해보자.

쫄지 말자.

가능, 하다.

씨바.

   이 긴 대화를 끝내며 이제 마지막으로 가장 중요한 한마디를 해두
고 싶다.

나는 잘생겼다! 크하하하.

닥치고 정치

첫판 1쇄 펴낸날 2011년 10월 5일
24쇄 펴낸날 2011년 10월 29일

지은이 김어준 **엮은이** 지승호
펴낸이 김혜경
편집인 김수진
기획편집부 이재현 이진 김미정 김교석 이다희 백도라지 윤진아
디자인팀 서채홍 나윤영 김명선
마케팅팀 김용환 문창운 조한나
홍보팀 윤혜원 김혜경 오성훈 강신은
경영지원팀 임옥희 양여진

펴낸곳 (주)도서출판 푸른숲
출판등록 2002년 7월 5일 제 406-2003-032호
주소 경기도 파주시 회동길 57-9번지, 우편번호 413-756
전화 031)955-1400(마케팅부), 031)955-1410(편집부)
팩스 031)955-1406(마케팅부), 031)955-1424(편집부)
www.prunsoop.co.kr

* 잘못된 책은 구입하신 서점에서 바꾸어 드립니다.
* 본서의 반품 기한은 2016년 10월 31일까지입니다.

이 도서의 국립중앙도서관 출판시도서목록(CIP)은 e-CIP 홈페이지(http://www.nl.go.kr/cip.php)에서
이용하실 수 있습니다. (CIP2011004087)